ARMEER
ASIEN
FINNLAND
SCHWEDEN
ORWEGEN
St. Petersburg
RUSSLAND
NEMARK
WEISSRUSSLAND
E
POLEN
EUTSCHLAND
UKRAINE
TSCHECHIEN
ÖSTERREICH
UNGARN
WEIZ
SLOWENIEN
BULGARIEN
SERBIEN
RUMÄNIEN
ITALIEN
TÜRKEI
ISRAEL
ÄGYPTEN
Dubai
Katar
ARABIEN
INDIEN
Bombay
Sri Lanka
Peking
CHINA
Hongkong
STILLER OZEAN
Singapur
INDONESIEN
FRIKA
ERITREA
ÄTHIOPIEN
UGANDA
MERUN
KENIA
AUSTRALIEN
Sydney
Melbourne
Perth
INDISCHER OZEAN
Pretoria
Johannesburg
SÜDAFRIKA
Kapstadt
TIS

October 15. 1997

To a new and dear friend.

With kind memories from a splendid evening. Good luck in your work for the friends!

Regards

Kjell [signature]

Wer den Kreuzesweg will gehen,
muß sich demüt'gen vor Gott,
Fleischeslüsten widerstehen,
lieben nur des Herrn Gebot.
Ew'ge Früchte trägt sein Streben,
unvergänglich ist sein Lohn.
Hier er opferte sein Leben,
dort erwartet ihn die Kron'.

Hilda Broks
(nach „Lieder des Lebens" 40,1)

Kjell Arne Bratli

Der Weg des Kreuzes

- ein Report über die Norweger-Gemeinde

Skjulte Skatters Forlag, Tananger/Norwegen

CIP-Titelaufnahme der Deutschen Bibliothek

Bratli, Kjell Arne:
Der Weg des Kreuzes : ein Report über die Norweger-Gemeinde / Kjell Arne Bratli. -
Tananger/Norwegen : Skjulte-Skatters-Forlag; Blaubeuren : Verl. Das Leben, 1996
ISBN 3-88801-050-0
Auflage: 4 000

Vertrieb in Deutschland: Verlag Das Leben, Hessenhöfe 33, 89143 Blaubeuren

Originaltitel der norw. Ausgabe: Korsets vei - En fortelling om Smiths venner
Skjulte Skatters Forlag, N-4056 Tananger

ISBN 82-91305-25-0
ISBN 3-88801-050-0
(Originalausgabe ISBN 82-91305-23-4)

Printed in Norway
Gesamtherstellung: Industritrykk, Stavanger

Inhaltsverzeichnis

Johan O. Smith und Elias Aslaksen unterwegs in Kopenhagen - ein Unteroffizier und ein Offizier der norwegischen Marine führten die Gemeinde bis in die siebziger Jahre.

Vorwort

Jeder, der in meiner Heimatstadt, dem norwegischen Horten, aufgewachsen ist, kennt „Smiths Freunde", wie sie bei uns genannt werden. Ich glaube, daß die Einwohner der Stadt eigentlich ein wenig stolz auf diese christliche Bewegung sind, die in ihrer Stadt und dem hiesigen Marinestandort ihren Anfang genommen hat. Rechtschaffene und angesehene Bürger sind sie, Arbeitskollegen mit einem guten Ruf, ehrlich, anständig und - bekannt für ihr fröhliches, aber dennoch ernsthaftes Christentum. So mancher Bewohner der Stadt hat im Lauf der Jahre schon einmal in das Gemeindehaus in der Langen Straße (Langgate) hineingeschaut, jenes grauverputzte, freundliche Haus, das seit Jahrzehnten zum Stadtbild gehört. Und wenn es doch jemand in Horten geben sollte, der sonst nichts Näheres über diese Gemeinde weiß, so dürften ihm auf jeden Fall die großen Kinderscharen aufgefallen sein, er weiß, daß die Frauen Röcke tragen, und hat wohl gehört, daß „Smiths Freunde" Leute sind, die ein inneres Leben mit Gott pflegen und auf jeden Fall ihrer Umgebung nicht dadurch zur Last fallen, daß sie irgendwelche Artikel ihrer Glaubensbewegung feilbieten.

Es hat mich immer in Staunen versetzt, mit welcher Kraft sich die Gemeinde rund um den Erdball ausgebreitet hat. Ich war überrascht darüber, welche Auswirkungen die Bekehrung eines einzigen Mannes, des damaligen Marineunteroffiziers Johan Oscar Smith, nach sich zog - in jenen Tagen, 1898, an Bord des Monitors *Thor*. Noch verblüffender war, daß so viele tüchtige Offiziere und Unteroffiziere aus der Marine so früh zur Gemeinde stießen. Nicht zuletzt Elias Aslaksen, glänzend begabt und unumstrittene Nummer eins in der Seekriegsschule, der seine Karriere aufgab und Prediger wurde, ohne daß er diesen Schritt auch nur eine einzige Sekunde lang bereut hat.

Während der Arbeit an einem Buch über verdiente norwegische Marineoffiziere, das im Februar 1995 unter dem Titel „Sjøoffiser og Samfunnsbygger" erschienen ist, stieß ich immer wieder auf Personen und Orte mit irgendeinem Bezug zur Gemeinde. Gewissermaßen konnte ich beim Studium der Logbücher einzelner Schiffe verfolgen, wie sich die Gemeinde ausgebreitet hatte. Wo die Kriegsschiffe Häfen anliefen, kamen neue Freunde hinzu. Geradezu greifbar zeigte sich dies im Rahmen der Fahrten zur Neutralitätssicherung Norwegens im Ersten Weltkrieg. Volle vier Jahre lang verrichteten damals verschiedene Brüder der Gemeinde ihren Dienst zur See und befuhren die langgestreckte norwegische Küste. In manch einer Tageszeitung aus damaliger Zeit findet man Anzeigen wie z. B.:

„Marineleutnant Elias Aslaksen predigt ...“, „Theodor Ellefsen spricht ...“, „Im Fram-Saal hält Johan O. Smith einen Vortrag ...“, „Der Zahnarzt Aksel Smith evangelisiert ...“

Und was für Reden sie hielten! Oft mit solcher Kraft und Wortgewalt, daß saftige Zeitungskommentare nicht ausblieben.

Als Journalist habe ich die Entwicklung der Gemeinde vierzehn Jahre lang beobachtet und kommentiert. Im Lauf dieser Zeit habe ich eine stattliche Anzahl von Freunden schätzen gelernt, nicht zuletzt Vorsteher wie Aksel J. Smith und Sigurd Bratlie. So wie sie predigten, lebten sie auch, ihre Ehrlichkeit im täglichen Leben kann ich nur bewundern. Aus meiner Kinder- und Jugendzeit habe ich auch persönliche Erinnerungen an Elias Aslaksen - gelegentlich hat er meinen Großvater besucht. Dank eines Bündels Postkarten und Briefe an meinen Großvater wurde die Arbeit an diesem Buch letztendlich nicht so schwierig, wie ich ursprünglich befürchtet hatte. Glücklicherweise konnte ich auf zahlreiche persönliche Schriftstücke und Aufzeichnungen zurückgreifen, so daß die vergangenen Zeiten vor meinem inneren Auge lebendig wurden.

Das Fehlen einer umfassenden Abhandlung über diese Gemeinde brachte mich auf den Gedanken, ein Buch zu schreiben. Wenn man nach schriftlichen Quellen sucht, fällt indessen die Ausbeute - abgesehen von einigen Zeitungsartikeln - recht mager aus. In der Tat: über die Geschichte der Gemeinde, das tägliche Leben dieser Menschen und ihren Glauben findet man wenig Schriftliches. Ursprünglich faszinierten mich die historischen Wurzeln sowie die Ausbreitung dieser Gemeinschaft. Nach und nach jedoch ist das Interesse daran, wie sich die Gemeinde heute darstellt und aus welchen Menschen sie besteht, in den Vordergrund gerückt.

Bei den Vorarbeiten zu diesem Buch bin ich sozusagen rund um den Erdball gereist. Ich habe Gemeinden und Familien in ganz unterschiedlichen Kulturkreisen besucht. Dabei habe ich alle erdenklichen Fragen gestellt, einfache und auch tieferschürfende, habe die Antworten notiert und miteinander verglichen. Rund 850 Interviews und Gespräche sind daraus geworden - zusätzlich zu den vielen übrigen Beobachtungen. Gut 40 davon sind Interviews mit Leuten, die die Gemeinde verlassen haben, darunter auch mit Kindern, die in ihr aufgewachsen sind. Ihr Verschwinden fällt mit der stürmischen Erweckung zusammen, die 1991 einsetzte und sich zu Beginn des Jahres 1992 voll entfaltete.

Das Buch erhebt nicht den Anspruch, eine wissenschaftliche oder kirchengeschichtliche Abhandlung zu sein. Es ist zuallererst ein journalistisches Buch über eine Gemeinde ohne Namen, ohne eingetragene Mitglieder und ohne bezahlte Angestellte. Es ist ganz einfach eine Reportage über eine freie christliche Gemeinde, die in der norwegischen Marine ihren Anfang nahm und sich dann über die ganze Welt ausbreitete. Zur Orientierung sei festgehalten, daß „Smiths Freunde” in 50 Ländern mit insgesamt 211 Ortsgemeinden vertreten sind und darüber hinaus in weit über 100 Ländern Kontakte unterhalten (Stand Ende Mai 1996).

Vielen schulde ich Dank für ihre Unterstützung und Hilfe. Ganz besonders gilt dies für Aksel J. Smith, der mich im Laufe mehrerer Jahre mit der Geschichte und den Glaubensinhalten der Gemeinde bekannt gemacht hat und dessen Freundschaft, Lebensweisheit und Humor ich nicht missen möchte. Gleiches gilt für eine Reihe von Gemeindevorstehern, die mir auf jede erdenkliche Weise behilflich waren. Nicht zuletzt empfinde ich aber auch eine tiefe Dankbarkeit für die Art und Weise, wie ich überall auf der Welt von den Freunden aufgenommen und in meiner Arbeit unterstützt wurde. Viele gute Erinnerungen knüpfen sich an Besuche und anderweitige Begegnungen. Meine Wertschätzung gilt insbesondere der Gemeinde in Horten, an die ich mich stets mit Freuden erinnere und mit der ich mich auch in spezieller Weise verbunden fühle. Besonderer Dank gebührt Dr. phil. Lowell D. Streiker, dem namhaften Experten für Kulte und Sekten und früheren Leiter des „Freedom Counseling Centers" in Kalifornien (USA), der mir seine Forschungsergebnisse zum Thema Sekten sowie über die „Norweger-Gemeinde" zur Verfügung gestellt hat.

Während der Arbeit an diesem Buch hatte ich zunächst zwei Arbeitstitel ins Auge gefaßt. Der erste lautete: „Eine lebenstüchtige Bruderschaft" und greift eine vor vielen Jahren in der Hortener Zeitung „Gjengangeren" erschienene Schlagzeile auf - eine durchaus treffende Kennzeichnung für eine Gemeinde, die in beständigem Wachstum steht. Letztendlich habe ich mich jedoch für den zweiten Arbeitstitel entschieden - „Der Weg des Kreuzes" -, weil er genau das beschreibt, worum sich eigentlich alles dreht.

Der vorliegende Report ist in erster Linie für den gedacht, der Genaueres darüber erfahren möchte, wie ein verschwindend kleiner Freundeskreis, der ursprünglich in der Marine beheimatet war, zu einer großen, lebenstüchtigen Gemeinde anwachsen konnte. Der Leser sollte jedoch stets mitbedenken, daß dieser Bericht von einem außenstehenden Journalisten geschrieben wurde. Wenn also jemand der Meinung ist, die Darstellung gehe nicht allzusehr in die Tiefe, was geistliche Fragen und theologische Erörterungen angeht, so ist dieser Umstand richtig erkannt. Das war auch nie meine Absicht.

Die deutsche Ausgabe unterscheidet sich in einigen Punkten von der norwegischen Erstfassung. Zum einen bin ich im vorliegenden Text etwas näher auf die Entwicklungen in den deutschsprachigen Ländern eingegangen. Historisch gesehen, verdanken zweifellos viele Gemeinden in Europa ihre Entstehung in erster Linie den Phildadelphia-Konferenzen in Leonberg bei Stuttgart, an denen die norwegischen Brüder erstmals 1956 teilnahmen. Außerdem war - und ist - Deutschland von zentraler Bedeutung, was die weitere Ausbreitung der Gemeinde in andere europäische Länder, nach Südamerika und Asien betrifft.

Ein gutes halbes Jahr ist vergangen, seit das Buch auf norwegisch erschienen ist. In der Zwischenzeit ist der Gemeindeälteste Sigurd Bratlie verstorben - ein Ereignis, das ich nicht unberücksichtigt lassen wollte. Auch sind in jüngster Zeit wissenschaftliche Arbeiten über die Gemeinde veröffentlicht worden, so etwa eine theologische Abhandlung von Dr. theol. Steinar Moe, einem führenden Theologen der norwegisch-lutherischen Staatskirche. Deren Ergebnisse wollte ich in die vorliegende Fassung einfließen lassen.

Horten, im Mai 1996
Kjell Arne Bratli

Die Freunde

Eigentlich hat sie keinen Namen, diese Gemeinde, die den meisten Norwegern als „Smiths Freunde“ geläufig ist. Selbst nennen sie sich nur die „Gemeinde“ oder die „Freunde“. Im Zusammenhang mit dem Konferenzzentrum Brunstad in Stokke (Bezirk Vestfold) gibt es die offizielle Bezeichnung „Den kristelige menighet på Brunstad“ (Die christliche Gemeinde in Brunstad), wohl deshalb, weil sich die Gemeinde hier für die Grundbucheintragungen einen Namen zulegen mußte. Auch der Begriff „Die Gemeinde - Christi Leib“ hat Verwendung gefunden. Dieser Ausdruck weist auf das geistliche Sinnbild von Christus als dem Haupt und der Gemeinde als seinem Leib hin. Dennoch haben sich die Freunde in Norwegen damit abgefunden, daß sie nach dem Begründer Johan Oscar Smith „Smiths Freunde“ genannt werden.

Der Name Smith kam durch Johans Vater, Christian Johansen, in die Familie, der wiederum ein Sohn des Zimmermanns und Baumeisters Johan Christiansen aus Fredrikstad war. Damals erfaßte eine Auswanderungswelle das Land, und auch der junge Christian hatte beschlossen, die Meere bis nach Ozeanien (Australien und Neuseeland) zu durchkreuzen und deshalb den zusätzlichen Namen Smith angenommen. Das war damals nicht ungewöhnlich. Es wird erzählt, er habe das Schiff nicht rechtzeitig erreicht, mit dem er fahren wollte, und sei deshalb in Norwegen geblieben. Dafür gibt es jedoch keinen Hinweis in den Unterlagen. Indessen wissen wir, daß er 1860 in die Artillerie-Unteroffiziersschule in Fredrikstad aufgenommen wurde und dort auch 1865 mit neunzehneinhalb Jahren das Examen ablegte.

Mangels eines eigenen offiziellen Namens kamen überall auf der Welt unterschiedliche Bezeichnungen für die „Norweger-Gemeinde“ auf. Während man in Norwegen meist von „Smiths Freunden“, den „Freunden“ oder der „Gemeinschaft“ spricht, ist in der englischsprachigen Welt einfach „The Church“ (Kirche) gebräuchlich. Im deutschen Sprachraum werden Namen wie „Norweger-Gemeinde“, „Norweger-Bewegung“, verkürzt auch „Die Norweger“, oder „Die Smithianer“ verwendet.

In Norwegen ist die Gemeinde nicht offiziell als Kirche oder Glaubensgemeinschaft registriert. Damit entgehen ihr auch die finanziellen Zuwendungen von seiten des Staates. Von Anfang an hat sich die Gemeinde einzig und allein auf „geistliche“ (neutestamentliche) Weise zusammengeschlossen, sie hat keine feste Organisation. Das Ganze ist vielmehr lose strukturiert, wenn auch seit 1993 in Norwegen ein gewisses Verbandsgefüge besteht, wodurch ein Teil der örtlichen Gemeinden mit dem Konferenzzentrum Brunstad verknüpft ist. Es gibt keine Mitgliederlisten oder Mitgliedsbeiträge; die Freunde sind somit - was das Organisatorische betrifft - mit keiner anderen christlichen Körperschaft oder Vereinsgruppierung zu vergleichen. Mitten in diesem Mangel an Organisation ist es dennoch beeindruckend, wie intensiv und eng der Kontakt zwischen den einzelnen Ortsgemeinden ist, und das sowohl innerhalb eines einzelnen Landes als auch länderübergreifend. Eine sehr große Zahl von Freunden in aller Welt hat sich norwegische Sprachkenntnisse angeeignet, was dazu geführt hat, daß das Norwegische scherzhaft die „Gemeindesprache" genannt wird. Natürlich wird es dadurch einfacher, engen Kontakt miteinander zu halten. Andererseits haben viele norwegische Freunde verschiedene Fremdsprachen erlernt, und mehrere von ihnen sind für längere oder kürzere Zeit ins Ausland gegangen, um dort zu arbeiten und bei den Freunden vor Ort zu wohnen, wie es auch umgekehrt ausländische Freunde in Norwegen tun. Oft treffen sich die Freunde zu Konferenzen oder besuchen einander bei Gottesdiensten, einige reisen auch umher und verkündigen das Evangelium. An erster Stelle steht jedoch der persönliche Kontakt, dann erst sind es die Schriften und Traktate der Gemeinde einschließlich der verschiedensprachigen Monatszeitschriften sowie Tonkassetten von Konferenzen und Gottesdiensten, die Verbindungen schaffen.

In der „Norweger-Gemeinde" gibt es indessen kein Sendungsbewußtsein hinsichtlich Kultur, Sitten und Gebräuchen des Alltagslebens. Dies mag der Leser berücksichtigen, wenn er in einem Buch, das in Norwegen und aus der Sicht eines Norwegers geschrieben wurde, auch landesspezifische Besonderheiten findet, die mit der Gemeinde als solcher nichts zu tun haben und somit in anderen Ländern anders gehandhabt bzw. gesehen werden können.

Die Gemeinde hat keine bezahlten Prediger oder Vorsteher. In der Tat gibt es so gut wie keine bezahlten Angestellten in der Gemeinde; der Hausmeister im Konferenzzentrum Brunstad bildet insofern eine Ausnahme. Der Dienst in der Gemeinde ist freiwillig und unentgeltlich, Reisekosten für eingeladene Brüder werden jedoch von der einladenden Gemeinde oder aber von einer gemeinsamen Evangelisationskasse gedeckt. Verdienstmöglichkeiten irgendwelcher Art eröffnen sich keinem, der die Gemeinden bereist. Ganz im Gegenteil, es kommt bei solchen Reisen weitaus häufiger vor, daß man den eigenen Geldbeutel zückt.

Die anfallenden Kosten für den Bau, Ausbau und Erhaltung der Gemeindeanwesen sowie für die Evangelisations- und Missionstätigkeit werden von den Versammlungskollekten bestritten. Solche Kollekten sind im Rahmen der örtlichen Gottesdienste und auch während der überregionalen Konferenzen üblich. Dennoch ist die Kollekte in der Gemeinde nicht mit der Einsammlung des „Zehnten" vergleichbar, wie es in gewissen religiösen

Kreisen Brauch ist. Die Gabe in die Kollekte ist freiwillig; sie soll mit Freuden erfolgen, und die einzelnen geben je nachdem, wie es ihre Mittel erlauben. Die Kollekte dient stets einem bestimmten Zweck, so daß jeder weiß, wofür er sein Geld gibt. Es wird jeweils öffentlich bekanntgegeben, wieviel Geld hereingekommen ist, und es ist recht einfach, sich einen Überblick darüber zu verschaffen, wohin die Gelder fließen, bzw. sich von ihrer rechtmäßigen Verwendung zu überzeugen. Die wenigsten jedoch fordern Rechenschaft darüber. Die Freunde stellen eine Gemeinde dar, die in beeindruckender Weise auf gegenseitigem Vertrauen aufgebaut ist. Historisch gesehen, ist eine gewisse Zurückhaltung bei Kollekten festzustellen, schon allein deshalb, weil die Gemeinde nie daran interessiert schien, Vermögen anzuhäufen. Somit werden Kollekten ausschließlich für solche Zwecke eingesammelt, für die nachweislich ein Finanzbedarf besteht. Bisweilen gibt es gleichzeitig mehrere große und kostenintensive Aufgaben, für die gesammelt wird, wenn etwa Konferenzzentren ausgebaut oder Gemeindehäuser (Säle) errichtet werden sollen.

Kostenträchtig wirkt sich auch die Ausbreitung und das beständige Wachstum der Gemeinden in Osteuropa, Asien, Afrika und Südamerika aus. Dies wurde besonders in Osteuropa nach dem Zerfall der Sowjetunion deutlich spürbar, als viel Unterstützung in Länder wie z.B. Rumänien, die Ukraine und Rußland floß - von St. Petersburg bis Wladiwostok. Die finanziellen Aufwendungen werden in der Aufbauphase hauptsächlich von Gemeinden im Westen getragen. Es ist beeindruckend, welch eine umfangreiche humanitäre Hilfe die Freunde im verborgenen leisten. Es ist eine Arbeit, die offenkundig jene erreicht, die es auch benötigen, u. a. Kinderheime und Menschen in großer Not. Die Unterstützung erfolgt persönlich durch Freunde oder andere Personen im betroffenen Land. Solche Hilfsmaßnahmen bezwecken offenbar ein Zweifaches: Zum einen soll die Grundversorgung mit Kleidungsstücken, Wolldecken, Essen und Medikamenten sichergestellt werden, zum anderen leisten die Freunde auch einen Beitrag zum Aufbau dieser Länder, indem sie dabei helfen, Arbeitsplätze zu schaffen oder sich kostenlos am Bau und der Renovierung von Wohnhäusern beteiligen usw. Zusätzlich zur persönlichen Handreichung gibt es noch eine weitere humanitäre Schiene, auf der die Freunde Hilfestellung leisten, und hier besonders durch die „Mission Alte Schule“ im württembergischen Backnang. Die Hilfe, die hier praktiziert wird, geht in die Hunderttausende von Mark. Keiner sollte jedoch im Zweifel darüber sein, daß die Verkündigung das Wesentliche für die Freunde ist, darüber hinausgehende Hilfe ist und bleibt ein notwendiges Nebenprodukt.

Wie viele Personen zählen weltweit zur Gemeinde? Eine Antwort darauf zu geben, ist nicht einfach. Mangels Organisation und Mitgliederlisten wird die

Schätzung erheblich erschwert. Abhängig von der jeweiligen Methode kommt man auf eine Zahl zwischen 25 000 und 35 000. 25 000 ist jedoch die Untergrenze derer, die sich mit Sicherheit zur Gemeinde zählen, etwa weitere 10 000 Personen besuchen die Gottesdienste oder fühlen sich auf irgendeine Weise mit der Gemeinde eng verbunden. Mit Ausnahme einiger Inseln im Stillen Ozean gibt es Gemeinden, kleinere Freundeskreise, Familien und Einzelkontakte in den meisten Ländern der Erde.

Was 1898 mit der Bekehrung eines Marineunteroffiziers aus Horten begann, ist eine lebenstüchtige Bruderschaft geworden. „Smiths Freunde" sind, soweit mir bekannt ist, die einzige weltumspannende Gemeinschaft mit dem Evangelium als alleiniger Grundlage und Richtschnur, die aus Norwegen stammt. Außer jenen Organisationsformen, die das Evangelium erwähnt oder die sich als notwendig erweisen, um den Gesetzen und Verordnungen der jeweiligen Länder Genüge zu tun, verabscheut die Gemeinde - selbstverständlich nur auf geistlichem Gebiet - jegliche „menschliche Organisation" wie die Pest.

Versucht man, sich zusätzliches Hintergrundwissen über die Menschen in der Gemeinde zu beschaffen, so ist das ebenso schwer, wie genaueres Zahlenmaterial zu liefern. Da die Gemeinde keinerlei Mitgliederlisten führt, gibt es nur eine Möglichkeit festzustellen, welche Ausbildung und welchen sozialen Hintergrund die einzelnen haben: Man muß sie selbst fragen. Außer in der Politik sind die Freunde in allen möglichen Berufsgruppen und sozialen Schichten vertreten. In der Tat unterscheiden sich die Freunde hierin nicht wesentlich von der übrigen Gesellschaft. Akademische Berufe, Pflegeberufe, Schreiner, Installateure, Taxifahrer, Offiziere, Landwirte, Industriearbeiter, Fischer und Fischzüchter, Floristinnen, Ärzte, Fahrer, Zahnärzte, Verkäufer, selbständige Gewerbetreibende, Betriebsleiter, Unternehmer, Lehrer, Rechnungsprüfer, Atomphysiker, Musiker, Maler, Ingenieure, Piloten - alles in bunter Mischung. Das Ausbildungsniveau scheint in etwa dem der übrigen Bevölkerung zu entsprechen.

In der Lehre der Gemeinde findet sich keinerlei Empfehlung für eine bestimmte Ausbildung oder ein bestimmtes Ausbildungsniveau. Dies wird den einzelnen Familien bzw. Personen selbst überlassen. Solche Empfehlungen haben keinerlei Platz in der Lehre der Gemeinde. Es liegt jedoch eine gewisse natürliche Karrierebremse darin, daß man „keine Ehre von Menschen suchen" soll, obwohl viele Freunde innerhalb ihres Berufes bzw. Fachgebietes Spitzenpositionen erreicht haben.

Die Freunde halten die „gesunde Lehre", wie sie es nennen, hoch in Ehren. Was sie verbindet, sind Evangelium, Geist und Leben; darüber hinaus wird den einzelnen volle Freiheit für ihre persönliche Lebensführung zugestanden, wobei sie füreinander und auch für die Gesellschaft, in der sie leben, zum Nutzen sein sollen. „Handle nach deinem Glauben" gilt hierbei als Faustregel. Es gibt sehr wohl klare soziale Grenzen für das, was der einzelne glaubt, sich erlauben zu können, wobei jedoch die Unterschiede von Familie zu Familie und von Land zu Land deutlich zutage treten. In der Gemeinde gibt es weder eine einheitliche Erziehung noch sonstige Vorschriften, durch die gleichgeschaltete Normtypen entstehen könnten. Ganz im Gegenteil, man erlebt sie als selbständige und charakterstarke Persönlichkeiten, die ihr Leben nach ihrem Vorbild Jesus Christus ausrichten. Doch bei alledem haben sie die gleichen menschlichen Schwächen, Wünsche und Sehnsüchte wie auch wir Außenstehende.

Die Freunde vergleichen die Entwicklung zu einer christlichen Lebensführung mit dem Heranwachsen eines kleinen Kindes, das laufen lernt: „Ein Kind stapft unbeholfen einher und fällt zu Boden, steht auf und stolpert erneut. Es steht wieder auf, stapft etwas unsicher weiter und fällt nochmals hin. So geht es eine Zeitlang. Aber das Kind weiß, daß es vorankommen wird, darum steht es immer wieder auf. Ähnlich ist es auch mit uns. Wir wissen zwar den Weg, stolpern jedoch oftmals unterwegs. Mit der Zeit aber werden wir zunehmend gefestigt und kommen seltener zu Fall. Aber die ganze Zeit hindurch laufen wir auf das eine Ziel zu."

Im folgenden werden oft die Begriffe „Bruder" oder „Schwester" verwendet, so wie es unter den Freunden üblich ist. Der Gebrauch dieser Wörter ist geistlich und somit nicht im familiären Sinne zu verstehen.

Bei Bibelzitaten wurde meistens eine der Lutherübersetzungen zwischen 1912 und 1984 zugrundegelegt.

Militärische Dienstgrade wurden in ihrer zeitgenössischen deutschen Entsprechung wiedergegeben. Es sei darauf hingewiesen, daß sowohl in der norwegischen als auch in der deutschen Marine inzwischen eine Reihe von Dienstgraden entfallen sind bzw. einen Bedeutungswandel erfahren haben.

Karljohansvern - Kriegshafen und ehemaliger Hauptstützpunkt der norwegischen Marine. Heutzutage befindet sich hier das Marine-Abschnittskommando Östland („Østlandets Sjøforsvarsdistrikt“). Rechts im Bild die alte Seekriegsschule, heute Schule für Offziersanwärter. Am linken Rand das Gebäude des Seemilitärischen Korps', in dem Johan O. Smith ausgebildet wurde und sechs Jahre wohnte.

55 Jahre sollten vergehen ...

Es sollten 55 Jahre vergehen, bevor die Freunde den Brückenschlag nach Deutschland taten. Zwar setzte Johan O. Smith bereits 1901 anläßlich eines norwegischen Flottenbesuches in Kiel seinen Fuß erstmalig auf deutschen Boden und suchte bei dieser Gelegenheit höchstwahrscheinlich auch christliche Versammlungen auf, wie er es ja üblicherweise tat, wenn er in eine fremde Stadt kam. Und auch in späteren Jahren fuhren er, sein Bruder Aksel und Elias Aslaksen verschiedentlich nach Deutschland - ohne daß dies jedoch zu festen Verbindungen mit Gleichgesinnten führte oder gar Gemeinden entstanden. In der Zeit zwischen den Kriegen (1918-1939) gab es hie und da lose Kontakte, jedoch ohne greifbare Ergebnisse.

Es mußte ein weiterer Weltkrieg ausbrechen, bis der erste echte Kontakt zustande kam, der mit Fug und Recht diesen Namen verdient hatte. Der Zweite Weltkrieg griff 1940 auch auf Norwegen über, im Unternehmen „Weserübung" wurde das Land von deutschen Truppen besetzt. Unter den Besatzungstruppen war ein gläubiger 20jähriger Soldat namens August Schneider, der in Trondheim stationiert war. Schneider, einziger gelernter Schreiner seiner Kompanie, war beauftragt worden, eine Schreinerwerkstätte ausfindig zu machen, in der er allerlei Einrichtungsgegenstände wie Tische, Bänke, Stühle, Hocker für die deutsche Wehrmacht anfertigen mußte. Er wurde auch fündig, und lernte dort in der Werkstatt einen der Freunde kennen, der leidlich deutsch sprach. Als Soldat der Besatzungsmacht wurde Schneider sicher argwöhnisch und gewiß auch feindselig betrachtet - der norwegische Glaubensbruder jedoch verhielt sich freundlich zu ihm. In den Pausen schuf das Neue Testament, das beide lasen, eine Verbindung, die zu einem gegenseitigen Verständnis und zur Freundschaft zwischen beiden führte. Nach einer Weile lud der Norweger seinen deutschen Soldatenfreund sogar zu sich nach Hause ein. Seit 1941 nahm der Soldat an den Hausversammlungen bei den Freunden in Trondheim teil.

Drei Jahre später, 1944, bekam Schneider Fronturlaub und fuhr nach Deutschland. Aber statt nun wieder nach Norwegen zurückzukehren, wurde er einer Kampfgruppe zugeteilt, die ihn an die Ostfront führte. Am letzten Kriegstag, dem 8. Mai 1945, wurde er zusammen mit anderen Wehrmachtsangehörigen von den Russen gefangengenommen und in ein Lager nach Sibirien verschleppt. Da fristete er nun unter unmenschlichen Bedingungen sein Dasein bis zum Jahre 1949 - ohne Verbindung mit der Außenwelt und ohne daß er auch genau wußte, wo er war.

Der Norweger sandte in allen diesen Jahren treu und zuverlässig Briefe an die Heimatanschrift seines deutschen Freundes, ohne überhaupt zu wissen, ob dieser noch am Leben war. Schneiders Vater bewahrte alle diese Briefe auf, und nach der Entlassung aus dem sowjetischen Gefangenenlager setzte ein regelmäßiger Briefwechsel zwischen den beiden ein. 1956 wurde Schneider nach Leonberg eingeladen, wo er fünf der norwegischen Freunde traf, darunter auch Sigurd Bratlie, den er von der Versammlung in Trondheim her bereits kannte. Schneider lud die Brüder zu sich nach Hause ein - zwei Tage darauf standen die fünf Brüder Sigurd Bratlie, Elias Aslaksen, Aksel J. Smith, Ole Skotland und Arild Tombre vor der Haustür. Im folgenden Jahr, 1957, fand die erste „größere" Versammlung in Plüderhausen in Württemberg statt, und jährlich kamen die norwegischen Brüder drei- bis viermal nach Plüderhausen.

Die Kraft aus Leonberg

Die Philadelphia-Konferenzen in Leonberg bei Stuttgart wurden für Smiths Freunde zum Einfallstor nach Europa. Leonberg öffnete die Türen nach Deutschland, der Schweiz, Österreich, den Niederlanden, England und später auch nach den osteuropäischen Ländern hinter dem Eisernen Vorhang.

Zu diesen Allianzkonferenzen in Leonberg kamen Christen aus vielen verschiedenen Glaubensrichtungen zusammen, hier kamen sowohl namhafte Prediger als auch unbekannte Redner zu Wort. Inmitten dieser bunten Vielfalt von Reden und Ansprachen, auch in unterschiedlichen Sprachen, traten die norwegischen Brüder auf - und sprachen deutsch. Ihre Sprachkenntnisse hatten sie aus unterschiedlichen Quellen geschöpft: aus Kassetten, die sie gehört hatten, durch Selbststudium aus Büchern, aber auch durch mündliches Üben und Wiederholen auf ihren tagelangen Fahrten im Auto quer durch Europa. Ihre Botschaft, die sie brachten, war klar und deutlich. Sie handelte davon, daß es möglich ist, über die Sünde zu siegen und ein Leben „im Glaubensgehorsam und mit den Tugenden Christi" als Richtschnur zu führen. Auch sonst fielen die norwegischen Brüder auf - allein dadurch, daß sie am allerwenigsten dem landläufig vertrauten Bild eines „Pastors" und „Predigers" entsprachen. Stattdessen zeugten sie von dem Leben, das sie selbst führten, und berichteten vom Leben in den Gemeinden zu Hause in Norwegen.

Jeder, der Lust hatte, die Gemeinden in Norwegen zu besuchen oder zum Konferenzzentrum Brunstad zu kommen, wurde von der Kanzel in Leonberg aus dazu eingeladen. Und in der Tat fuhren auch einige dorthin. Langsam aber sicher weitete sich der Freundeskreis aus - einer nach dem anderen stieß hinzu.

Im Jahr 1956 gelang mit anderen Worten der entscheidende Durchbruch, was das Wachstum der Gemeinde in Europa betraf. Ältere Brüder, die sich zurückerinnern, sind der festen Überzeugung, daß Elias Aslaksens Rede bei der 11. Philadelphia-Konferenz in Leonberg vom 20. - 26. August 1956 den Ausschlag dafür gab, daß die norwegischen Brüder im Gespräch blieben und vielerorts zu Versammlungen und Konferenzen eingeladen wurden; nicht zuletzt zu den jährlich stattfindenden Konferenzen in Leonberg selbst, letztmalig 1964.

„Ich bin ein glücklicher Mann"

„Ich bin Elias Aslaksen aus Norwegen, ein glücklicher Mann, ein sehr glücklicher Mann." Mit dieser ungewöhnlichen Einleitung begann Aslaksen seine Rede 1956 in Leonberg und fuhr fort:

„Ich möchte euch alle von meinen Freunden in Norwegen grüßen. Wir sind dort sehr viele Freunde und freuen uns, daß hier solch eine Botschaft gepredigt wird, daß wir alle Sünden ablegen sollen und ablegen können, daß wir immer den Sieg haben können, daß wir Christus in Wahrheit nachfolgen können, immer seinen Willen tun, seine Gebote immer halten können, alle seine Gebote, die Gebote des Lebens, in Liebe wandeln, in Gerechtigkeit wandeln, in Wahrheit wandeln, in Demut wandeln, in Sanftmut usw., wirklich immer in Wahrheit zu wandeln, so daß wir nicht sündigen, wie heute abend gelesen worden ist aus dem 1. Johannesbrief. Wir sind davon überzeugt, daß ein jeder Mensch, vielleicht besonders die Schlimmsten, die Schwächsten, die Elendesten, ein ganz und gar siegvolles Leben erreichen können, weil Gott selbst ein solches Werk in unseren Herzen tun will. Aber es gibt Bedingungen. Und es ist die Hauptsache, die Bedingungen zu erfüllen. Es ist ganz sicher, wenn wir die Bedingungen erfüllen, dann erreichen wir, was uns versprochen worden ist. Wenn wir die Bedingungen nicht erfüllen, erreichen wir nicht, was versprochen worden ist. Deshalb will ich die Hauptbedingungen lesen, Lukas 14,25 ff.: ‚Es ging aber viel Volks mit ihm, und er wandte sich und sprach zu ihnen: ...'

Ich denke mir, daß Jesus für sich selbst dachte: Ach, so viele Menschen, Tausende von Menschen. Sie wollen gerne sehen und hören; aber ach, wer von ihnen will mir wirklich in Wahrheit folgen? - Darum sagte er, als er alle diese Menschen sah (Vers 26): ‚So jemand zu mir kommt (es waren Tausende zu ihm gekommen) und hasset nicht seinen Vater, Mutter, Weib, Kinder, Brüder, Schwestern, auch dazu sein eigen Leben, der kann nicht mein Jünger sein.' Es ist so, als wollte er sagen, wenn alle die Menschen es nicht so meinen, können sie besser nach Hause gehen.

Das ist wirklich die Wahrheit.

Es ist gewöhnlich so, daß man alles haben will. Wir wollen den Himmel haben, Freude und Friede haben, Heilung und alle guten Dinge. Dazu wollen wir soviel wie möglich auch die Güter dieser Welt haben, gute Freundschaft mit allen Menschen, besonders mit Vater und Mutter, mit Frau und Schwestern und Kindern usw., und am meisten mit unserem eigenen Willen, mit uns selbst. Dieses wußte der Heiland ganz genau. Er wollte sie nicht täuschen. Darum sagte er so. Er wollte sie dahin bringen, daß sie ihm folgten und ihn hörten und das Leben erreichten, wovon er sprach. Er sagte ihnen, wenn sie es nicht so tun wollten, wäre es unmöglich. Die Wahrheit also ist: Wenn wir alles aufgeben wollen, dann geschieht es ganz sicher, dann bekommen wir das, was versprochen worden ist. Und sehr große, herrliche und himmlische Dinge sind versprochen worden. Wir bekommen alles, wenn wir wirklich die Bedingungen erfüllen. Das ist wahr. Aber das andere ist ebenso wahr. Wenn wir es nicht wollen, dann erreichen wir es nicht.

Wenn wir von der Wiederkunft Jesu sprechen und unserer Zubereitung, bereit zu sein, ihm zu folgen, wenn er kommt, dann spricht er dies zu seinen Jüngern, nicht zu all den hunderttausend bekehrten Menschen, die in die verschiedenen Kirchen und Versammlungen gehen. Diese alle sind nicht seine Jünger. Wollen wir ihm vollkommen nachfolgen, müssen wir auch so predigen, wie er predigte.

So jemand zu mir kommt und hasset nicht seinen Vater, Mutter, Weib, Kinder, Brüder, Schwestern, auch dazu sein eigen Leben - und das ist das Schwerste und Größte - der kann nicht mein Jünger sein. Sein Jünger zu sein, das bedeutet, daß wir in seine Lehre aufgenommen worden sind, um zu lernen, was er uns lehren will. Das heißt in Wahrheit, für Gott zu leben, in Gerechtigkeit, in Liebe, in Demut usw. Er will uns ganz verwandeln, während wir in dieser Welt sind, durch Glauben. Aber wir können keinen lebendigen Glauben bekommen, ehe wir nicht alles verlassen haben, alles aufgegeben haben und alles hassen. Das bedeutet praktisch: Jesus, seine Lehre, seinen Weg, seine Gebote; dieses allein ist es, was ich liebe und was ich tun will. Und alle Menschen, die diesem widersprechen, will ich verlassen, um dir zu folgen. Meine Eltern, meine Kinder, meine Frau, meine Freunde, alle anderen Menschen, alle anderen Gläubigen, sie mögen sagen, was sie wollen; wenn das, was sie sagen, diesem widerspricht, dann hasse ich es alles, um ihm wirklich zu folgen, weil ich ihn liebe.

‚Und wer nicht sein Kreuz trägt und mir nachfolgt, der kann nicht mein Jünger sein.'

Sein Kreuz zu tragen, das bedeutet, daß ich es wirklich so meine: Ich hasse mich selbst, ich hasse meinen eigenen Willen in solchem Maß, daß ich ihm sterben will. Ich trage mein Kreuz. Ja, das suche ich, und wer sucht, der findet. Darum bitte ich, und wer bittet, der empfängt, um ein solches himmlisches, göttliches, christliches Leben zu leben. An diese Türe, die zu diesem Leben führt, klopfe ich an. Und sie wird geöffnet. Halleluja! - Nicht die Türe, wo ich hindurchgehen will zu meinem eigenen Willen, zu einem Leben nach meinem Willen und meiner Lust und Vernunft, nein, seinem Leben.

Und das geschieht wirklich. Das ist mit mir geschehen. Ich ehemaliger, zum Tode unglücklicher junger Mann war 19 Jahre alt, als ich mich bekehrte. Dann hatte ich nur noch eine große Sorge, das war meine eigene Sünde. Darum verließ ich alles. Darum übergab ich mich völlig Christus, ein für allemal. Dabei bin ich durch Gottes Gnade geblieben. Ich habe es bezeugen können, sein Wort ist Wahrheit. Ich habe alles verlassen und alles gehaßt, allermeist mein eigenes Leben, und ich habe sein Leben bekommen. Ich habe ein Überwinderleben bekommen. Ich habe ein himmlisches, glückliches Leben bekommen.

Noch ein Vers zu diesen Hauptbedingungen (Vers 33):

‚Ein jeglicher unter euch, der nicht absagt allem, das er hat, kann nicht mein Jünger sein.'

Wir können fragen: Meint Jesus wirklich, was er sagte? Ja! Er meint immer, was er sagt. Und wenn wir hinreichend geheiligt worden sind, meinen auch wir wirklich, was wir sagen. Wir heucheln nicht, wir lügen nicht, und wir reden nicht leere Worte.

Er meint wirklich,was er sagt. Das bedeutet nicht, wie manche es leicht menschlich denken, daß wir unser Geschäft, Häuser usw. verlassen sollen. Und doch ist gemeint, daß wir es wirklich in Wahrheit in Gottes Augen verlassen und aufgeben sollen. Das heißt, wir gebrauchen es, als ob wir es nicht hätten. Das ist leicht zu sagen. Aber unser tägliches Leben wird es ja bezeugen, ob es Wahrheit ist oder nicht. Ich lade dich ein, wenn du Gelegenheit dazu hast, mich zu prüfen.

Es ist mein persönliches Zeugnis. Ich bin ein Jünger Jesu Christi. Ich liebe nichts in dieser Welt. Ich liebe ihn, ich liebe die Kinder Gottes, ich liebe alle Menschen, ich hasse mich selbst. Alles was ich habe, steht einem jeden zur Verfügung. Eben darum bin ich ein Jünger Christi geworden.

Dazu kann ich auch sagen, wie es mir ergangen ist mit seiner Lehre, mich zu lehren. Und ich darf es mit Freuden sagen, es ist sehr gut gegangen. Ich bin glücklicher und glücklicher und immer glücklicher geworden. Dazu habe ich auch die Gnade bekommen, anderen Menschen zu helfen, sie zu leiten, um glücklich und glücklicher zu werden. Darum liebe ich ihn und preise ihn und danke ihm und bete ihn ständig an.

Wir sind es in Norwegen so gewöhnt, von Kindern Gottes zu hören, daß wenn Jesus zurückkommt, wir alle bei ihm sein sollen, auch die in Sünden leben und Unrecht tun. Das wird von den Kanzeln gepredigt. Und wenn es nicht gepredigt wird, so meint man es so. Man sagt, durch das Blut ist alles bezahlt. Aber man fragt nicht danach, wie wir leben. Es ist dasselbe, wenn wir glauben, Christus hat alles für uns getan, wenn wir nur an die Versöhnung glauben, dann kommen wir alle mit. Aber das Wort Gottes sagt an allen Stellen das Gegenteil mit sehr starken Worten. - Ich hoffe, Gelegenheit zu bekommen, mehr davon zu sprechen, deutlich und klar Gottes Wort darüber zu sagen.

Ich will euch ermuntern, alles zu verlassen und zu hassen, um ihm wirklich ähnlich zu werden in dieser Welt, in diesem sterblichen Leibe. Gott gebe Gnade dazu.

Erfülle die Bedingungen, und du wirst alles bekommen!"

Beinahe alle Gemeinden in Deutschland entstanden aufgrund von Kontakten, die in der Periode zwischen 1956 bis 1964 geknüpft wurden. In Leonberg wurden die norwegischen Brüder zu Besuchen an anderen Orten, auch im Ausland, eingeladen, und sie bekamen Anschriften von Dritten zugesteckt mit der Bitte, dort einen Besuch abzustatten.

Einer der zentralen Evangelisten bei den Philadelphia-Konferenzen in Leonberg war unbestritten Gustav Schmidt, der eine besondere Gabe besaß, rasch in Kontakt mit anderen Menschen zu kommen, aufzumuntern und zu trösten. Er war anfänglich zum Diakon ausgebildet worden und nach dem Kriege auch in der evangelischen Landeskirche tätig. Bald arbeitete er jedoch als freier Evangelist und kam in Leonberg mit den norwegischen Brüdern in Verbindung. Das sollte sein Leben ändern. Er fuhr 1961 mit seiner Frau nach Oslo, um die Gemeinde näher kennenzulernen und um Hilfe für sein persönliches Leben zu erhalten. Dort arbeitete er etwa ein Jahr als Hilfsarbeiter in einer Lackfabrik. Sein dortiger Arbeitgeber bescheinigte ihm beim Abschied, daß „Gustav Schmidt im Besitz einer ansteckenden Arbeitsfreude" war. Schmidt ließ die damals aus dem Norwegischen bereits übersetzten Schriften drucken und begann mit dem Vertrieb, um vielen anderen Menschen dasselbe Leben anzubieten, das ihn selbst so glücklich gemacht hatte. Nicht nur das, er führte die Brüder zu einer Vielzahl von Menschen in Deutschland, in der Schweiz, in Holland und später vor allem in den osteuropäischen Staaten, wo er viele Jahre im Segen wirkte. Während einer Grenzkontrolle auf der Rückfahrt von einer Reise in die DDR starb er im Herbst 1976 plötzlich an Herzversagen.

Dennoch verlief das Wachstum der Gemeinde nicht explosionsartig. Wie überall in der Welt ging es auch in Deutschland „nach Art des Sauerteigs" zu, der langsam aber sicher sein Werk verrichtet - aus einem Freund werden zwei, drei und mehr. Mit Elias Aslaksen an der Spitze fuhren in der Folge regelmäßig norwegische Brüder nach Deutschland, und es dauerte nicht lange, bevor auch die deutschen Brüder im eigenen Land und auch in anderen Ländern zu wirken begannen (vgl. das Kapitel „Der große Sprung").

Die Entwicklung der zahlreichen Gemeinden in Deutschland weist gemeinsame Züge auf. Als ein Beispiel sei die Anfangsgeschichte der Gemeinde in Eisingen bei Pforzheim angeführt, eine Gemeinde, die heute mindestens 300 Menschen zählt.

Mit zwölf Menschen fing es an ...

Um die Jahreswende 1956/57 hatten sich zwölf Jugendliche zu einer christlichen Freizeit im Monbachtal in der Nähe von Pforzheim zusammengefunden. Nach wenigen Tagen des Beisammenseins brach eine Erweckung aus, die fast die ganze Gruppe erfaßte. Bald nach ihrer Rückkehr von dieser Freizeit mußten die jungen Leute jedoch erfahren, daß sie von den Leitern der christlichen Versammlung, der sie angehörten, in ihrem tiefergehenden Verlangen nach einem Gott wohlgefälligen Leben nicht verstanden wurden. Sie trafen sich von jetzt an mehrmals in der Woche zum Gebet. Einige andere, auch ältere Menschen, schlossen sich dieser Schar an. Die Trennung von der etablierten christlichen Versammlung war unvermeidbar. Einige junge Leute wurden ausgeschlossen, die anderen gingen freiwillig.

Aus dieser Gruppe heraus entstand eine Gemeinde in Pforzheim. Bei ihrem Verlangen nach größerer Gottesfurcht und der Suche nach Menschen, die ihnen hierzu helfen konnten, kamen die Jugendlichen auch mit der Philadelphia-Bewegung in Leonberg in Verbindung. Noch im Jahr 1957 lernten sie bei der dortigen Allianzkonferenz die norwegischen Brüder kennen. Die Verkündigung des Wortes Gottes durch diese Brüder hinterließ einen so tiefen Eindruck bei den jungen Pforzheimern, daß sie die Brüder zu sich einluden. Sie spürten, daß sie hier Hilfe für ihr Leben fanden, Hilfe, nach der sie sich so sehr gesehnt hatten.

Schon bald, zu Beginn des Jahres 1958, kam der aus dem südnorwegischen Brevik gebürtige 28jährige Gjermund Skreosen nach Pforzheim, wo er mit seiner einfühlsamen, aber doch direkten und liebevollen Art die Herzen der Menschen dieser kleinen Gruppe gewann. Fast 20 Jahre lang sollte Skreosen dort wohnen und arbeiten. Sein selbstloses Leben, seine Liebe zu Gott, seine tiefe Gottesfurcht und nicht zuletzt seine Demut haben ihn nach Aussagen der dortigen Freunde zu einem wahren Diener Gottes gemacht, dem sehr großes Vertrauen entgegengebracht wurde. Skreosen hat mit seinem Dienst und mit seinem Leben einen großen Anteil an der heute vorhandenen Gemeinde in Eisingen und darüber hinaus auch an den übrigen Gemeinden in Süddeutschland. Im Sommer 1977 starb er mitten in seinem Wirken ganz plötzlich und unerwartet im Alter von 47 Jahren.

Die Gemeinde in Pforzheim wuchs, ungläubige Menschen und auch Gläubige aus anderen Versammlungen kamen hinzu. Junge Familien entstanden, und auch die Kinderschar in der Gemeinde wurde größer und größer. Der Bedarf für einen eigenen Versammlungssaal wurde immer dringender. 1975 war es dann soweit: In Eisingen, neun Kilometer von Pforzheim entfernt, konnte sich die Gemeinde fortan in einem eigenen Saal versammeln, der 1990 aufgrund der wiederum beengten Verhältnisse wesentlich erweitert werden mußte.

Freunde hinter der Schandmauer

Im November 1989 wurde die erste Bresche in die Berliner Mauer, die „Schandmauer", geschlagen, und schon nach ganz kurzer Zeit fiel der sozialistische Staat Deutschland-Ost wie ein Kartenhaus zusammen. Deutsche in West und Ost konnten wieder zusammenfinden - ohne Hindernisse und ohne Gefahr, eingesperrt zu werden.

Länger als 28 Jahre hatte die Mauer deutsche Familien, deutsche Freunde und deutsche Christen auseinandergerissen. In der DDR, einem atheistischen und sozialistisch geführten Vasallenstaat Moskaus, konnte es schon gefährlich sein, sich als Christ zu bekennen. Das Christentum bildete für einen Staat, der Moskaus Führerrolle akzeptierte, ein gefährlicher Gegenpart. Christen wurden geradezu als Sicherheitsrisiko eingestuft.

Vor dem Mauerbau 1961 hatten mehrere Gläubige aus der DDR an den Allianzkonferenzen in Leonberg teilgenommen und dort die norwegischen Brüder getroffen. Lilli Meyer aus dem mecklenburgischen Schwerin hatte 1957 erstmalig in Leonberg die Gelegenheit bekommen, die Brüder zu hören. Sie war von der unerschrockenen Wahrheitsliebe in der Verkündigung tief beeindruckt und blieb in engem Kontakt, auch nach der Rückkehr in die DDR. Kurz vor dem Mauerbau, im Mai 1961, hatte sie noch die Gelegenheit, an einer in Leonberg stattfindenden Bibelwoche mit dem Gemeindeältesten Aksel J. Smith teilzunehmen. Erst dreieinhalb Jahre später konnte sie, die inzwischen 60 Jahre alt Gewordene, wieder ausreisen. In diesen harten Jahren des Alleinseins war sie treulich von Gjermund Skreosen mit der Gemeindezeitschrift „Das Leben" und mit vielen Briefen versorgt worden.

In allen Jahren wurde der Kontakt mit Christen hinter der Mauer aufrechterhalten, wenn es auch schwierig war, in die DDR einzureisen, sich dort einigermaßen frei zu bewegen und die Botschaft zu verkündigen. Die Grenzkontrollen wurden immer streng gehandhabt, und manchmal wurden Auto und Gepäck sprichwörtlich auf den Kopf gestellt. Die meisten wagten auch nicht, sich offen zum Christentum zu bekennen, viele mußten den dringend gebotenen Beistand entbehren und blieben allein. Aber einige Freunde hielten zusammen, und die Besuche und Kontakte aus dem Westen mit Brüdern und Schwestern aus Norwegen, Dänemark und Westdeutschland gaben den Menschen neuen Mut.

Das Kraftzentrum Hessenhöfe

„Jetzt sind Tombre, Nielsen und ich eben hier angekommen, auf einem Bauernhof an einem winzigen Ort, oben auf einem flachen, fruchtbaren Hochplateau. Der Mann nahm an der Konferenz in Leonberg teil. Er und seine Frau machen einen sehr guten Eindruck. Tombre sprach mit ihm während der Konferenz. Er war von unserer Verkündigung stark ergriffen, nachdem er Bruder Bratlie gehört hatte.-

Ehre sei Gott. Ja, jetzt muß ich von der Versammlung eben berichten, vielmehr von einer herrlichen Erweckung, auf einem anderen Bauernhof, wo wir auch übernachteten. Es war geradezu phantastisch gut. Der Amazonasstrom* trat über seine Ufer. Das Ganze war so ungewöhnlich: Hier oben, wo sich Fuchs und Hase Gute Nacht sagen, eine Versammlung mit mindestens 50 Menschen, die allermeisten Jugendliche oder Leute im besten Alter, und dazwischen zwei Schulbuben, die zu Gott baten, wie ich es beinahe nie früher gehört habe, richtig wie erwachsene Vollblutchristen.

Ich sage Euch, es gab Erweckung! Sehr viele beteiligten sich. Alle, oder jedenfalls beinahe alle beteten innig zu Gott, manche mehrmals, ja, einige bezeugten sogar in mehreren Beiträgen ihren Glauben. Da waren drei Männer im besten Alter, die an den letzten beiden Tagen der Konferenz in Leonberg teilgenommen hatten, sicher zum ersten Mal; sie waren derart ergriffen, auf mich machten sie einen ganz, ganz außergewöhnlichen Eindruck ... Etwas vom allerbesten, was ich erlebt habe. Alle Schwestern waren mustergültig christlich gekleidet, ohne Schmuck. Einige der Beiträge waren von solcher Qualität, wie ich sie wohl nie zuvor gehört habe..."

So schrieb Elias Aslaksen in einem Brief im August 1959. Ort des Geschehens war Hessenhöfe auf der Schwäbischen Alb, das sich in der Folgezeit neben Brunstad zu einem bedeutenden europäischen Konferenzzentrum entwickeln sollte.

Aus Hessenhöfe wurde aber weit mehr als nur eine Konferenzstätte. Es wuchs zu einem Kraftzentrum heran, das von unschätzbarem Wert für die weitere Arbeit in Deutschland und anderen Teilen Europas wurde. Aus einem kleinen Bauerngehöft 1959 ist ein Missionszentrum und ein Treffpunkt mit Konferenzen für Erwachsene, Jugendliche und Kinder geworden. Die Entwicklung dort wäre nicht in gleicher Weise und im gleichem Tempo verlaufen ohne eben Hessenhöfe. Natürlich mit kräftiger Unterstützung der umliegenden Gemeinden wie etwa Eisingen, Maubach und Waldhausen, die ihrerseits missionarisch in Bulgarien, Rumänien und Südamerika wirken.

1960 - die Schweiz und Österreich

Es war Gustav Schmidt, der dem Gemeindeältesten Sigurd Bratlie eine Adresse aus der Schweiz gab, und das endete damit, daß Bratlie eine Einladung bekam, dort eine Bibelwoche zu halten. Später besuchten verschiedene evangelisierende norwegische Brüder mehrmals jährlich die Freunde.

* Anm. d. Verf.: die Ausgießung des Geistes

Seit Mai 1961 finden in der Schweiz regelmäßige Zusammenkünfte statt. Anfangs versammelten sich einige wenige in Stuben. Da aber nach und nach mehr Freunde hinzukamen und auch die einzelnen Familien größer wurden, begann der Platz bald knapp zu werden. Man hielt Ausschau nach einem geeigneten Objekt, wo sich alle, gemeinsam mit den Kindern, versammeln konnten. 1965 erwarb der damalige Vorsteher Carl Zürcher eine Liegenschaft mit einem großen Wohnhaus und angebautem kleinem Saal. Dieses Anwesen, die „Sonnmatt", vermachte er später vollständig der Gemeinde. In einem ruhigen Tal bei Mogelsberg im Kanton St. Gallen, abseits vom großen Verkehr, liegt die „Sonnmatt" am Berghang; mehrmals wöchentlich versammeln sich dort die Freunde.

Pfingsten 1971 wurde ein neuer, größerer Saal eingeweiht. Ein ausgedientes Schulhaus in St. Gallen war in freiwilligen Arbeitseinsätzen zerlegt und auf der „Sonnmatt" wieder aufgebaut worden. Viele gesegnete Versammlungen und auch internationale Konferenzen wurden hier abgehalten. Aber schon 1985 mußte ein noch größerer Saal mit über 1000 Sitzplätzen gebaut werden. Eine neue Generation hatte Gelegenheit, sich einzusetzen und in vielen Stunden freiwilliger Arbeitseinsätze das Gemeindeheim „Sonnmatt" zu vergrößern.

Mehrere Freunde, die im Lauf der Jahre zur Gemeinde stießen, wohnten in anderen Landesteilen der Schweiz. Nach und nach zogen sie aber in die Nähe der „Sonnmatt".

In Hallau im nordschweizerischen Kanton Schaffhausen hat sich eine kleine Schar von Freunden gebildet, die häufig an den Versammlungen in der „Sonnmatt" teilnehmen, daneben aber sich auch in einem eigenen Saal versammeln.

Von der Schweiz aus wurden im Lauf der Jahre wertvolle Kontakte zu Österreich und Italien geknüpft. Ähnliche Verbindungen entstanden auch mit Frankreich. Mit diesen „benachbarten" Gemeinden, auch in Süddeutschland, pflegen die Schweizer Freunde besonders enge Beziehungen durch allerlei Besuche und Konferenzen.

Mit Schreibmaschine, Gitarre und Trompete

Es war im Jahr 1964, als eines Tages zwei junge Männer, ein Däne und ein Deutscher, in Wien ankamen. Als wichtige Utensilien fanden sich in ihrem Reisegepäck eine Schreibmaschine, eine Gitarre und eine Trompete. Mit Gesang und Musik und mit der Botschaft von „einem Leben im Sieg über die Sünde" startete die Gemeinde in Wien. Die beiden jungen Freunde waren nicht die ersten Evangelisten der „Norweger-Gemeinde“ in Österreich; sie hinterließen jedoch in Wien gleich von Beginn an einen derart tiefen Eindruck, daß die Gemeinde dort rasch an Boden gewann.

In Österreich war 1960 erstmalig ein Kontakt geknüpft worden. Ein Jahr später kam Elias Aslaksen zusammen mit dem Dänen David Nielsen nach Graz, wo ihnen der Leiter einer christlichen Versammlung, Rudolf Fredel, den Zutritt gewährte. In der Folge begann Fredel selbst, die Botschaft in verschiedene Landesteile weiterzutragen. Als sich daraufhin an mehreren Orten Kontakte ergaben, bat Fredel den norwegischen Ältesten Sigurd Bratlie um Unterstützung. Sie geschah in der Weise, daß verschiedene jüngere Brüder, auch von Deutschland und Holland, nach Österreich fuhren und dort eine Arbeit aufnahmen. Auch weitere norwegische Brüder missionierten in Österreich und kamen in Kontakt mit verschiedenen Versammlungen.

Dort verkündigten sie überall „Sieg über die Sünde und ein Leben im Gehorsam des Glaubens“. Spektakuläre Spaltungen in den christlichen Versammlungen blieben indessen aus. Die Anfänge in Österreich waren bescheiden, und die Zahl von anfänglich dreizehn Gruppen schrumpfte auf fünf zusammen, um dann wieder auf sechs Gemeinden anzusteigen - hinzu kommen zwei weitere Orte mit einigen Freunden (Stand vom Mai 1996). Alle Gemeinden haben ihre regelmäßigen Zusammenkünfte; überdies hat die Gemeinde in Österreich ihre eigenen Regionalkonferenzen in Wien, Kärnten und in dem im Herzen Österreichs gelegenen Ausseerland, das wegen seines alljährlich dort stattfindenden Narzissenfestes weite Bekanntschaft erlangt hat. Zusätzlich fühlen sich die Freunde in Österreich mit der Gemeinde in Slowenien verbunden und empfinden für sie eine besondere Verantwortung.

Die Allianzkonferenzen in Leonberg waren von zentraler Bedeutung für die Ausbreitung der Botschaft in Europa. Elias Aslaksen und Sigurd Bratlie mit den jungen Brüdern Nielsen und Tombre vor dem Versammlungszelt.

Kinderkonferenz in Hessenhöfe: Rundfahrt mit einer Dampflokomotive.

Spaß und Spiel Kinderfest gehören zu einem Kinderfest.

Nikolaustag in Maubach: der Nikolaus auf Besuch in einem Gemeindeheim.

Im Freien ungestört: die Freunde aus Kärnten und Slowenien beisammen.

Die Gemeinde aus Herford beim Winterausflug - ein farbenprächtiges Bild.

Auch ausländische Freunde feiern in Brunstad mit: beim Umzug am 17. Mai 1996 , dem norwegischen Nationalfeiertag, war auch die Schweiz vertreten.

Auch im Ruhrgebiet fing alles mit Hausversammlungen an.

Die Gemeinde in Waltrop versammelt sich auf einem früheren Bauerngehöft - ein idyllisch gelegenes Anwesen.

Sigurd Bratlies Sarg mit Blumengrüßen von seiten der Familie, der Freunde und dem norwegischen Außenministerium bot einen ergreifenden und würdigen Anblick im großen Versammlungssaal des Konferenzzentrums Brunstad. Gewöhnlich finden in Norwegen Trauerfeiern in der jeweiligen Kirche statt, wo der Verstorbene beheimatet ist. Indes fand sich in Norwegen keine Kirche, die groß genug gewesen wäre, um einen Gedenkgottesdienst dieser Größe auszurichten.

Im Anschluß an die Trauerfeier fand ein Gedenkgottesdienst in der großen Versammlungshalle von Brunstad statt. Die Freunde hatten eine schier unglaubliche Arbeit geleistet: über 20000 Brote wurden belegt, 300 Kuchen gebacken und Hunderte von Litern Kaffee gekocht...

Auch eine Reihe Vertreter des öffentlichen Lebens nahmen an Sigurd Bratlies Begräbnisfeierlichkeiten teil. Hier v. l. n. r. Bjarne Lindström (Abteilungsdirektor und offizieller Vertreter des Außenministeriums), der Verfasser, Finn Kristensen (früherer Wirtschaftsminister), sowie Thorvald Stoltenberg (norwegischer Botschafter in Kopenhagen, früherer Außen- und Verteidigungsminister, vor kurzem noch UNO-Hochkommissar und Friedensvermittler im ehemaligen Jugoslawien).

Sigurd Bratlie wird das letzte Geleit gegeben. Seine engsten Freunde, allen voran sein Sohn Sigurd Johan vorne rechts, begleiten den Sarg. Im feierlichen Zug folgen die Trauergäste, um sich auf dem freien Platz vor der Konferenzhalle vom Verstorbenen zu verabschieden.

„Alles für Norwegen!" - „Es lebe der König!" Die Freunde sind loyale Staatsbürger. Auch in Brunstad wird der norwegische Nationalfeiertag mit einem Umzug gebührend gefeiert.

Das Narzissenfest in Bad Aussee wird auch von den Freunden groß gefeiert. Zwei Gemeindekinder an ihrem Blumenstand.

Johann Bechtloff aus Hamburg war bereits gläubig, bevor er den Freunden begegnete. Gottes Wort war seine Rettung - und dies in doppelter Bedeutung. Bei einem russischen Granatwerferangriff traf ihn ein Splitter gerade dort, wo er seine Bibel trug.

Der Anfang

„Sein einziges Lebensinteresse galt Christus und der Gemeinde. Er wollte mit aller Gottesfülle, die in Christus ist, erfüllt werden und soviel wie möglich dazu beitragen, daß all die Sünde und Unvollkommenheit entfernt wird, die dem einzelnen Glied des Leibes Christi anklebt; er wollte das Richtige treffen, das Vollkommene auf allen Gebieten des Lebens und des Dienstes, er wollte alles niederbrechen, was von Satan und Menschen war, um Raum für die ganze Fülle Gottes zu schaffen.

Dafür opferte er alles, dafür wachte und betete er und war auf diese Weise immer bereit zu dienen als ein guter Streiter Jesu Christi, wahrhaftig, gerecht und uneigennützig. Er kannte kein Ansehen der Person, er war treu, verachtete Gewinn und Ehre von Menschen, selbst wenn er dadurch beinahe überall Widerspruch erntete.

Wohin er auch kam und was immer es galt, er fand unter den Gläubigen Ungehorsam, Untreue, Unglauben und Menschenwerk. Sein unbestechliches Herz erlaubte ihm nicht, irgendetwas von alledem gutzuheißen. So geriet er unvermeidlich aus den traditionellen Formen und Normen heraus.

Aber gerade diese außergewöhnliche Treue und Ergebenheit dem Bräutigam seiner Seele gegenüber erfüllte ihn mit Seligkeit und Geisteskraft. Und so zog er ein für allemal diese innige Gemeinschaft mit Christus aller Gunst und Ehre dieser Welt vor - selbst auf die Gefahr hin, daß er damit allein bliebe, wonach es ja anfangs durchaus aussah. Aber er blieb keineswegs allein! Ehre sei Gott!

Seinesgleichen habe ich nirgendwo sonst kennengelernt. Auch ist mir nichts Vergleichbares je zu Ohren gekommen, weder hierzulande noch anderswo! Und doch - durch Gottes große Gnade und seine ungewöhnlich große Treue konnte er wahre Nachfolger gewinnen ...

Nicht einmal als seltene Ausnahme, nicht ein einziges Mal habe ich etwas Böses an ihm bemerkt, weder im persönlichen Leben noch im Dienst an anderen. Ehre sei seinem teuren Andenken!"

So schreibt der einstige Marineoffizier Elias Aslaksen im Vorwort eines Buches mit dem Titel: „J. O. Smiths etterlatte brev" (dt.: Johan Oscar Smith -

Briefe 1898-1943). Aslaksen, der mit Abstand Beste der Seekriegsschule in den Jahren 1907 bis 1910, war von 1911 an Johan O. Smiths enger Mitarbeiter und leitete nach dessen Tod 1943 die Geschicke der Gemeinde bis ins Jahr 1976.

Man kann sich mit Recht fragen, was für ein Mensch dieser Smith war, dem eine solche Würdigung zuteil wird. In den Schriften der Gemeinde findet man wenig hierzu, sieht man einmal von den Ermahnungen und Belehrungen ab, die er in seinen Briefen und Beiträgen für das Gemeindeblatt „Skjulte Skatter“ (Verborgene Schätze) geschrieben hat. So manche Information liefern mündlichen Berichte, die aber mit den bekannten Schwächen solcher Überlieferungen behaftet sind.

Johan Oscar Smith

Johan O. Smith wurde am 11. Oktober 1871 in Fredrikstad geboren. Er wuchs in einem guten christlichen Elternhaus auf. Sein Vater, Christian Johansen Smith, hatte im Dezember 1865 die Unteroffiziersschule der Königlich Norwegischen Artilleriebrigade abgeschlossen. Er schlug die Laufbahn eines Heeresunteroffiziers („Sersjant“) ein und war zwischen 1879 und 1885 zeitweise nach Kristiansand (an der Südküste Norwegens) und Kristiania, dem heutigen Oslo, abkommandiert. Seit Januar 1886 war er als Feuerwerker am Arsenal in Fredrikstad eingesetzt. Die Familie wohnte seinerzeit im befestigten Stadtteil, der Altstadt. 1893 wurde Smith zum Arsenalverwalter in Kristiansand ernannt, wohin er auch übersiedelte. Dort starb er 1915.

(Der Zwischenname des Vaters, „Johansen“, wird auch „Johannessen“ geschrieben. Hier wird der Name „ Johansen“ so verwendet, wie er in der Urkunde König Oscars II. geschrieben steht, mit der „Johansen Smith“ zum Verwalter ernannt wird. Im unten angeführten Brief ist ferner zu beachten, daß J. O. Smiths Großvater als Zwischenname seines Enkels nicht den Namen „Oscar“, sondern „Kristiansen“ verwendet. Diese Anrede rührt von dem alten norwegischen Namensbrauch her, demzufolge der Vorname des Vaters unter Anfügung der Nachsilbe -sen häufig zum Zunamen der Söhne wurde.)

Johan war ein munterer und flinker Junge, das wissen wir jedenfalls mit großer Sicherheit. Ein Brief seines Großvaters, des Zimmermanns Johan Kristiansen, gewährt zumindest einen kleinen Einblick in seine Kindheit. Aus unerfindlichen Gründen verschwand der Brief, so daß Johan O. Smith ihn erst 1910 zu Gesicht bekam.

„Fredrikstad, den 11. April 1881

Weil ich das erste Mal an meinen lieben Enkel Johan Kristiansen Smith schreibe, senden Dir Deine liebenswürdigen Großeltern einen herzlichen Dank für Deinen gütigen, ehrerbietigen und einsichtsvollen Brief an uns Alte. Du hast eine gute Hand, und Gott hat Dir ein starkes Herz gegeben. Doch vergiß nicht, Gott und seinem Sohn Jesus zu danken und ihm immer die ganze Kraft Deines Herzens in christlichen Tugenden zurückzugeben, in den Tugenden des Kreuzes und der Liebe Jesu. Denn jede Tugend außerhalb von Jesus ist ein böser Makel, und mein Gebet zu Gott und Jesus ist, daß er Dich vor der Sonnenfinsternis bewahren möge, die mitten am Tage herrscht. Doch ich will zu Gott und Jesus beten, daß er Dir das Licht seines heiligen Geistes gebe, daß Du, mein Enkel Johan Kristiansen, Jesu Licht bekommen mögest, das in die mittägliche Finsternis hineinscheint.

Ich sehe, daß Du ein fleißiges Kind in der Schule bist, und daß die Krone*, die Dein lieber Vater Dir versprochen hat, als Ziel vor Dir steht. So hat Gott seine Krone für jeden Menschen zum Erbteil gesetzt, und wir bekommen die Krone durch nichts weniger, als daß wir zur Krone hingehen. Das ist der selige Lauf - der Weg des Kreuzes Jesu ist der Weg der Liebe, der Weg des Vaters, hin zur Krone. Und wer für Kronen arbeitet, bekommt auch viele Sterne in seine Krone.

Zuerst ein kleiner Same wird zur Erd‘ gesät,
durch Wasser, Sonn‘ und Luft daraus ein Baum entsteht.
Der Tau des Himmels öffnet dann die Blüten gleich,
und schließlich reift die Frucht zur Ernt‘ in Jesu Reich.

Diesen Reim hat Dein Großvater verfaßt. Auch Du, mein Enkel, übe Dich im Dichten! Dadurch wird der Sinn des Geistes geschärft, der hineinschaut in Geheimnisse, die kein Mensch zuvor verstanden hat. Es war schon immer die Arbeit großer Gottesmänner, ihre geistige Gedankenkraft zu Papier zu bringen, um Gottes Ehre zu vermehren. Vergiß das nicht!

Ich bitte Dich, Johan Kristiansen, diesen Brief dein ganzes Leben lang aufzubewahren. Schreibe bald!

Baumeister Johan Kristiansen.“

Nach Kindheit und Jugendjahren, in denen er eine Uhrmacherlehre absolvierte, heuerte der junge Johan Oscar gegen Ende des Jahres 1886 auf einem Segelschiff an. Zuerst ging es an den europäischen Küsten entlang,

* Gemeint ist offenbar die gleichnamige norwegische Münze.

dann hinüber nach Afrika, Nordamerika und Südamerika. Um die Weihnachtszeit 1888 herum bewarb er sich beim Seemilitärischen Korps in Horten, wo er als Konstabel 3. Klasse am 23. Januar 1889 seine Ausbildung antrat. Zwei Jahre später, am 23. Januar 1891, wurde er Konstabel 2. Klasse und am 26. April 1892 dann Konstabel 1. Klasse. Jedes Ausbildungsjahr schloß er mit Auszeichnung ab. Am 5. April 1894 „bestand er das Navigationsexamen an den Korpsschulen mit der Note eins", wie in seiner Stammrolle vermerkt ist.

„Er war nicht nur im Militärfachlichen ein As. Den Berichten seiner Kameraden zufolge war er auch bärenstark und gleichzeitig behende im Takelwerk", berichtet sein Sohn Kristian 1995 dem Verfasser. Diese hünenhafte Stärke bewies er noch viele Jahre später, als er mit Gewalt einen Arzt zu seiner Frau Pauline holen mußte, die mit starken Unterleibsblutungen schwerkrank darniederlag. Er hatte schon seinen Sohn Helge geschickt, um den Arzt zu holen, dieser aber wollte erst am nächsten Tag kommen. „Solche Frauensachen sind nicht weiter schlimm", hatte der Doktor gemeint. Da ging Smith selbst hin, packte den Arzt mit dem Feuerwehrgriff und schleppte ihn auf dem Rücken zu sich nach Hause. Pauline wurde gerettet, und der Doktor mußte eingestehen, daß die Sache wirklich ernst gewesen war.

Die ersten vier Jahre im Korps brachte er fast ausschließlich innerhalb des Marinestützpunktes zu, wenn er sich nicht gerade an Bord eines Schiffes befand. Die Ausbildungsreisen dauerten lange und führten unter anderem ins Mittelmeer, nach Afrika, Mittel- und Nordamerika.

1890 schreibt er z.B. aus Charleston/South Carolina (USA) einen Brief an seine Eltern und Geschwister, und zwar von Bord der Dampfkorvette *Ellida* aus, die nach mehr als viermonatiger Fahrt im dortigen Hafen eingelaufen ist. Zuvor führte die Reise von Norwegen aus südwärts nach Afrika, wo ein Zwischenaufenthalt in Freetown (Sierra Leone) eingelegt wurde. Anschließend setzte man die Segel in Richtung Karibik und lief Martinique, Jamaica und Kuba an, ehe es ankerauf ging nach Nordamerika.

In diesem Brief rät er seinem jüngeren Bruder Ludvig ab, zur See zu gehen, weil man da „Schlimmes erleiden muß, um seinen Lebensunterhalt zu verdienen". Diese Aussage erwies sich als zutreffend, denn am Tag, nachdem man in Charleston die Anker gelichtet hatte (18.Februar), brach eine schwere Seuche an Bord aus. Von den insgesamt 122 Mann Besatzung fielen 45 wegen heftiger Fieberschübe aus, Smith inbegriffen. Erst am 10. März war die Seuche abgeklungen. Seine Majestät König Oscar inspizierte übrigens am 9. April 1890 während der Rückreise im Kristianiafjord (Oslofjord) das heimkehrende Fahrzeug.

Die Leute, die damals zum Seemilitärischen Korps gingen, waren nicht immer von der allerbesten Sorte. Smith aber und einige andere seiner Altersgenossen bildeten eine Klasse für sich. Einer von ihnen, sein guter Freund Oscar Wisting, wurde Weggefährte des Polarhelden Roald Amundsen und betrat am 15. Dezember 1911 zusammen mit diesem als erster den Südpol.

Smith wurde 1895 zum Stückmeistersmaat befördert, 1900 dann zum Stückmeister (übrigens kurz nachdem er die „Geistestaufe" bekommen hatte!) und 1910 schließlich zum Oberstückmeister. Später wurde ihm geraten, sich um Offizierstellungen zu bewerben, so z. B. als Material-Oberverwalter. Darauf verzichtete er jedoch, weil er dann weniger Zeit für die Gemeinde gehabt hätte. Stattdessen nahm er 1928 seinen vorzeitigen Abschied von der Marine, nachdem sich im Rahmen der Verkleinerung der Seestreitkräfte die Gelegenheit hierzu geboten hatte. Die Tätigkeit der Unteroffiziere in der norwegischen Marine ging in der Folgezeit auf Offiziere des militärfachlichen Dienstes über.

Tüchtig und geschätzt

Anhand mehrerer Episoden wird deutlich, daß Smith als tüchtiger Mann galt. Im September 1908 wurde ihm die Stelle eines Marinezahlmeisters in der Exerzierhalle angeboten, eine Dienstwohnung in guter Wohnlage des Kasernengeländes von Karljohansvern inbegriffen. Diese Anstellung hätte ihm ein Zusatzeinkommen ermöglicht, weil die Exerzierhalle abends für zahlreiche Veranstaltungen genutzt wurde. Doch die damit verknüpfte Verpflichtung zu abendlicher Tätigkeit hätte seine Gemeindearbeit beeinträchtigt - Smith lehnte dankend ab.

Weitere Angebote trafen ein. Am 7. Dezember 1910 war Smith dabei, als Elias Aslaksen sein Abschiedsgesuch in der Seekriegsschule einreichte. Smith schreibt:

„Um 14 Uhr, gerade als Bruder Aslaksen drinnen beim Chef der Seekriegsschule war und über seinen Abschied sprach, der am 1. Januar (1911) in Kraft treten sollte, rief unser Korpschef, Kapitän zur See Kielland, in der Seekriegsschule an und hieß mich, gleich hoch in die Schreibstube zu kommen. Dort erzählte er mir, daß er durch den Kommandierenden Admiral ersucht worden sei, General Seiersted einen zuverlässigen Mann für das Rekrutierungswesen zu benennen. Er fragte, ob ich diese Stelle haben wolle. Ich müßte vom 1. Januar an für zunächst zwei Jahre Dienstbefreiung beantragen. Ich bräuchte keine Uniform zu tragen, da der Dienst zivilen Charakter habe. Der General werde seine Dienststelle im Haus der Marineoffizier-Vereinigung einrichten und im übrigen oft abwesend sein, so daß ich vielfach selbständig arbeiten könne. Mir schien dieses Angebot ziemlich attraktiv, und ich habe es gleich angenommen.

Gottes Führung ist wunderbar. General Seiersted - Du kennst ihn wohl - war in Kristiansand. Es ist egal, ob ich für den General oder für den Admiral schreibe, und warum sollte man eine so gute Stelle nicht annehmen, wenn sie einem angeboten wird? So kann ich jedenfalls in diesen zwei Jahren nicht anderweitig abkommandiert werden."

(Der Kommandierende Admiral Dawes war soeben ernannt worden. Dawes war erst kürzlich als Chef der Seekriegsschule abgelöst worden, die er seit 1902 befehligt hatte. Er war mächtig stolz über die in jeder Hinsicht glänzenden Noten des Seekadetten Aslaksen. Somit bekamen Smith und Aslaksen vom 1. Januar 1911 an größere Freiheiten und mehr Zeit für ihr christliches Wirken. Der Korpschef, Kapitän zur See Kielland, hatte Smith übrigens 1905 gebeten, im Dienst nicht mehr Gottes Wort zu predigen und so etwas lieber im stillen Kämmerlein für sich zu behalten. Smith hatte ihm darauf geantwortet, daß es schwierig wäre, alle Völker zu Jüngern zu machen, wenn sich alle ins Kämmerlein verziehen würden. Kielland biß die Zähne aufeinander, hielt den Mund und sprach nie mehr davon.)

Kampf an Bord

Smith versah auf vielen verschiedenen Marinefahrzeugen seinen Dienst kürzer oder länger. Im großen und ganzen war er beliebt und hoch geachtet von allen - von den Offizieren, den Unteroffizierskollegen und der übrigen Mannschaft. Seine persönliche Autorität war groß, und er war Manns genug, den Verantwortlichen zur Rede zu stellen, wenn etwas nicht stimmte, sei es, daß ein Vorgesetzter sich unmöglich verhielt oder eine Arbeit nicht ordnungsgemäß ausgeführt war. Solche Widerrede konnte sich normalerweise rächen, aber wenn Smith etwas sagte, war es so einleuchtend und vernünftig, daß es respektiert wurde.

Wenn er auch im Dienst geachtet war, so gab es an Bord doch häufig Streitgespräche über geistliche Fragen und Lebensanschauungen. Er galt als rechtschaffener und fähiger Unteroffizier, war aber schrecklich stur und kompromißlos, wenn es um Gottes Wort ging. Diesbezüglich lief er in mancherlei Hinsicht auf Kollisionskurs mit dem eher zeremonienhaften und überkommenen Kirchengepräge, das von jeher die Marine begleitete. Daß er dabei Spott erntete und sich ab und zu in Diskussionen einließ, in denen er auf einsamem Posten stand, steht zweifellos fest - die Intensität dieser Streitgespräche hing jedoch sehr vom jeweiligen Kommandanten und der Besatzung ab. Auf den großen Schiffen gab es wesentlich mehr Aufregung und Diskussionen als auf den kleineren. Deutlich geht dies aus einem Brief von 1907 hervor (von Bord der *Tordenskjold*). Auf dem Panzerschiff *Norge* (mit 270 Mann Besatzung) war es nicht besser. Am 16. Oktober 1910 schreibt Smith an seinen Bruder Aksel:

„Diese Reise war eine Kampffahrt. Aber Gott sei Dank, alles diente zum Guten. Wir haben jetzt einen neuen Kommandanten und einen neuen Ersten Offizier, und die Verhältnisse an Bord sind nicht wiederzuerkennen."

Auf der *Norge* geschah es einmal, daß sich Smith dem Befehl eines Offiziers widersetzte. Er lehnte es rundweg ab, sich in eine der Schaluppen des Panzerschiffes zu setzen, weil diese voll Wasser war.

„Es ist unklug und barbarisch, Menschen befehlen zu wollen, sich in einem triefnassen Boot hinzusetzen, das im übrigen groß genug ist, um darin stehen zu können", schreibt er. Die Geschichte endete ohne Verweis, und der Kommandant sorgte persönlich dafür, daß in den Booten zukünftig Schwabber zum Auftrocknen mitgeführt wurden.

Auf der großen Mehrzahl der Schiffe fand Smith - auch geistlich gesehen - angenehme und friedliche Verhältnisse vor, obwohl er es schon als eine Wüstenwanderung empfand, keinen zu treffen, mit dem er über Gottes Wort reden konnte. Persönlich aber erlebte er es als Gewinn, wenn er in der Stille Gott suchen mußte.

Bis 1902 war Smith in Horten stationiert, dann wurde er für einen Zeitraum von zwei Jahren zum Aufliegerhafen (Marinedepot) Marviken bei Kristiansand versetzt. Dort heiratete er noch im gleichen Jahr Pauline Pedersen, die Tochter jener Familie in Horten, bei der er zuvor sein Zimmer hatte. 1904 kehrten beide wieder zurück und kauften 1905 das Haus in Horten, obschon die Zeiten mager waren. Zwar schien obendrein ein Krieg mit Schweden in der Luft zu liegen, und das Haus hätte bei direktem Beschuß des Kriegshafens von See her voll in der Schußlinie gelegen. Als Artillerist bezog Smith dies schon in seine Überlegungen mit ein, dennoch glaubte er nicht, daß sich die Schweden im Ernstfall gerade gegen die norwegische Flotte wagten. Das Haus wurde also gekauft, und dort wohnte er bis zu seinem Tode.

Erweckungszeit in Norwegen

Um die Jahrhundertwende überrollte eine Welle von Erweckungen mit radikaler Verkündigung ganz Norwegen. Die Erweckungen erfaßten die Staatskirche, daneben führten solche Erweckungen aber auch zu neuen Gemeinschaften, die in der Folge die freikirchliche Bewegung bildeten. In Horten war das Aufblühen der Methodistenkirche, der Inneren Mission, der Freikirchlichen Evangelischen Versammlung, der Heilsarmee und verschiedener Missionsbewegungen besonders augenfällig; zureisende Prediger und Evangelisten tauchten auf und sprachen in diesen Versammlungen. Hier hörten junge Männer und Frauen die Bekehrungsgeschichten des Laienpredigers Hans Nielsen Hauge und des Pfarrers Gustav Adolf Lammers aus Skien, der aus der Staatskirche ausgetreten war.

Eine führende Persönlichkeit bei den freien evangelischen Gemeinschaften war Erik Andersen, der spätere Erik Nordquelle. Er war 1858 geboren und damit älter als Smith und hatte wie dieser einige Jahre in der Handelsschiffahrt verbracht. An einem Sommertag des Jahres 1879, mitten auf dem Atlantik, hatte er ein Gotteserlebnis und bekehrte sich. Noch im gleichen Jahr fuhr er zurück nach Larvik und fing später an, als Erweckungsprediger herumzureisen. Andersen hatte mit Smith vieles gemeinsam, was das Verständnis von Heiligung als persönlicher Erfahrung anging; dies betraf auch seine kritische Haltung zu menschlichen Organisationsformen in christlichen Gemeinschaften, nicht zuletzt im Hinblick auf Bezahlung und Gemeindeordnung. Mitgliederlisten, so meinte er, wären überflüssig und unbiblisch.

Erik Andersen wurde auch „Erik der Aufdringliche“ genannt, wegen seines kämpferischen Auftretens in den Versammlungen. Wollten sich welche nicht bekehren, so wurden sie dazu gedrängt. „Wir beteten für Hunderte in den Versammlungen, und wer nicht freiwillig auf die Knie ging, wurde mit Gewalt dazu gebracht“, schreibt er selbst. Er hatte seine eigene Art und war über Smith verärgert, weil dieser unbeeindruckt eigene Wege ging. Als Smith sich 1906 von ihm durch Untertauchen taufen ließ, bekam er von Andersen als „Taufspruch“ zu hören: „Aus dir wird nie was!“ Andersen (Nordquelle) wurde später ein Mitarbeiter von Thomas Ball Barrat in der Pfingstbewegung.

Aus seiner Jugendzeit in Fredrikstad kannte Smith sicher die Geschichte des Seemanns O. P. Petersen, der 1849 als Methodist aus den USA zurückgekehrt war. Es ist davon auszugehen, daß Smith während seiner Zeit in der Handelsschiffahrt (1887-1889) nähere Bekanntschaft mit den Methodisten gemacht hatte, denn in zahlreichen angesteuerten Hafenorten war diese

Kirche vertreten. Es war somit für Smith ebenso naheliegend, den Gottesdienst in der Methodistenkirche in Horten zu besuchen, wie in die Garnisonkirche von Karljohansvern zu gehen. Wie in den meisten Hafenstädten, so war auch in Horten das sonstige Angebot für Seeleute auf Kneipen und Tanzlokale begrenzt.

Die Marine hatte seit Jahrhunderten immer ein christliches Gepräge gehabt, mit offiziell befohlenen Kirchgängen, Bordgottesdiensten und öffentlichen Gebeten. Im Seemilitärischen Korps waren z. B. Dankgebete für Gott, den König, den Kronprinzen, die königliche Familie sowie Volk und Vaterland fest vorgeschrieben. Als Korpsschüler (Konstabel) und später auch als Unteroffizier war damit ein christlicher Rahmen für den jungen Smith gesteckt, und es war deutlich zu erkennen, daß er hier und dort in den verschiedenen Versammlungen auf Suche war. Die Methodistenkirche indessen war in vielerlei Hinsicht seine kirchliche Heimat.

Das Panzerschiff Norge, auf dem Johan O. Smith und auch Elias Aslaksen Dienst taten.

„Gott mit uns". Das Innere der Methodistenkirche in Horten, wie es 1898 aussah

Die Bekehrung

Eigentlich fing alles im Mai 1898 an. Am Samstag, dem 14. Mai, um zwölf Uhr, begann für Johan O. Smith das freie Wochenende auf dem Marinestützpunkt Karljohansvern in Horten; er schlug den Weg stadteinwärts über den Kanal ein. Bis zum Sommer 1895 hatte er in der Marinekaserne gewohnt. Dann mietete er sich in der Stadt bei einem Marinemusiker namens Kristian Pedersen ein. Die Marinemusiker waren dem Artilleriekorps eingegliedert, und Pedersen genoß einen ziemlichen Bekanntheitsgrad. Die Familie war seinerzeit mit Sack und Pack auf einem Leichter von Fredriksvern (weiter südlich im Bezirk Vestfold) hergezogen, um sich am neuen Hauptstützpunkt der Marine niederzulassen. Später wurde noch ein Haus in der Stadt gebaut, man hatte genügend Platz. Um etwas Geld zusätzlich zu verdienen, vermietete Pedersen einige Zimmer, bevorzugt an Marinepersonal.

Smith gefiel es sehr, endlich ein eigenes kleines Nest zu haben, gewissermaßen als Ausgleich zum Dienst und den Kollegen. Fast neun Jahre lang hatte er mit Seeleuten zusammengelebt, an Bord und an Land, und es tat ihm gut, endlich ein Privatleben außerhalb des Marinestützpunktes haben zu können. Mindestens halbjährlich stach er in See, in nähere oder fernere Gewässer, sofern er nicht auf Ausbildungsschiffen eingesetzt war, die in der Regel im Kriegshafen selbst oder in seiner unmittelbaren Nähe blieben. Für Dinge außerhalb des Dienstes blieb ihm also nur begrenzte Zeit. Doch störte ihn das nicht, er war zufrieden. Er mochte das Leben in der pulsierenden Kleinstadt und hatte das Gefühl, die meisten Einwohner mehr oder weniger gut zu kennen. Es machte ihm daher Spaß, in der Stadt umherzuspazieren, wenn auch die Straßen in schlechtem Zustand waren und ihr rötlicher Staub sich auf die sonst blank geputzten Soldatenstiefel legte.

Im Winterhalbjahr 1897/98 hatte er die Verantwortung für den Monitor *Thor* innegehabt, der im Kriegshafen aufgelegt war. Am Montag, dem 16. Mai, sollten auf dem Schiff Flagge und Kommandowimpel gehißt werden, und die letzten Tage waren damit ausgefüllt gewesen, das Schiff klar zu machen. Es blieben ihm daher nur zwei Tage Verschnaufpause, ehe die *Thor* wieder für Ausbildungsfahrten ausgerüstet werden mußte, mit all dem damit verbundenen hektischen Treiben.

Auch wenn er jetzt in der Stadt wohnte, nahm er doch recht häufig das Frühstück in der Messe ein. Gelegentlich besuchte er sonntags den Gottesdienst in der Garnisonkirche. Doch heute zog er es vor, daheim zu frühstücken. Später ging er ein bißchen in der Stadt spazieren. Es war frisch draußen, eigentlich war der Mai insgesamt eher kühl gewesen. Das Maiengrün ließ sich bisher nur erahnen, und so mußte der Nationalfeiertag am 17. Mai wohl noch mit kahlen Bäumen gefeiert werden.

Smith fröstelte, denn der schneidende Wind ging ihm durch und durch, und außerdem nieselte es leicht. In der Stadt stieß er auf Stückmeistersmaat Hans Olausen, einen gläubigen Marinekameraden, und Smith ging mit ihm zum Nachmittagsgottesdienst in die Methodistenkirche.

Die Kirche lag zentral in der Großen Straße (Storgate). Sie war 1869 eingeweiht worden, und die Methodisten hatten seither kräftig Zulauf in der Marinestadt. In der Tat war die Gemeinde seit ihrer Gründung mit Erweckungen gesegnet, und in ihrer Verkündigung war durchaus etwas Leben.

Gott mit uns

Pastor Martinius Olsen hielt an diesem Sonntag den Gottesdienst - ein guter Mann mit einer guten Botschaft. Er zeigte die Linien auf, die Pfingsten mit dem nahe bevorstehenden Himmelfahrtstag verbinden. So gut er es vermochte, versuchte er die Seelen der Zuhörer dem Himmel näher zu bringen. Sonst bat Pastor Olsen manchmal diesen oder jenen um einige zusätzliche Worte, aber heute folgte er der Gottesdienstordnung. Smith ließ seine Augen über die gegenüberliegende Wand gleiten. Die Kirche besaß kein Altarbild. Seltsam, pflegten doch die Methodisten ihre Kirchen nicht eher zu weihen, bevor sie mit allerlei sakralen Gegenständen ausgestattet waren. Stattdessen hing über dem Altar nur ein hölzerner Wandspruch mit den Worten „Gott mit uns". Smith liebte das Schlichte und ließ das Wort in seiner ganzen Wucht auf sich wirken. Er drehte sich zu Olausen, der links von ihm saß, und lud ihn zum Abendessen ein.

Während sie aßen, erzählte Olausen, daß er über Mittag einen schwerkranken Gärtner besucht und mit ihm über Gott gesprochen habe. Smith war darüber tief bewegt, beide weinten, und Olausen sprach für sie beide ein Gebet.

Am nächsten Morgen war Smith um sieben Uhr pünktlich an Bord. Letztmalig wurde Hand angelegt, um das Schiff vollends zum Glänzen zu bringen, ehe es formell in Dienst gestellt wurde. Um neun Uhr stand dann die 98köpfige Besatzung feierlich auf Deck angetreten. Punkt 9.15 Uhr gab der Kommandant, Fregattenkapitän zur See Müller, den Befehl, Flagge und Wimpel zu hissen. In einer kurzen feierlichen Ansprache forderte der Kommandant seine Untergebenen zur Pflichttreue und Vaterlandsliebe auf, und die *Thor* war wieder in Dienst gestellt.

Den ganzen Tag über wurde an Bord gearbeitet, um die Ausrüstung des Monitors fertigzustellen. Die *Thor* wurde zur 70tägigen Ausbildung der neuen wehrpflichtigen Matrosen klargemacht.

Smith war zur Hundewache eingeteilt, von Mitternacht bis 4 Uhr morgens. Am Nachmittag nahm er noch in der Exerzierhalle an einer Chorprobe für das Sängertreffen am bevorstehenden Himmelfahrtstag teil. Das Seemilitärische Korps hatte nämlich seinen eigenen Chor, und Smith gehörte dazu.

Am späteren Abend ruhte er noch ein wenig in seiner Kammer, bevor er Wache ging. Er genoß es; die Hundewache hatte ihren eigenen Reiz. Er hatte sie immer gemocht, auch bei den Fahrten in entlegene Weltgegenden. Das war die stille Zeit an Bord, voll tiefer Ruhe, wenn nicht gerade schwere See war oder das Wetter auf andere Weise übel mitspielte. Jetzt, wo es an der Boje lag, schien das Schiff beinahe zu schlafen. Nur friedliche Laute waren hörbar.

Er hatte Gefallen an diesem Schiff. Klar, es war nicht das modernste Marinefahrzeug. Im Gegenteil, die *Thor* war ebenso alt wie er selbst, sie war 1871 in der Marinewerft in Karljohansvern auf Kiel gelegt worden und im darauffolgenden Jahr von Stapel gelaufen. Als Artillerist war er von der starken Bestückung des Schiffes sehr angetan. Ursprünglich hatte es über zwei 27-cm-Kanonen, eine 8-cm-Kanone und eine 12-mm-Revolverkanone verfügt, im Lauf des Jahres 1897 aber wurden zusätzlich zwei funkelnagelneue 12-cm-Schnellfeuerkanonen eingebaut, außerdem zwei 65-mm-Schnellfeuerkanonen und zwei 37-mm-Revolverkanonen. Die Waffen waren modern und wirkungsvoll - dank einiger vorausschauender Männer in der Marine, die es nur als eine Frage der Zeit ansahen, bis die Union zwischen Norwegen und Schweden in die Brüche ging. Für diesen Fall sollten Norwegens Seestreitkräfte auf die denkbar modernste Weise gerüstet sein. Smith hatte seinerzeit den Einbau der Geschütze mitverfolgt und sich davon überzeugt, daß dies in tadelloser Weise geschehen war.

Smith übernahm die Wache und meldete sich beim Wachhabenden Offizier, Unterleutnant Möinichen. Möinichen hatte erst kürzlich seine Ausbildung an der Marineschule abgeschlossen und war am 1. Mai zum Seeoffizier ernannt worden. Dies war das allererste Mal, daß er alleinverantwortlich als Wachhabender Offizier eingeteilt war. Smith blickte ihn an. Möinichen wirkte ruhig und verläßlich, wie einer, der seine Sache verstand. Die beiden unterhielten sich etwas über den morgigen Nationalfeiertag, den 17. Mai. Da war große Beflaggung ab 8.00 Uhr angesetzt, Salutschießen von den Hafenbefestigungen und ein Reglementsvortrag für die ganze Besatzung.

Smith inspizierte die wachhabenden Matrosen und vergewisserte sich, daß jeder wußte, was er zu tun hatte. Dann begann er seine Runde. Er überprüfte die Vertäuungen und sah nach den Travaljen. Er war ein ordnungsliebender Mensch und stand in dem Ruf, ein tüchtiger Seemann zu sein, der die guten Sitten im Kriegshandwerk hochhielt. Eine schwache südwestliche Brise trieb leichten Sprühregen über den Hafen, als Smith in den Geschützturm einstieg. Die Nacht war grau und kühl, die Temperatur auf vier Grad Celsius gefallen. Soeben wurde drei Glasen geschlagen.

Smith verschwand im Geschützturm und betete zu Gott. Es ging auf zwei Uhr morgens zu an jenem 17. Mai, als Smith sein Leben in Gottes Hände legte. In diesen Händen blieb es bis zu seinem Tode, als er fast zum gleichen Glockenschlag am 1. Mai 1943 starb, knapp 45 Jahre später.

Zwei Tage nach seiner Bekehrung schrieb er an seine Eltern:

„Liebe Eltern und Geschwister!

Vielen Dank für Euren Brief, den ich erhalten habe. Nun bin ich an Bord der *Thor*. Ich kann Euch, liebe Eltern und Geschwister, eine große Neuigkeit berichten, nämlich die, daß ich so glücklich bin. Und weshalb? Nun, weil ich Jesus als Freund und Bruder bekommen habe; er ist jetzt mein alles. Früher hatte ich nirgends Frieden, aber, Gott im Himmel sei gedankt, nun habe ich Frieden, wo ich auch bin. Wie bekamst du diesen Frieden, werdet ihr wohl fragen?

Ich habe schon lange verstanden, daß es ohne Gott keine wahre Freude gibt. So traf es sich an einem Sonntagnachmittag, daß ich Olausen begegnete, der am gleichen Tag wie ich den Dienst in der Marine angetreten hatte. Wir gingen zusammen in die Methodistenkirche. Während wir dort saßen, fragte ich ihn, ob er mit mir nach Hause kommen und dort zu Abend essen wollte, was er gerne annahm. Während des Gesprächs daheim wurde ich sehr bewegt, weinend faßten wir uns an den Händen, und er betete zu Gott für uns beide. Ich werde nie vergessen, was ich damals empfand. Der Teufel kam natürlich wie immer, aber das Gebet hatte doch seine Wirkung, denn in der folgenden Nacht hatte ich Hundewache an Bord, und in einem kleinen runden Geschützturm betete ich zu Gott. Es sah sehr finster aus, doch plötzlich wurde ich so froh, daß ich fast den Eindruck hatte zu schweben, als ich über das Deck ging. Ja, allein Gott kann uns so froh machen, er sei über alles gepriesen!

Es wird sicherlich nicht leicht für uns werden, die wir ständig mit so vielen anderen zusammen sind, aber Gott wird uns helfen, stets fest zu bleiben. Ihr könnt mir glauben, mir war ganz sonderbar zumute, als ich das nächste Mal zum Essen in die Messe hinunterging, denn ich wollte Gott für seine Gaben danken - und doch fand ich keinen Mut dazu. Hinterher fühlte ich mich deshalb innerlich gestraft, und das nächste Mal faltete ich inmitten der Unteroffiziere erstmals meine Hände und dankte Gott.

Betet für mich, daß Gott mich bewahren möge! Grüßt meine Geschwister und bittet sie, daß sie den Herrn suchen, denn erst dann ist das Leben lebenswert.

Mit freundlichem Gruß

Johan."

Der Brief nach Hause fiel etwas knapper aus als zuerst gedacht. Um drei Uhr nachmittags sollte Smith nämlich zusammen mit den anderen Chorangehörigen des Marineunteroffiziers-Verbandes in der Exerzierhalle singen. Rund 300 Sänger waren es. Heute sang Smith besonders kräftig.

Die Geistestaufe

Die Taufe mit dem Heiligen Geist* empfing Johan O. Smith im Herbst 1900 an Bord des Kanonenbootes *Sleipner*. Dies geschah kurz nach der Rückkehr von einer Ausbildungsreise u. a. nach Rouen in Frankreich. Im Verlauf dieser Reise hatte die Besatzung auch der Weltausstellung in Paris einen Besuch abgestattet.

„Er wurde nun ein fleißiger Bibelleser und bekam früh Offenbarungen, die die Schrift für ihn lebendig machten. Zudem wurde er jetzt noch brennender, um mit anderen über Gottes Wort zu reden." (Sohn Helge Smith 1995)

Nach seiner Bekehrung 1898 hielt Smith wiederholt kleinere Versammlungen für Jugendliche, aber die Gläubigen in seinem Bekanntenkreis taten sich schwer damit, ihn zu verstehen. In erster Linie waren es seine Marinekameraden, mit denen er über ein inneres Leben mit Gott und über Gottesfurcht sprach; nach und nach entstand daraus ein kleiner Kreis von vier oder fünf Männern, die sich versammelten, beteten und in der Bibel lasen. Länger als sechs Jahre sollte es dauern, bis der Nächste hinzukam. Es war der etwas jüngere Unteroffizier, Stückmeistersmaat Theodor Ellefsen.

Die beiden trafen sich 1904 zum ersten Mal bei einem Gottesdienst in der Inneren Mission. Smith war eben von seiner zweijährigen Diensttätigkeit in Kristiansand wieder nach Horten zurückgekehrt. In diesem Gottesdienst hatte Ellefsen kurz gesprochen. Smith verspürte, daß Ellefsen von einem außergewöhnlichen Verlangen getrieben war, und sprach nachher mit ihm. Ellefsen schloß sich dem Gebetskreis zu Hause bei Smith an.

* Darunter wird die erstmalige Erfüllung mit dem Heiligen Geist verstanden, wie sie an dem in der Bibel genannten Pfingsttag geschah.

„Von da an waren sie Brüder in Christus." (Samuel Ellefsen, der Sohn von Theodor Ellefsen, 1995 zum Verfasser)

Diese Versammlungen bei Smith entwickelten sich mehr und mehr dahingehend, daß er von den anderen als geistliches Oberhaupt angesehen wurde. Im Herbst 1904 kam es zu einer Aussprache, bei der diese Entwicklung diskutiert wurde. Smith gebrauchte wie gewöhnlich den Vorschlaghammer, wenn es um so etwas ging: er forderte die anderen auf heimzugehen, wenn sie nicht dasselbe Leben wünschten wie er. Alle gingen.

Als er den wenigen, die ja immerhin seine Freunde waren, die Tür gewiesen hatte, wurde Smith an das Bibelwort aus Sprüche 24, 11 erinnert: „Errette, die man töten will, und halte die fest, die zitternd zum Richtplatz geführt werden." (Norwegische Übersetzung) Smith ging hinaus, um nachzusehen, ob da vielleicht solch ein Zitternder war, den es zu erretten galt. Tatsächlich - dort stand Theodor Ellefsen im Hof und weinte. „Komm herein", sagte Smith.

„Das war der Anfang der Gemeinde." (Sigurd Bratlie 1984 zum Verfasser)

Johan O. Smith war ein überragender Unteroffizier und der Beste seines Jahrgangs. Hier im Kreise von guten Freunden und Kameraden.

Horten: Der innere Hafen um die Jahrhundertwende. Unter anderem die Schiffe Alfen, Kong Sverre, Æger, Norge.

Horten: Die Große Straße (Storgaten), rechts mit der neuen Methodistenkirche.

Die Dampfkorvette Ellida. Johan O. Smith war 1890 mit ihr auf Auslandsreise nach Afrika, der Karibischen See und den Vereinigten Staaten.

Die erste Zeit

An Bord der Schiffe, im Marinestützpunkt und auf der Marinewerft fand Johan O. Smith Menschen, mit denen er über Gottes Wort sprechen konnte. Seit seiner Bekehrung 1898 verwendete er viel Zeit dafür, mit den Menschen über dieses gute, in Wahrheit erstrebenswerte Leben zu sprechen. Nach der Geistestaufe im Jahr 1900 wuchs in ihm ein noch größeres Verlangen, anderen mitzuteilen, was er nach eigenem Empfinden von Gott empfangen hatte. Wenn er sich auch in den meisten Fällen mild und mitmenschlich zeigte, so war seine Botschaft doch kraftvoll und eindeutig: Bekehrung bedeutet nicht nur Sündenvergebung, sondern auch, an sich selbst zu arbeiten, um immer mehr die Sünde zu überwinden.

Offenkundig gewann er dadurch nicht viele Anhänger. Aber nach und nach gab es doch einzelne Unteroffiziere, Gasten und Marinewerftarbeiter, die zur Gemeinde hinzukamen.

Smith kam auf seinen Seereisen mit den Marinefahrzeugen weit herum, wodurch sich mit verschiedenen christlichen Gemeinschaften in vielen Teilen Europas Kontakte ergaben. An Impulsen fehlte es also nicht, dennoch fand er keine Gemeinde, die so gestaltet war, wie er es im Evangelium geoffenbart bekommen hatte.

Smith zweifelte nie daran, daß es wichtig war, mit dem einzelnen zu arbeiten; es galt, die Menschen in das Leben hineinzuführen, das er selbst praktizierte. Er war geradezu besorgt, daß es zu viele werden könnten. Das Allerschlimmste für ihn war, wenn die Leute ihn als eine Art Pfarrer oder Prediger betrachteten, der Anhänger um seine Person sammeln wollte. Da jagte er sie lieber von sich. Die Qualität war für ihn maßgebend, nicht die Quantität.

Als er von 1902 bis 1904 in Marviken bei Kristiansand stationiert war, hatte er häufiger Gelegenheit, seine Eltern zu besuchen, die in nächster Nähe in Gimlemoen wohnten. Auch mit seinem Bruder Aksel, der um neun Jahre jünger war und als Zahnarzt in Kristiansand arbeitete, pflegte er nun mehr Kontakt, zumal die Brüder ein sehr gutes Verhältnis zueinander hatten. Nachdem Johan O. Smith und seine Frau Pauline wieder nach Horten gezogen waren, erwuchs in der Folge eine rege Korrespondenz unter den beiden Brüdern. In einem seiner Briefe vom Frühsommer 1905 teilte Aksel seinem Bruder mit, daß auch er sich bekehrt habe.

Darüber war Johan O. Smith überaus glücklich, und diese Bekehrung wurde der Auftakt zu einem unglaublich reichen und lange währenden Briefwechsel zwischen den beiden.

Aksel Smith entwickelte sich zu einem ganzherzigen Mitarbeiter, der in der Anfangsphase der Gemeinde eine zentrale Stelle einnahm. Obwohl von schwächlicher Konstitution, nachdem er als Kind von einem Pferd getreten worden war, stellte er seine Energie in den Dienst der Gemeindearbeit. Er war so etwas wie ein Volksredner; in den Sommerferien 1907 reiste er im Auftrag von Thomas Ball Barratt für die Pfingstbewegung nach Berlin. Er berichtet in einem Brief an das christliche Blatt „Byposten“ (Stadtpost), daß viele Gläubige „die Geistestaufe bekommen und in Zungen geredet und ausgelegt haben.“

Aksel Smith zog nach Kristiania (Oslo) und eröffnete dort eine Zahnarztpraxis. Vorübergehend ließ er sich später in Kopenhagen nieder und evangelisierte in Hamburg, Berlin und Fredericia (Dänemark), zeitweilig zusammen mit Aslaksen. Noch später zog er nach Dröbak, südlich von Oslo am Oslofjord gelegen, wo er 1919 an der damals wütenden Grippewelle starb.

1908 lernte der Stückmeister Johan O. Smith den Seekadetten Elias Aslaksen kennen. Das sollte zu einem neuen Wachstumsschub für die Gemeinde führen.

Aslaksen fuhr lange während des Ersten Weltkrieges auf dem Kanonenboot Æger. Stationiert war das sog. „Schwarzmeergeschwader", dem es angehörte, bei Hvaler in der Nähe von Fredrikstad.

Das Kanonenboot Sleipner. Hier lernten sich Johan O.Smith und Elias Aslaksen 1908 auf einer Seereise kennen.

Auf einer Reise nach England. Seekadett Aslaksen sitzt in der 2. Reihe links auf der Kanone.

Seeoffizier und Gottesmann

„Niemand wird Aslaksen je vergessen, der ihm einmal begegnet ist." (Kåre J. Smith)

Elias Aslaksen war eine ganz außergewöhnliche Begabung. Während seiner Kadettenzeit 1907 - 1911 an der Seekriegsschule in Horten bildete er das Gesprächsthema nicht nur unter den Leuten der Marine, nein, auch bei den Arbeitern der Marinewerft („Horten Verft"). Er war in der Tat so ungemein befähigt, daß man ihm ohne weiteres zutraute, in der Marine ganz nach oben zu kommen. Zudem war er als Vortragender gefragt, wenn es bei Gebeten und Kirchenparaden Texte zu verlesen galt. Er war ein so begnadetes Spitzentalent, daß ihm selbst in der wohl besten Lehranstalt des Landes niemand auch nur annähernd das Wasser reichen konnte.

Trygve Gran, ein norwegischer Nationalheld, bekannt als Polarfahrer und Flugpionier (er überflog als erster die Nordsee), trat gleichzeitig mit Aslaksen in die Seekriegsschule ein. In seiner Autobiographie schreibt Gran mit unverhohlener Bewunderung und einem gewissen Erstaunen über seinen Jahrgangskameraden Elias Aslaksen:

„Meine Klassenkameraden waren ausnahmslos nette Burschen. Unter ihnen gab es jedoch einen, der aus allen herausragte. Er hieß Elias Aslaksen. Allseitig begabt, war er dazu auch noch mit einem Sinn für das Praktische und einer guten körperlichen Konstitution ausgestattet. Bereits bei der Aufnahmeprüfung war er der Beste, und so blieb es bis zuletzt. Wir lernten ihn auch alsbald als die Hilfsbereitschaft in Person kennen. Außerdem wurde uns gleich von Anfang an klar, daß Elias Aslaksen ein tief religiöser Mensch war. Was ihn dazu bewogen hatte, zur See und zur Marine zu gehen, hat keiner von uns verstanden. Noch unbegreiflicher war für uns, daß er nach drei Jahren Seekadettenzeit nicht festbeamteter Berufsoffizier werden wollte, obwohl er mit Abstand der Beste unseres Jahrgangs war. Er wollte stattdessen lieber als Missionar arbeiten."

In dem 1938 erschienenen Kalender der Seeoffiziere der Reserve steht über Aslaksen die Bemerkung, daß er 1906 „tief religiös ergriffen und später Prediger wurde, ohne von einer kirchlichen Gemeinschaft oder einer sonstigen Gesellschaft angestellt (und bezahlt) worden zu sein. Wohnt in Hönefoss, ist als Prediger aber viel im ganzen Lande unterwegs."

Man kann sich wohl zu Recht nach dem Grund fragen, warum dieser Überflieger, der Beste von allen, der begnadet intelligente Seekadett, der Kamerad mit der stets hilfreichen Hand, vielleicht eines der vortrefflichsten

Talente, die je in der Marine ausgebildet wurden, alles an den Nagel hängt und Prediger ohne festes Einkommen wird! Was bringt einen Offizier, der eine glänzende Karriere vor Augen hat, dazu, Gemüse und Briefmarken zu verkaufen und Gelegenheitsarbeiten als Sprachlehrer, Zaunanstreicher oder ähnliches anzunehmen? In der Tat, die Geschichte von Elias Aslaksen ist ungewöhnlich.

Elias Aslaksen wurde im damaligen Kristiania (dem heutigen Oslo) am 19. April 1888 geboren. Sein Vater, Halvor Aslaksen, war als Kapitän viele Jahre zur See gefahren. Schließlich hatte er sich ein Ladenlokal in der Hauptstadt erworben, wo auch Elias aufwuchs. Er war eine Abenteurernatur, und das Leben auf See stellte er sich in den schillerndsten Farben vor. Dort draußen auf den Weltmeeren wurden die großen Männer geboren, und einer von denen wollte er gern werden.

Gleich nach dem Mittelschulabschluß 1904 ging er zur See, und zwar auf einem Kauffahrer nach Nord- und Südamerika. Seine Eltern hätten es lieber gesehen, er hätte eine Ausbildung an Land begonnen.

1906 - das Jahr der Bekehrung

Im Jahre 1905 fuhr Aslaksen auf einer Brigg, wo er einen unbarmherzigen und harten Vorgesetzten hatte, einen Hünen von Schiffszimmermann. Ging die Arbeit bei den jungen Matrosen nicht schnell genug vonstatten, drohte er damit, sie blutig zu schlagen, und hie und da setzte es auch wirklich Hiebe.

„Ich dachte, er ist wohl der hartherzigste Mann, den ich je gesehen hatte", schreibt Aslaksen. „Eines Tages - wir fuhren auf dem Atlantik - wurde dieser unerbittliche Mensch jedoch krank. Es wurde immer schlimmer, nach eine Weile mußte er das Bett hüten. Da wurde der früher so harte Mann der demütigste und schweigsamste Mensch, dem ich bis dahin begegnet war. Früher hatte sein Mund Drohungen ausgestoßen, jetzt bat er um Vergebung. Er wollte, daß wir ihm Gottes Wort vorlesen sollten, was wir auch oft taten. Er bat uns, Fürbitte für ihn zu tun, aber keiner von uns konnte beten. Doch einer hat sich seiner erbarmt, Jesus, der am Kreuz für ihn gestorben war ... Endlich fand er eines Nachts Frieden. Als der Geist seine sterbliche Hülle verließ, flüsterte er: ‚O wie schön ist es hier!' Sein inneres Auge schaute sicherlich etwas von Gottes Herrlichkeit.

Ein halbes Jahr nach dieser Begebenheit habe auch ich etwas von Gottes Herrlichkeit erblicken dürfen. Ich hielt schlicht und einfach in meinem bisherigen Lebenslauf inne und erkannte, daß ich keine Kraft in mir selbst besaß. Ich vermochte nicht Gottes Gebote zu halten. Ich war nicht in der

Lage, mein Gewissen frei von Schuld zu bewahren. Die Sünde konnte ich nicht bekämpfen, sie herrschte völlig über mich, ich war ihr Knecht. Ich erkannte, daß ich Erlösung aus diesem elenden Zustand nötig hatte, und übergab mich Gott, von dem ich wußte, daß er allen, die wollen, Erlösung gebracht hatte. Da wurde Gott meine Stärke, und von Stund an war der Glaube meine Kraft."

1906 legte er die Steuermannsprüfung an der Seemannsschule in Kristiania ab. Vor allem die Eltern aber wünschten, daß Elias eher zur Kriegsmarine statt zur Handelsflotte ging. So wurde er 1907 in der Seekriegsschule aufgenommen. Er ließ deutliche Begabungen sowohl in den theoretischen als auch den praktischen Fächern erkennen; 1909 wurde er Unterleutnant. Er durchlief zum Teil schon die Abschlußlehrgänge der Seekriegsschule, als er seine verheißungsvolle Laufbahn abbrach und als Prediger anfing. 1914 wurde er zum Dienst im Rahmen der Neutralitätssicherung Norwegens im Ersten Weltkrieg einberufen. Zum Oberleutnant ernannt, blieb er bis zum Kriegsende 1918 aktiv. Er war militärischer Berater des Rundfunksenders „Rundemannen" in Bergen, fuhr als Offizier auf dem Schulschiff *Kong Sverre* und verrichtete als Erster Offizier auf den Kanonenbooten *Æger* und *Gor* seinen Dienst. Und wie alles in seinem Leben, bewältigte er auch diese Aufgaben in hervorragender Weise. 1925 wurde er zum Kapitänleutnant der Reserve ernannt, ist aber nie mehr einberufen worden und hat somit auch nicht in diesem Rang gedient. Bis zum Schluß hat er sich „Marineleutnant" genannt.

Während des Weltkriegs verrichtete Aslaksen den größten Teil seiner Dienstzeit im sogenannten „Schwarzmeergeschwader". Dies war der Spitzname der von Hvaler aus operierenden Kampfgruppe, die Patrouillen und Begleitschutz im Skagerrak fuhr. Es wird glaubwürdig berichtet, daß einmal während einer herbstlichen Rettungsübung das Verhalten bei „Mann über Bord" exerziert werden sollte. Indessen war das Wasser so kalt, daß sich wohl kaum ein Matrose freiwillig gemeldet hätte. Der Erste Offizier aber, Oberleutnant Aslaksen, der immer nach dem Grundsatz lebte, nie mehr von anderen zu fordern als von sich selbst, rief laut: „Mann über Bord!" und sprang über die Reling. Die *Æger* dampfte weiter, bis endlich ein Ruderboot zu Wasser gelassen wurde und einen ziemlich ausgekühlten Oberleutnant aufnahm.

Bereit für die Chinamission

Trygve Gran nannte ihn Missionar. Dieser Begriff trifft nach traditionellem Verständnis kaum auf Aslaksen zu; ihm ging es zentral um das innere

Glaubens- und Gemeindeleben. Aber beinahe wäre er doch als Chinamissionar ausgesandt worden. Aslaksen hörte den Missionar Ludvig Eriksen über die segensreiche Arbeit in der Mission sprechen und bekundete großes Interesse dafür. Eriksen und andere Missionare suchten ständig „junge Männer, die sich in Schulen und Universitäten für Spitzenstellungen in der Gesellschaft ausbilden lassen. Fachkenntnisse sind gut, und Gott kann sie gebrauchen. Die Zeit wird kommen, da viele dieser jungen Männer ihre Gaben und Kenntnisse auf den Altar des Herrn legen und mit der Heilsbotschaft hinaus zu den Heiden ziehen werden."

Im Blatt „Missionsvennen" (Der Missionsfreund) vermeldet Ludvig Eriksen im vierten Quartal des Jahres 1911, daß „jetzt einer von diesen bereit ist, hinauszuziehen, nachdem er erst kürzlich seine Ausbildung an der Seekriegsschule abgeschlossen hat ... Vom 2. Januar bis zum 1. April dieses Jahres war er zum Offiziersdienst auf das Panzerschiff *Norge* befohlen, anschließend stand er im Dienst für Christus in England, Dänemark und Norwegen. Wenn er nun demnächst beabsichtigt, sich von der Tschilimission zu einem Volk senden zu lassen, das ihm Gott ans Herz gelegt hat und für dessen Errettung er arbeiten möchte, so laßt ihn uns mit viel Gebet und unseren besten Wünschen begleiten, auf daß Gottes reicher Segen sich in seinem zukünftigen Wirken zeigen möge."

Aslaksen hatte 1906 Ludvig Eriksen und seine Missionsversammlungen kennengelernt. Später war er mehrmals im Missionshaus Stabekk zu Besuch. Die Chinamission erlebte zu dieser Zeit eine mächtige Blüte, und die Kombination von Abenteuer und Mission reizte Aslaksen. Eriksen sprach von zwanzig Millionen Seelen in der vernachlässigten Provinz Tschili in Nordchina, die sich „auf dem Weg in die Ewigkeit befinden und Jesu Erlösergnade und Liebe nicht kennen. Die Arbeit für das Evangelium fordert enorme Anstrengungen und eine über das übliche Maß hinausgehende Opferbereitschaft."

Es wurden sogar Karten mit dem Konterfei Aslaksens auf der Vorderseite und einer Karte der Provinz Tschili auf der Rückseite verkauft. Die Einnahmen waren für die Missionsreise des jungen Marineleutnants bestimmt.

Fernweh

Für einen Seeoffizier der Reserve war es nichts Außergewöhnliches, in die weite Welt hinauszufahren. Eine ganze Reihe von Offizieren hatte schon die seltsamsten Abenteuer in der großen weiten Welt bestanden, und man kann zu Recht darüber staunen, für wieviele verschiedene Lebenslagen solch eine Ausbildung in der Seekriegsschule gut war. Und so finden sich in den Reihen der Seeoffiziere die vielfältigsten Lebensschicksale: Diplomaten und Referenten, Direktoren und Lektoren, Zöllner und ganz bestimmt auch Sünder, Schriftsteller, Kaufleute und Denker, Gutsbesitzer und Reeder, Schiffsführer und Schiffsmakler, Marineschuldozenten, Admirale und Generale, Branddirektoren und Hotelbesitzer - und Aslaksen.

Die Reserveoffiziere der Marine waren Norwegens Begabungspotential. In großen wissenschaftlichen Einrichtungen, die auf Leute mit einer soliden Ausbildung in Mathematik und Navigation angewiesen waren, hätte man kaum auf sie verzichten können. Zudem war es schwer, in Norwegen Arbeit zu bekommen, noch dazu bestanden zeitweilig sehr ungünstige wirtschaftliche Rahmenbedingungen. Nicht umsonst suchten deshalb Aslaksens Zeitgenossen in der weiten Welt ihr Glück. Besonders galt dies gerade für die Zeit zwischen 1890 und dem Ersten Weltkrieg.

Einer dieser Offiziere fuhr viele Jahre in der Handelsflotte, bevor er als Ingenieur in Uruguay und Südafrika Arbeit annahm. Ein anderer landete in Valparaiso, weitere dienten in verschiedenen Funktionen dem König von Siam: als Kapitän der königlichen Yacht, als Steuerleute oder in der Zollverwaltung. Einer wurde sogar von der eigenen Schiffsbesatzung an Bord der königlichen Yacht *Maha Chakri* umgebracht.

In China waren die „fremden Teufel" nicht immer gern gesehen. Das hinderte allerdings mehrere der Seeoffiziere nicht daran, zwischen 1885 und 1919 gerade dort ihr Glück zu machen. Die Kaiserinwitwe Tzu Hi der Mandschu-Dynastie regierte damals mit harter Hand und geheimen Machenschaften, wobei sie sich eines enormen Staatsapparates aus Zehntausenden von Staatsbeamten, den Mandarinen, versichern konnte.

Die norwegischen Offiziere zog es an die Hafenstädte und Flußmündungen entlang der langgestreckten chinesischen Küste. Einer unter ihnen wurde sogar zum Mandarin vom „Blauen Knopf" ernannt, ein hoher Rang als ziviler Staatsbeamter. Zu diesem Zeitpunkt hatte er es bis zum Zolldirektor von Schanghai gebracht.

Geschichten von solchen Offizieren gehörten zum Unterricht der Seekadetten dazu. Ludvig Saxe vom „Nordmannsforbund" (Norwegerbund) war einer von denen, die herumfuhren und Geschichten sammelten. Aus Schanghai schrieb er: „Mitten durch die große Stadt schlängelt sich der Fluß wie ein langer, lebendiger, glitzernder Lindwurm - Ozeanfahrer gleiten herein und hinaus, Dampfbarkassen flitzen hektisch hin und her, und dazwischen bahnen sich Chinesen auf Dschunken und Leichtern mühsam ihren Weg. Der Hafen selbst ist über 10 Kilometer lang, und die Dampfschifftonnage beträgt jährlich fast 20 Millionen - wen wundert es da noch, daß hier im bedeutendsten Seehafen Chinas ein Norweger das Sagen hat! Das heißt, er ist zur Zeit stellvertretender Hafenmeister, aber lange wird es gewiß nicht mehr währen, bis er an der Spitze steht.

Der Mann ist H. G. Myhre aus Horten, Korvettenkapitän der Reserve in der Norwegischen Marine. Er quittierte 1886 den aktiven Dienst bei der Marine und wurde Offizier auf einem chinesischen Zollkreuzer, lag ständig draußen und schnappte Schmuggler auf frischer Tat, einmal knackte er sogar eine ganze Schiffsladung Opium im Wert von 11000 Kronen. Damals befuhr nur ein einziger norwegischer Küstenfahrer die chinesischen Gewässer, er pendelte zwischen Kanton und Pakhoi mit Schweinen an Bord. Nun, Korvettenkapitän Myhre durfte noch eine andere Ladung aufnehmen, er brachte nämlich den ehemaligen Prinzregenten Chung höchstpersönlich mit dem Zollkutter aus dem Hafen hinaus, als jener nach Deutschland abreisen wollte, um dort für den Boxeraufstand von 1900-1901 Abbitte zu tun. Korvettenkapitän Myhre erhielt für seine Mühe den ‚Doppelten Drachenorden'."

Myhre war zwei Jahre lang in Ostindien auf englischen Dampfschiffen als Matrose (!), Quartiermeister und Offizier gefahren. 1888 bekam er dann eine Stelle in der chinesischen Zollverwaltung und machte seine Karriere zuerst bis zum Küsteninspektor und Hafenaufseher in Kanton, schließlich wurde er Hafenaufseher der größten chinesischen Hafenstadt überhaupt: Schanghai.

Ein anderer verzeichnete einen ähnlichen Aufstieg, zuerst bei den Briten, nämlich als Kanonen- und Torpedokonstrukteur bei Nordenfeldt Gun & Ammunition in London, später im Dienst auf chinesischen Zollkreuzern. Am japanisch-chinesischen Krieg 1894/95 nahm er als Hauptinstrukteur der Festung Wei-hai-wei teil, um nach dem Krieg eine Stelle als Vizezolldirektor in Kanton zu bekommen - als Mandarin vierten Grades.

Noch weit mehr norwegische Marineoffiziere dienten damals in China, und für junge Offiziere gab es allerhand Aufregendes, was sie in die weite Welt zog. Geschichten von Seeoffizieren mit Fernweh waren wie Manna für abenteuerhungrige Seekadetten und jüngere Offiziere, die ihre Zukunft nicht in der norwegischen Marine sahen. Es war deshalb nichts Außergewöhnliches daran, nach China zu fahren, ganz im Gegenteil, es war das Natürlichste der Welt. Heldentaten und Courage gediehen in dem Milieu, in dem Elias Aslaksen seine Ausbildung erhielt.

Einmal London und zurück

Aslaksen wurde zur Missionsschule nach London gesandt. Die Missionarsschulung nach britischem Muster erschien ihm protzig und lach-

„Die Bezeichnung ‚Ein strahlendes Licht' trifft auf unseren innig geliebten Bruder Elias Aslaksen voll und ganz zu.

Das himmlische Licht wurde durch lebendigen Glauben in seinem Herzen entzündet, als er im Herbst 1908 als junger Seekadett meinen Vater Johan O. Smith an Bord eines Marineschiffes traf. Bruder Aslaksen war etwa 20 Jahre alt und neubekehrt, aber er war noch nicht zu einem siegreichen Christenleben durchgebrochen und weinte über seine Niederlagen. Er suchte Rat bei Pfarrern und Predigern, die ihn damit zu trösten versuchten, daß es eben nicht anders möglich sei. Aber als der wahrheitsliebende junge Mann, der er war, ließ er sich mit falschem Trost nicht abspeisen.

Als er meinen Vater traf, dem es genauso ergangen war, der inzwischen aber zu einem siegreichen und überaus glücklichen Leben in Christus durchgedrungen war, wurde der gleiche Glaube in seinem Herzen geboren. Er wurde durch und durch glücklich, er jubelte vor Freude und setzte sein ganzes Leben daran, um Jesus Christus zu gefallen. Er hatte einen unbeirrbaren Glauben an Gottes Führung im großen wie im kleinen, deshalb hatte er auch eine unerschütterliche Ruhe und Freude in allem, was ihm sein langes Leben hindurch begegnete, und wahrlich - er war wohl ein geprüfter Mann.

Das himmlische Licht, das alle Tugenden Christi einschließt, erstrahlte heller und heller aus seinem Leben, und er wurde in allen Belangen ein leuchtendes Vorbild für uns. Fleiß war eine herausragende Tugend bei Bruder Aslaksen; es war beispielhaft, wie er seine Zeit ausnutzte, im Irdischen wie im Geistlichen. Als er die Marine als junger Oberleutnant verließ, um ungehindert auf geistlichem Gebiet arbeiten zu können, nahm er allerlei Arbeit an, um keinem zur Last zu fallen. Mit Eifer pflanzte er Gemüse an, und in all den Jahren hat er wohl tonnenweise Beeren gepflückt. Zeitweise betätigte er sich auch als Sprachlehrer. Aber das Geistliche war das Erste und Größte, und da war er unermüdlich in seiner Arbeit. In Gesprächen bei Konferenzen und anderen Gelegenheiten konnte er bis in die tiefe Nacht aushalten.

Bruder Aslaksen war sehr fleißig, zu schreiben, dazu hat er wahrlich die Zeit zu Hause, unterwegs und auf seinen zahlreichen Reisen im Zug, Schiff oder Bus benutzt. Tausende von Briefen und Postkarten hat er wohl geschrieben, überdies hat er anderen die großen Vorzüge des Schreibens nahegebracht. Für das norwegische Gemeindeblatt ‚Skjulte Skatter' hat er so viel geschrieben, daß noch auf Jahre hinaus zahlreiche Artikel vorliegen. Er hat auch viele Bücher, Broschüren und Traktate verfaßt.

Bruder Aslaksen war ein sehr demütiger und umgänglicher Bruder, mit dem Kinder, Jugendliche und Ältere leicht Kontakt bekommen konnten. Die Weisheit ist leicht beweglich, und weise war er.

Er sprach und schrieb viel über die Ruhe in Gott. Ruhe und Freude sind die ersten Glaubensfrüchte, sagte er. Er arbeitete darauf zu, daß die einzelnen frei wurden von leerem Geschwätz, Unruhe und Sorgen.

In seiner Verkündigung ging er radikal gegen jede Form von Sünde an - und schlagfertig war er obendrein, wenn er die ganze menschliche Hoffart und Eitelkeit bloßstellte und Gottes Licht und Weisheit dagegenhielt. Er konnte die Wahrheit auf den verschiedenen Gebieten so lebendig und treffend verdeutlichen, daß man im Saal in Gelächter ausbrach, doch Bruder Aslaksen fügte hinzu, daß es todernst sei. Wenn er auch eine, zwei oder drei Stunden lang sprach, so war es nicht ermüdend, sondern fesselnd zuzuhören. Er las keine niedergeschriebenen Predigten ab - was er predigte, kam unmittelbar aus dem Leben, das er führte." (Aksel J. Smith)

Und produktiv war er. Noch heute, zwanzig Jahre nach seinem Tod, hat das Blatt „Skjulte Skatter" unveröffentlichte Artikel von Elias Aslaksen vorrätig.

Die Tschilimission

Könnte man tatsächlich nur eine einzige Seele unter diesen fremden Völkern für den Herrn gewinnen, so wäre dies ebensoviel wert, als gewönne man Hunderte in Europa.
August Hermann Francke

Zwanzig Millionen Seelen auf dem Weg zur Ewigkeit bewohnen die vergessene Provinz Tschili in Nord-China. Die allermeisten wissen nichts von Jesu Erlösergnade und Liebe. Die Arbeit, ihnen das Evangelium zu verkündigen, fordert bei ihnen draußen und bei uns daheim enorme Anstrengungen und eine mehr als gewöhnliche Opferbereitschaft.

Die Tschilimission hat dieses Ziel vor Augen. Zahlreiche Gebete für diese Arbeit, die dort seit langem schon in voller Blüte steht, steigen zu Gott empor. Gleichzeitig beten wir um neue eingeborene und norwegische Mitarbeiter.

Jeder gläubige Leser dieser Zeilen wird sich diesem Gebetsruf wohl anschließen und es sich angelegen sein lassen, daß viele neue Zeugen erweckt werden, damit das Arbeitsfeld erweitert und neue Plätze für die Verkündigung des Evangeliums gewonnen werden. Betet darum, daß große Scharen errettet und neue Missionsstationen als Lohn der Mühe dieser Zeugen eröffnet werden können; betet auch um die notwendigen Mittel, um dieses Werk fortzuführen und zu vergrößern. In der Ewigkeit wird es keinem zu viel erscheinen, was er auf Erden tat, um den Herrn Jesus zu erfreuen. Im Himmel wird das Volk Gottes Ihn dafür preisen, daß es selbst errettet wurde und daß es die große Gnade empfing, nach bestem Vermögen zu diesem Werk beizutragen, zur Ehre des Heilands und zur Ausbreitung Seines Reiches auf Erden.

Das Hauptquartier der Tschilimission ist in Norwegen das Missionshaus Stabæk bei Kristiania.

Das Organ der Tschilimission heißt „Missionsvennen" (Der Missionsfreund), es berichtet laufend Neues vom Missionsfeld.

Spenden für die Tschilimission werden entgegengenommen und bescheinigt vom

Sekretär der Tschilimission
Stabæk (heutige Schreibweise: Stabekk) bei Kristiania.

Mehrere der Marineoffiziere fuhren nach China. Unter ihnen war Elias Aslaksen der erste, der dort als Missionar wirken sollte. - Die Tschilimission informierte und warb mit Anzeigen wie der obenstehenden. In nebenstehendem Bild erscheint Aslaksen unter der Rubrik „In Vorbereitung zur Ausreise".

Tsjilimissionen.

Komite:

Einar Halle, kaptein.
Kristian Hannestad, doktor.
Ove Vegger, cand. theol.
Egede Nissen, sogneprest.

Regnskabs-revisorer:

C. A. Knudtzon, overretssagfører.
T. Lunder, cand. jur., bankkasserer.

Missionærer i Kina:

Johannes Beruldsen,
Kristine Beruldsen,
Thyra Beruldsen,
Parley Gulbrandsen,
Agnes Iversen,
Guri Odden,
Edgar Steinberg,
Ida Steinberg,
Ragnhild Vauvert-Jensen.

Under forberedelse til udreise:

Elias Aslaksen, Josef Paulsen.

Indfødte hjælpere:

Uang Tsï Cheng, Sang Iong Huei,
Koh Sien-seng.

Stationer:

Süan-hwa-fu, Pao-an-chow, Lung-men, Kalgan.

Stationer, der tænkes aabnet:

Peking, Lama-miao, Tuh-shïh-k'eo,
Chïh-cheng, Chao-chuan, Uan-chuan.

Um die Ausreise als Missionar nach China zu finanzieren, verkaufte die Tschilimission Karten mit dem Konterfei des jungen Marineoffiziers Aslaksen.

Im Geschützturm des Monitors Thor bekehrte sich Johan O. Smith am 17. Mai 1898.

So klein begann um 1910 die Gemeinde in Oslo, die sich zunächst in der Rostedsgate 12 versammelte. Dies ist eines der wenigen Bilder aus dieser Zeit, vermutlich aus dem Jahre 1915.

Wachstumsjahre

„Das ist schon wahr, aber damit gewinnt man nicht viele Anhänger."

Diesen Ausspruch tat der unumstrittene Leiter der Pfingstbewegung in Norwegen, Thomas Ball Barratt, in einem Gespräch mit Johan O. Smith 1909 anläßlich eines Gottesdienstes in Oslo. Barratt wollte ausdrücken, daß die Verkündigung Smiths richtig war, daß es aber für das Volk zuviel des Guten wäre.

Smith war kompromißlos, wenn es um Glauben und Lehre ging. Für taktische Winkelzüge oder freiwillige Beschränkungen bei der Verkündigung des Lichts, das ihm nach seinem Bekunden aufgegangen war, hatte er nichts übrig. Davon zeugen auch eine Reihe Briefe an seinen Bruder Aksel nach dessen Bekehrung. Da schrieb kein um Ausgleich bemühter Taktiker, sondern einer, der immer davon überzeugt war, daß die Wahrheit es auch wert ist, gesagt zu werden. Andere betrachteten Smith deshalb als Quertreiber, mit dem eine Zusammenarbeit unmöglich war.

Smith und die anderen Freunde verkündigten und zeugten von dem neuen Licht, das ihnen aufgegangen war, ob in Versammlungen, in Zeitungen oder sonstigen Zeitschriften. Während eines sonst eher beschaulich verlaufenden Gottesdienstes in der Hortener Methodistenkirche wurde Gelegenheit gegeben, daß der eine oder andere noch einige Worte hinzufügte. Smith erhob sich und wetterte gegen das Pfarrer- und Predigerwesen los, zuletzt sprach er noch in Zungen*. Die lokale Zeitung „Hortens Avis" war am Ort des Geschehens und berichtete brühwarm.

War auch Smith als querköpfig verschrien, so waren in Wirklichkeit er und seine Freunde doch offen für viele der neuen Geistesbewegungen zu Beginn des neuen Jahrhunderts. Sie gingen vielerorts zu Besuch, ohne indessen in einer der etablierten Versammlungen heimisch zu werden. Gegen die Staatskirche standen sie in scharfer Opposition, während diese wiederum Smiths Verkündigung vom Sieg über die Sünde als fremdartig empfand. Den Freunden begegnete durchweg starker Widerstand, wohin sie auch kamen.

Nach der Jahrhundertwende erlebte Norwegen in allen Belangen eine Blütezeit, ob es nun Kunst, Kultur, Literatur oder auch die christlichen Bewegungen betraf. Und als die Pfingstbewegung im Herbst 1906 das Land erreichte, hofften die Freunde, endlich Menschen zu treffen, mit denen sie auf einer Wellenlänge lagen. Bis 1912 gab es auch eine gewisse Zusammenarbeit. Bei der „Großen internationalen Christlichen Konferenz", die die Pfingstbewegung im Sommer 1911 in Kristiania durchführte, wurden

* Unter Zungenrede wird ein Reden in einer dem Sprecher unbekannten Sprachen verstanden, wie es z. B. am Pfingsttag geschah

Johan O. Smith und Elias Aslaksen, beide aus Horten, sowie Alfred Aanonsen und Aksel Smith, beide aus Kristiansand, als ordentliche Pfingstler bezeichnet. Die Gottesdienste fanden in der Müllerstraße 38 (Møllergate 38) statt, und außer den ausländischen Teilnehmern kamen rund 500 Norweger von auswärts. Aksel Smith betätigte sich als Übersetzer während der Konferenz, und Elias Aslaksen war einer der Redner.

Gegen das starre System der Staatskirche und das Gewohnheitschristentum konnten sich Pfingstler und „Smiths Freunde“ eins wissen. Die Gemeinde stand inzwischen wie keine andere in scharfem Gegensatz zu Leben und Lehre der Staatskirche. Mit ihrer starken Betonung der Heiligung und der glaubensgemäßen Lebensführung hatte sie sich auch von anderen Glaubensgemeinschaften abgesetzt.

In dem Maße, wie die Pfingstbewegung anfing, sich organisatorische Strukturen zuzulegen, entfernten sich Smith und die Freunde von ihr. Von 1912 an bestanden nur noch wenige direkte Kontakte, und der Riß klaffte mit den Jahren immer deutlicher.

In den zwanziger und dreißiger Jahren kam es mehrfach zur offenen Konfrontation, ehe 1937 der offene Krieg ausbrach, als der Pfingstler S. H. Lærum das Buch „Jesus den syndfrie“ (Jesus, der Sündlose) schrieb. Dem bot Elias Aslaksen mit seinem Buch „Svar“ (Antwort) kräftig Paroli. Dessen Ton war scharf und unverblümt, um es noch milde auszudrücken.

Gebunden

1913 spielte Johan O. Smith mit dem Gedanken, aus der Marine auszuscheiden. Er sah die Freiheit, die Aslaksen erlangt hatte, und bedachte, wie gut es sein würde, ein freier Mann zu sein. Da könnte er kurzfristig frei verreisen und wäre nicht mehr so ortsgebunden, wie damals in Horten bzw. an Bord.

Eines Nachts erwachte Smith von einem Traum. Er sah sich selbst gebunden, angekettet mit Hand- und Fußfesseln. Aber anstatt daß die Fesseln sich lösten, verwandelten sie sich allmählich zu Gold.

Es wurde ihm klar, daß es seine Aufgabe war, in seiner Stellung in Horten zu bleiben und von hier aus den Aufbau der Gemeinde weiterzuverfolgen. Seine Arbeit sollte das Fundament der Gemeinde bilden. Er blieb der Marine treu.

Krieg und Segen

Niemand wünschte sich den Krieg herbei, als er aber kam, wurde die Marine mobilisiert, und die Schiffe liefen ihre Einsatzhäfen an der langgestreckten norwegischen Küste an, von der russischen Grenze bis hin zu den schwedischen Gestaden. An Bord waren Freunde. Hatten sie Landgang, suchten sie Kapellen und freie Gemeinschaften auf, bezeugten ihren Glauben und wiesen auf den neuen Weg hin, den Jesus gebahnt hat. Gerechtigkeit, ein heiliges Leben und Gottesfurcht waren Schlagworte, die man damals in den Versammlungen der Küstenstädte immer wieder hörte. Mehrere entschiedene Christen schlossen sich den Freunden an; im Gefolge der Küstenfahrten breitete sich die Gemeinde nicht nur an der Westküste, sondern auch bald in den inneren Landesteilen aus und faßte schließlich auch Fuß in der Finnmark, dem Grenzgebiet zu Rußland im hohen Norden.

An Bord befanden sich zudem viele junge Männer, die ihren Wehrdienst in der Marine ableisteten und mit Smith in Kontakt kamen. Sie wurden von seiner Verkündigung und von dem Leben, das er führte, ergriffen. Die Gemeinde in Brevik ist eine derer, die ihren Ursprung eben einem solchen Neubekehrten verdankt, der seinen Dienst in der Marine abgeleistet hatte - Andreas Nilsen, der sich als Wehrpflichtiger an Bord eines der Kriegsschiffe bekehrte. Nach seiner Heirat ließ sich er sich in Brevik nieder. Bei ihm zu Hause fanden Bibelstunden statt, doch zunächst schlossen sich nur einige wenige Frauen der Gemeinde an. 1934 entstand eine Erweckung, und danach wuchs die Gemeinde dort rasch.

In Brevik wurden die Freunde übrigens „Schwaigerianer“ genannt, nach dem deutschen Komponisten Rudolf Schwaiger, der - aus München gebürtig - nach Norwegen gezogen war und sich zunächst in Sandefjord niedergelassen hatte, bevor er während der Erweckung 1934 nach Brevik kam. Schwaiger hatte sich vormals als Schlagerkomponist einen Namen gemacht und war daneben als Klaviervirtuose gefeiert worden. Als er nun in den Versammlungen spielte, strömten die Menschen in großer Zahl allein seinetwegen herbei. Dadurch hörten sie auch zwangsläufig die Botschaft der Gemeinde. Viele wurden davon so beeindruckt, daß sie sich der Gemeinde anschlossen. Schwaiger wurde später in Skien ansässig, wo er 1979 starb.

Smith selbst mußte sehr lange an Bord dienen, er hätte wohl des öfteren gern Landkommandos gehabt. Aber schlußendlich verstand er den großen Segen, den die Jahre 1914-18 für die Ausbreitung der Gemeinde brachten.

Äpfel für Gott

Es gibt viele Geschichten aus dieser Zeit. Eine davon ist die von Nils Risnes, der als 16jähriger nach Stord kam, einer Insel im äußersten Westnorwegen. Hier bekehrte er sich bei einer Erweckung innerhalb einer christlichen Gemeinschaft am Ort. Als er (1913) 20 Jahre alt war, ging er nach

Haugesund, um seine Lehre als Schmied abzuschließen. Anfänglich besuchte er die Bibelstunden der „Frie venner“ (wörtlich: die „freien Freunde“). Eines Abends kam ein Marinesoldat in Uniform herein und setzte sich. Als im Verlauf der Abends Gelegenheit zu freien Zeugnissen gegeben wurde, stand der Mann auf und sprach derart klar und deutlich über Gerechtigkeit, wie Nils es zuvor nie gehört hatte. Während der Rede streifte der Blick des Mannes mehrfach den jungen Burschen. Als Nils am nächsten Abend von der Arbeit heimgekommen war, klopfte es an die Tür, und herein kam der Mann, der in der Bibelstunde gesprochen hatte. In seiner Hand trug er eine Tüte Äpfel: es war Johan O. Smith. Er hatte gespürt, daß hier jemand war, mit dem er mehr reden sollte. An jenem ersten Abend hatte Smith nach der Bibelstunde sofort wieder an Bord zurückkehren müssen, hatte aber am folgenden Tag Nachforschungen darüber angestellt, wo dieser junge Mann wohnte.

Kurzum, von jenem Abend an änderte sich das Leben und das Interesse von Nils Risnes völlig. Smith brachte ihn in Verbindung mit den Freunden in Ålesund, wo interne Streitigkeiten aufgetreten waren und „ein kühler Kopf gebraucht wurde“. Nach einigen Jahren dort zog Nils Risnes wieder zurück nach Stord.

Ein Heilsarmeeleutnant nimmt seinen Abschied

1918 war Edwin Bekkevold Leutnant in der Heilsarmee in Vardö (Nordnorwegen). Dahin kam das Kanonenboot Viking mit Johan O. Smith und Theodor Ellefsen an Bord. Die beiden besuchten die „Armee“, wo sie häufig Gelegenheit hatten, ihr Zeugnis abzulegen. Bekkevold waren diese „schlimmen Smithianer“ bekannt, und so wollte er am liebsten verhindern, daß die beiden das Wort ergriffen. An diesem Abend redete der Heilsarmeeleutnant in einem fort, so daß weder Smith noch Ellefsen Gelegenheit zum Sprechen bekamen.

Aber beim nächsten Mal kamen die beiden Freunde wieder, und Bekkevold spürte, daß es so nicht weitergehen konnte. Smith und Ellefsen durften ihr Zeugnis ablegen, und Bekkevold schien es, als ob das Leben, von dem sie sprachen, auch ihm bisher verborgen geblieben war.

Am folgenden Tag nahm er sich einen Stapel der Heilsarmeezeitschrift „Kriegsruf“ und besuchte die *Viking*. Er bat um Erlaubnis, den „Kriegsruf“ an Bord verkaufen zu dürfen. Ellefsen nahm die Blätter und fungierte als Verkäufer, während Bekkevold und Smith eine lange Unterredung in Smiths Kammer hatten.

Bekkevold überlegte sich daraufhin, was er nun tun solle, denn der Heilsarmee fühlte er sich nicht länger zugehörig. Smith schickte ihn darum nach Oslo.

Dort war seit 1912 eine kleine Gemeinde entstanden, nachdem Aksel Smith 1911 dahin gezogen war.

Schon im darauffolgenden Jahr bekam Bekkevold die Verantwortung für die kleine Schar von Freunden in Oslo übertragen.

Frische Luft im Saal

Einige Male kam es zu Handgemengen im Versammlungssaal. Während einer Versammlung irgendwo im Süden Norwegens gab es einige Rabauken, die diese „Smithe-Freunde", die so wortgewaltig und unverständlich sprachen, unschädlich machen wollten. Sie gaben sich auch redlich Mühe, wurden aber von einigen Freunden buchstäblich hinausgeworfen. Das war handfestes Christentum, das sie wohl selten erlebt hatten.

In Nesbyen waren Aksel J. Smith und Elihu Pedersen in den dreißiger Jahren tätig. Im Dorfkino standen sie hinter den Kulissen bereit, um gleich nach der Vorstellung aufzukreuzen und für alle vernehmbar mitzuteilen, daß nun eine christliche Versammlung hier stattfände. Oft blieben viele sitzen; manchmal fand der Auftritt der Freunde mehr Zulauf als die Filmvorstellung. Da gab es Lieder, Musik und Ansprachen.

Bei einer solchen Gelegenheit erschien auch Elias Aslaksen. Er hatte den Ruf eines wortgewaltigen Predigers und zog immer Leute an. Nun war bekannt, daß in Nesbyen die Staatskirche alles fest im Griff hatte. Die Freunde hören, das durften die Leute, aber noch besaß die Kirche das letzte Wort in einer so kleinen Ortschaft wie dieser.

Die jungen Freunde hatten gute Werbung für Aslaksens Auftritt gemacht, trotzdem war es ihnen etwas bange davor, worüber er wohl sprechen würde. Aslaksen kam voller Kriegslaune direkt von den Kampfversammlungen aus Oslo, nachdem er der Staatskirche dort kräftig eingeheizt hatte. „Ich habe viele Papiere in meinem Leben bekommen, aber das schönste, das habe ich hier!" Aslaksen zog ein Blatt aus seiner Hosentasche und hielt es hoch. „Das ist die Austrittsbestätigung von der Staatskirche."

Die Leute stürmten aus dem Saal, nur einige wenige Frauen blieben.

Am darauffolgenden Tag ging das geflügelte Wort um, daß das „Hallingdalmesser wieder aus der Scheide fährt". Viele der streitlüsternen Männer der Ortschaft rotteten sich zusammen, jetzt sollte Aslaksen einen gehörigen Denkzettel bekommen. Nun hielt Aslaksen aber eine völlig andere Rede als gemeinhin erwartet wurde. Milde und Güte flossen wie Honig, der ganze Saal lauschte in andächtiger Ergriffenheit. So manches Auge wurde feucht. Aus der geplanten Abreibung für Aslaksen wurde nichts.

Die Freunde wurden oft von Versammlungen ausgeschlossen. Meist nicht von den eigenen, aber dennoch kam auch so etwas vor.

Johan O. Smith lag längere Zeit mit dem Torpedobootszerstörer *Valkyrien* in Ålesund. 1915 gab es wegen der Lehre Smiths in der dortigen Versammlung eine Trennung. Smiths Widersacher schlossen ganz einfach die Saaltür zu und sperrten ihn damit aus. Die führende Person in Ålesund, Gunda Willersrud, die während der ersten Jahre Smiths stärkste Stütze in der Hafenstadt war, schloß wieder auf. Sollte die Wahrheit ausgeschlossen werden, würde auch sie wahrlich ihres Weges ziehen.

„Sie führt unbarmherzig das Schwert gegen das Fleisch", schreibt Smith. In einer allgemeinen Aussprache trat Gunda Willersrud vor die Gemeinde. „Hier an diesem Ort wurde lange um Licht gebetet, und hier wurde auch prophezeit, daß Licht kommen würde und daß viele sich daran stoßen würden. Diese Weissagung hat sich nun vor euren Augen erfüllt, und nun sagen einige, daß das Licht vom Teufel ist."

Die Zuchtrute

In den Jahren vor dem Zweiten Weltkrieg mieteten die Freunde häufig große Versammlungssäle und warben mit Johan O. Smith und Elias Aslaksen als Rednern. Während der härtesten Kampfzeit in den dreißiger Jahren war es von beiden meist Aslaksen, der herumreiste. Oft standen die Menschen bis auf die Straße hinaus, denn bei Aslaksen auf dem Programm wußten die Zuhörer, daß er kein Blatt vor den Mund nehmen, sondern sprühend und kernig zur Sache gehen würde. Bei einer solchen Gelegenheit hatte er einmal bei dem großen Andrang selbst Mühe, sich den Weg in den Saal hinein zu bahnen.

„Hör auf, dich vorzudrängeln, bleib in der Reihe, sonst werfen wir dich die Treppe runter!" Die Stimmung draußen war gereizt. „Ich soll heute hier sprechen, ich bin Aslaksen!" Da wurde er endlich durchgelassen. Im Saal angelangt, erkundige er sich in der Regel erst einmal nach dem angekündigten Thema, denn das kümmerte ihn im voraus wenig. So erfuhr er dann den in der Zeitung annoncierten Titel und sprach gewöhnlich von etwas ganz anderem.

Im Lokalteil der Zeitung „Dagbladet" steht von einer dieser Versammlungen: „Bruder Elias schwingt die Zuchtrute." Als Untertitel: „Sind Pfarrer und Evangelisten Schwerverbrecher, die eingesperrt gehören? Peinliche Auswüchse im Wettbewerb auf dem Seelenmarkt."

Viel von dem Pulver, das die Zeitung hier gegen Aslaksen verschoß, bezog sie aus einer seiner Broschüren. Sie fand seine Darstellung etwas einseitig, aus der sie zitierte: „Man tut der Gemeinde und der ganzen Menschheit einen unermeßlich wertvollen Dienst, wenn man dazu verhilft, daß solche

Schwerverbrecher eingesperrt werden. Sie haben unsäglich großes Unheil in Familien, an Arbeitsplätzen und in Versammlungen angerichtet. Sie nennen sich Pfarrer, Evangelisten, Älteste Brüder usw. und treten überhaupt mit den verschiedensten Maskierungen auf."

„Wir gehen davon aus, daß die 'Menighetsfakultet'* darauf antworten wird", schrieb „Dagbladet".

* Eine Institution für die Pastorenausbildung

Nicht nur Unteroffizierskollegen wurden von Smiths Botschaft angezogen, auch wehrpflichtige Gasten stießen hinzu, besonders während des Ersten Weltkriegs. Freunde wie Birkeland, Fröland, Andersen, Nilsen und Övrebö stießen in der Marinezeit hinzu.

Stets auf Reisen: Smith und Aslaksen. So wurde die Gemeinde von Anfang an gebaut.

Picknick anno dazumal - Ausflüge ins Freie bildeten schon immer einen wichtigen Bestandteil der Gemeinschaft.

Der Borrestrand unmittelbar südlich von Horten war mehr als 70 Jahre lang der „Gemeindestrand". Hier im Bild Karl Martinsen, der „Vater" der Kinderkonferenzen, zwischen Theodor Ellefsen (l) und Johan O. Smith (r).

Wenn die Pflicht ruft

„Die Abschaffung des Militärwesens wäre gleichbedeutend mit der Einführung völliger Gesetzlosigkeit." (Elias Aslaksen im norwegischen Gemeindeblatt „Skjulte Skatter", 1915)

Die Freunde sind bestrebt, gute Staatsbürger zu sein. Sie beten für die Obrigkeit, sie gehorchen ihr, entrichten freudig ihre Steuern und tun, was die Gesellschaft von ihnen verlangt. Dies betrifft auch den Wehrdienst. Nur ausnahmsweise ist jemand dabei, der ihn aus pazifistischen Gründen verweigert, nahezu alle Männer kommen ihrer Wehrpflicht nach. Nachdem inzwischen immer mehr Frauen Zutritt zu den Streitkräften erlangen, hat dieser Trend auch die Gemeinde nicht unberührt gelassen.

Während des Zweiten Weltkrieges standen viele der norwegischen Freunde an der Front und kämpften für ihr Vaterland; Gemeindefamilien hatten gleichwie andere den Verlust ihrer Lieben zu betrauern. Junge Männer aus der Gemeinde kämpften in der Schlacht um Narvik mit, taten ihren Dienst als Besatzungsmitglieder von Küstensicherungsschiffen und nahmen an den schweren und verlustreichen Kämpfen in Valdres, Hallingdal, Elverum und Dombås teil. Manche von ihnen gingen danach in die „Hjemmefront", die norwegische Widerstandsbewegung. So diente ein Bauernhof in Mjöndalen als Aktionsbasis für Anschläge und auch als Verteilerzentrum für Nachschub, den alliierte Flugzeuge aus der Luft abwarfen. Einer der Freunde führte als junger Mann einen der spektakulärsten Sabotageanschläge in Norwegen gegen die deutsche Wehrmacht aus, indem er eigenhändig ein Torpedolager der U-Boot-Waffe in die Luft sprengte.

Als am 1. August 1914 der Erste Weltkrieg ausbrach, wurden von sämtlichen norwegischen Marinestützpunkten fünf Kanonenschüsse abgefeuert, während gleichzeitig die Kirchenglocken läuteten. Die Marine machte am 2. August mobil, und schon drei Tage später waren die Streitkräfte zur Neutralitätssicherung einsatzklar. Die Reservisten unter den Freunden rückten auf dem schnellsten Wege in ihre Stützpunkte ein. Die meisten der einberufenen Mannschaftsdienstgrade hatten jeweils eineinhalb Jahre abzuleisten, während sich die Dienstzeit sämtlicher Offiziere und Unteroffiziere über alle 52 Kriegsmonate hinzog. Elias Aslaksen wurde telegraphisch durch seinen Kommandierenden Admiral in Horten benachrichtigt. Da gab es für ihn nur eines, nämlich unverzüglich alles stehen und liegen zu lassen und sich auf den Weg zu machen. Die Freunde befuhren auf Kriegsschiffen die gesamte norwegische Küstenlinie und besuchten auf diese Weise Häfen und Orte, in denen sie niemals zuvor gewesen waren. Auch ohne daß sie direkt am Krieg teilnahmen, war dies jedoch für die norwegischen Seeleute alles andere als eine Vergnügungsreise. Annehmlichkeiten waren rar an Bord, und die meisten Fahrzeuge wurden auf Außenposten weitab vom Heimathafen verlegt. -Es galt, norwegische und ausländische Schiffe zu eskortieren, um fremde Kriegsschiffe von eventuellen Angriffen abzuhalten bzw. sie abzuwehren. Zu den Aufgaben der Marine zählten ferner Minenräumung, Kontrolle ziviler Fahrzeuge, Geleitsicherung bei Fahrten über das offene Meer, Fischereiüberwachung und Hilfestellung für den Zoll bei der Fahndung nach Schmugglern. Eine Reihe von Marinesoldaten starb im Verlauf des Krieges, der weitaus überwiegende Teil von ihnen wurde von der Spanischen Grippe dahingerafft, die vom Sommer 1918 an auch auf Norwegen übergriff.

Im Herbst desselben Jahres starben 63 Personen, und Johan O. Smith erkrankte ebenfalls lebensgefährlich. Er wurde von der *Kong Sverre* aus heimgeschickt, denn der Marinearzt war der Auffassung, daß sein Verbleib an Bord den sicheren Tod bedeutet hätte. Das Marinelazarett war überfüllt, und so meinte der Arzt, daß Smith noch am ehesten die Krankheit überstehen könnte, wenn er sich zu Hause auskurierte. Seine Frau Pauline mühte sich sorgsam um ihn, und es gelang ihr, ihn trotz des ungewöhnlich kalten und unwirtlichen Wetters ausreichend warm zu halten. Smith überlebte.

Um 1910 herum kamen weltweit starke Geistesströmungen auf, die nach Abrüstung schrien. Man sprach vom „Zeitalter des ausgedienten Gewehrs". In verschiedenen Freikirchen wurde es beinahe Mode, den Wehrdienst zu verweigern - ein Straftatbestand in der damaligen Zeit. Insofern herrschte Einigkeit zwischen diesen Christen und den im Wachstum begriffenen sozialistischen und kommunistischen Parteien. In Norwegen hielt diese Bewegung bis Ende der dreißiger Jahre an.

In einigen Freikirchen dort wurden während des Ersten Weltkrieges hitzige Debatten über Für und Wider des Wehrdienstes ausgefochten, und auch die Freunde blieben davon nicht verschont. In einer Gemeinde jedoch, die ihren Anfang in der Marine genommen hatte und von der viele Männer während des gesamten Krieges unter Waffen standen, wurde nur einmal und damit endgültig über dieses Thema debattiert.

Die Debatte wurde 1915 im Gemeindeblatt „Skjulte Skatter" geführt; der sie auslöste, war der Erste Offizier auf dem Kanonenboot *Æger*, Oberleutnant Elias Aslaksen.

In einem Beitrag zum Thema: „Über das Verhältnis der Heiligen zum Wehrdienst - Stellungnahmen und Anmerkungen von Kriegsleuten" schrieb Aslaksen:

„Unter den Heiligen ist es jetzt üblich geworden, den Wehrdienst zu verweigern. Es ist darum bedeutsam, dieser Sache auf den Grund zu gehen. Tatsächlich ist nirgendwo buchstäblich in der Schrift verzeichnet, ob wir den Wehrdienst ableisten oder verweigern sollen, genauso wie nirgendwo etwas Ausdrückliches über die Frage der Kindstaufe erwähnt ist. Doch sagt der Apostel Paulus: ‚Werdet nicht unverständig, sondern verständig, was da sei des Herrn Wille.'

Jesus sagte zu Petrus : ‚Wer das Schwert nimmt, soll durchs Schwert umkommen.' Ferner steht geschrieben: ‚So jemand mit dem Schwert tötet, der muß mit dem Schwert getötet werden.', und schließlich: ‚Du sollst nicht töten.'

Jemand wird ärgerlich auf einen anderen, verleumdet ihn, verflucht ihn, heckt finstere Pläne aus, um ihm zu schaden, und erschlägt ihn schließlich. So jemand war nach dem Mosaischen Gesetz mit dem Tode zu bestrafen. Aber wer sollte die Strafe vollstrecken? Machte man sich im Falle der Ausführung dieses Dienstes selbst schuldig? Wenn dem so wäre, müßte Gott ein Sünder sein, denn er hat es ja befohlen!

Es ist nicht viel Licht nötig, um den Unterschied zwischen beiden zu erkennen. Der eine dient Satan, der andere dient Gott, indem er der von Gott eingesetzten Obrigkeit dient, und sie trägt das Schwert nicht umsonst. Die Apostel ermahnen mit Nachdruck, sich der Obrigkeit unterzuordnen, und nirgends in der Schrift findet man eine Ausnahme für den Kriegsdienst formuliert. Im Gegenteil steht geschrieben: ‚Denn sie trägt das Schwert nicht umsonst: sie ist Gottes Dienerin, eine Rächerin zur Strafe über den, der Böses tut.' Wir werden dazu ermahnt, dieses Werk gehorsam auszuführen und das Schwert zur Rache über das Böse zu gebrauchen. Zu einem solchen Dienst hat an und für sich keiner Lust, aber um der Gerechtigkeit und des Gehorsams willen können einige ihn freudig verrichten.

Auf jeden Fall ist es ein harter und trauriger Dienst, doch er wird umso schwerer fallen, wenn man gewohnheitsmäßig immer auf Gemütlichkeit, Behaglichkeit und Genießen eingestellt ist und süße Worte und Träume liebt. Ganz anders wird es solchen gehen, die gelernt haben, ihr Kreuz aufzunehmen und Christus nachzufolgen, die ständig den wahren Lebenszweck vor Augen haben, die es gewohnt sind, zu leiden und Lasten zu tragen, um das Gesetz Christi zu erfüllen.

Durch Kriege offenbart Gott seinen Zorn und seine Strafe über die Gottlosigkeit der Menschen. Und je weiter fortgeschritten sich die Menschen in ihrer vermeintlichen Entwicklung zum Guten wähnen, desto entsetzlicher wird das Grauen werden, denn Gott läßt sich nicht spotten!

Es gibt einen Weg zum Frieden, einen Weg zum Guten! Er wurde gebahnt von Jesus Christus, und er selbst ist der Weg.

Der Antichrist wird versuchen, Gerechtigkeit und Frieden und gute Tage zu bringen, jedoch ohne Christus. Darum müssen die Heiligen auf der Hut sein, daß sie sich nicht von seinem Gerede über Liebe und Frieden einwikkeln lassen.

Der Mensch ist schwach, darum kann es mitunter vorkommen, daß ein heiliger Mann gewisse Dinge des Kriegshandwerks nicht auszuführen vermag, weil sie so grauenhaft sind. Es wird z. B. einem heiligen Mann schwerfallen, einem anderen Auge in Auge gegenüberzustehen und ihn niederzustrecken. Wenn er so etwas nicht übers Herz bringt, darf er allerdings nicht geltend machen, daß die Tat verwerflich gewesen wäre, sondern muß vielmehr zugeben, daß er sich persönlich dazu außerstande sah.

Wenn man so etwas nicht übers Herz bringt, dann gereicht einem das an und für sich nicht zur Ehre, obwohl es ja trotzdem richtig ist, seinem schwachen Gewissen zu folgen.

Ob man nun das Schwert führt oder auf andere Weise am Krieg teilnimmt, oder ob man überhaupt nicht aktiv daran beteiligt ist und zu Hause bleibt - geistlich gesprochen haben alle an derselben Sache teil, denn sie entrichten ja ihre Steuern, wohl wissend, daß der Staat für dieses Geld u. a. Rüstungsgüter beschafft.

Wenn man sich völlig aus allem heraushalten wollte, dann müßte man auch die Steuern verweigern, während jedoch die Schrift mit deutlichen Worten sagt, daß wir sie bezahlen sollen. Auch kann nicht die Rede davon sein, daß man durch die Teilnahme am Krieg andere ihrer Gnadenzeit beraubt, denn nicht einmal ein Sperling fällt zur Erde ohne Gottes Willen.

In der Schrift wird von mehreren sehr gottergebenen Kriegsleuten berichtet. Keinem von ihnen wurde befohlen, seinen Dienst zu quittieren. Wer einen anderen aus Bosheit erschlägt, unterscheidet sich ja grundlegend von dem, der sich aus Liebe zu Gott in freudigem Gehorsam vor der Obrigkeit beugt, um diesen traurigen Dienst zu verrichten, und am Krieg teilnimmt. Den ersteren ereilen Fluch und Ruhelosigkeit, während der letztere Frieden wie ein Wasserstrom hat.

Jeder muß seiner Meinung gewiß sein und nach seinem Gewissen handeln. Doch das Gewissen des einen kann nicht zwangsläufig als Maßstab für den anderen gelten, denn das Gewissen verändert sich mit zunehmendem Licht. Wir alle werden dazu ermahnt, mehr Licht von Gott zu suchen, so daß wir in allen Belangen verstehen können, was der gute, wohlgefällige und vollkommene Gotteswille ist."

Aslaksen sandte seinen Aufsatz an Johan O. Smith, Theodor Ellefsen, Karl Birkeland und Wilhelm Berg mit der Bitte, sich ergänzend zu diesem Thema zu äußern.

Oberstückmeister J. O. Smith schrieb vom Torpedoboot *Valkyrien* aus, daß er „voll und ganz Bruder Elias Aslaksens Standpunkt über den Kriegsdienst der Heiligen teile und wunschgemäß weitere Ergänzungen anfügen" wolle. Die folgenden Auszüge aus Smiths Aufsatz sind stark verkürzt wiedergegeben:

„Wenn es Gottes Wille ist, ein Volk zugrunde zu richten, dann kommt es nicht darauf an, ob nun Menschen oder Engel das Strafgericht vollziehen, sondern daß sein Wille geschieht. Gott schreitet nicht ohne Grund zu solchen Gerichtshandlungen, und wenn wir, gleichwie er, Augen wie Feuerflammen hätten, um ins Innere aller Menschen hineinzusehen, würden wir unbeschreibliche Greuel erblicken. Unter solchen Umständen fiele es vielleicht leichter zu verstehen, daß ein Krieg mehr Segen als Fluch bedeutet. In Deutschland standen früher die Kirchen und Kapellen nahezu leer, aber seit dem Kriegsausbruch sind sie überfüllt, ein Beweis dafür, daß das Strafgericht Gottes seine Wirkung tut ...

Man spricht von Befürwortern und Widersachern der Landesverteidigung, aber ich muß doch fragen: Wer ist wohl ein ärgerer Widersacher seines Landes als der Gottlose? Und wer ist ein wirksamerer Schutz für das Vaterland als der Gottesfürchtige? Wären damals zehn Gerechte in Sodom gewesen, so wäre die Stadt verschont worden. Und wegen der Gottlosen wurden Babylon und Jerusalem zerstört. Ninive hingegen wurde die Zerstörung wegen seiner Gottlosigkeit zwar angekündigt, es blieb aber verschont, weil alle in Sack und Asche Buße taten.

Einige werden vielleicht sagen, daß das Kriegshandwerk im Alten Testament erlaubt war, im Neuen aber verboten sei. Hierzu ist nur anzumerken, daß Gott gestern und heute und auch in Ewigkeit derselbe ist."

Aus den Gewässern vor der Finnmark in Nordnorwegen schrieb Theodor Ellefsen im März 1915, eingeschifft auf dem Kanonenboot *Viking*, daß sich „die Sozialisten freuen, wenn sie einen Christen dazu bewegen können, den Wehrdienst zu verweigern. Er steht bei ihnen hoch im Kurs, denn sie arbeiten ja für ein gemeinsames Ziel: die bestehende Ordnung umzustürzen und sich mit Macht der menschlichen Herrschaft zu entledigen, von der Gott gesagt hat, daß wir ihr untertan sein sollen ... Denn die Gottlosen haben keinen Frieden. Wenn Gott in seiner Langmut die Strafe eine Zeitlang auszusetzen scheint, wird sie doch eintreffen und alle Ungerechtigkeit ahnden, bis voll und ganz der Gerechtigkeit Genüge getan ist. Satan wird allerdings mit allerlei kräftigen Lügen bestrebt sein, eine Art Frieden zu schaffen, wie es dem von Satan betrogenen Menschen gefällt. Satan entfaltet eine außerordentliche Wirksamkeit, und die Massen werden auf seine lockenden, lieblichen Schalmeientöne hereinfallen, mit denen er ihnen Frieden vorgaukelt - und dabei ist alles nur Bluff.

Krieg und Unglück sind näher als je zuvor. Was hilft es, zu rufen: ‚Friede! Friede!', wenn kein Friede da ist? Der Herr wird wohl den falschen Frieden zu vergällen wissen, denn sein Strafgericht über die Gottlosigkeit der Menschen ist im Kommen.

Ich bin mit dem, was die Brüder Aslaksen und J. O. Smith hierüber schreiben, völlig einig. Nirgendwo in der Schrift habe ich eine Stelle gefunden, in der die Teilnahme am Kriegsdienst untersagt wird. Im Gegenteil fällt auf, wieviele Kriegsleute unter den heiligen Männern Gottes waren, ja eine ganze Reihe geradezu gewaltiger Krieger. Sie waren Gottes Knechte, und als seine Knechte vollführten sie die Werke, die Gott schon von Ewigkeit her für sie bereitgelegt hatte, auch wenn ihr Dienst nicht immer friedlich war.

Auch wir wollen als Gottes Diener uns befleißigen, in den Werken zu wandeln, die Gott für uns zuvor bereitet hat, gelte es nun Krieg oder Frieden. Wer dies tut, dessen Herz ist voller Frieden mitten im Krieg, und sollte es Gottes Wille sein, uns zu einem solchen Dienst zu gebrauchen, der ja ohne Zweifel grauenvoll sein kann, so können wir dazu nur sagen, sofern wir uns bewußt in seinem Willen befinden: Gottes Wille geschehe!“

1935 - unterwegs nach Trysil: v. l. n. r. Elihu Pedersen, Aksel J. Smith, Sigurd Bratlie, Ronald Henriksen und Johannes Kronstad.

Auf dem Weg nach Molde

Das letzte Bild von Johan O. Smith, 1942 in Hokksund. Ehefrau Pauline in der linken Bildhälfte.

Auf den Fahrten durch Nordnorwegen bekamen die dortigen Fischer Gesang, Musik und Verkündigung geboten. Hier in Mehavn in der Finnmark.

Streiflichter aus vergangenen Jahren

Dank der Küstenfahrten der norwegischen Marine während des Ersten Weltkrieges bildeten sich mancherorts Gemeinden. Theodor Ellefsen kam in Verbindung mit verschiedenen gläubigen Frauen, die in Kirkenes (Nordnorwegen) bzw. in Bergen wirkten, und um 1920 war eine kleine Schar von Freunden in Bergen entstanden. Gleiches geschah in Molde und Målöy, zwei Städten an der norwegischen Westküste, während in Stavanger die Gemeinde vierzig Jahre lang nicht Fuß fassen konnte. Johan O. Smith kam zwar auch gelegentlich dorthin, aber abgesehen davon, daß er bei einigen Versammlungen zugegen war, wollten die Menschenfische in diesem Teil des Landes nicht so recht anbeißen. Die sog. Bethausbewegung war im nahegelegenen Küstenstreifen Jæren und auch in der Stadt selbst stark vertreten, und erst gegen Ende der dreißiger Jahre konnten die Freunde sich dort etablieren.

Die Studenten auf dem Dachboden

Ende 1938 kamen Sigurd Bratlie, Aksel J. Smith und Elihu Pedersen nach Stavanger. Ein gewisser Bernt Heid hatte sie eingeladen; er versammelte allerlei Volk in einem Saal, den man die „Arche" nannte. Die drei Freunde hatten im Dachgeschoß eines Hauses bei einer freundlichen Frau Unterschlupf gefunden, die im Rahmen ihrer Möglichkeiten missionarisch tätig war und die Nichtseßhaften der Stadt mit Brot und Suppe verköstigte. Dort wohnten also die drei jungen Männer und hielten einige Häuser weiter ihre Versammlungen ab, die regelmäßig mit Musik begannen: Elihu Pedersen spielte Geige, Aksel J. Smith Mandoline und Sigurd Bratlie Horn. Bratlie war eher unmusikalisch, hatte allerdings ein gutes Gefühl für den Takt, und seine Willenskraft beim Lernen war geradezu sagenhaft. Er brachte sich das Hornblasen bei, indem er dem Pianisten zuschaute und sich nach dessen Fingerbewegungen richtete. War kein Klavier vorhanden, so sprach er sich mit einem Mitspieler ab, daß dieser ihm jeweils einmal auf den Fuß treten sollte, wenn er einen Ton zu tief lag, hingegen zweimal, wenn er einen Ton zu hoch spielte.

Sie musizierten und hielten Ansprachen, und das so überzeugend, daß manche gleich meinten, es müßte sich bei derart begabten jungen Männern wohl um Studenten handeln. So wurden sie bekannt als die „Studenten auf dem Dachboden", ja, man sprach sogar von „begabten Studenten".

In Stavanger gab es damals eine sehr geachtete Kaufmannsschicht, und viele der vornehmen Patrizierfrauen öffneten ihre Häuser für die Gemeinde. „Wenn wir in eine solche Stube kamen, schien es uns armen Schluckern, als wären wir im Himmel", äußert Karsten Helgeland. „Gottes Wege sind in der Tat eigenartig. Gerade diese Frauen waren es, die der Gemeinde zu solch einem guten Start in Stavanger verhalfen."

Heid war Apotheker und hatte die Freunde durch einen anderen Apotheker kennengelernt, der eifrig missionierte und Schriften und Traktate an seine Standeskollegen versandte. Dessen Name war Erik Thorsrud.

Der Apotheker von Koppang

Erik Thorsrud betrieb die Apotheke in Koppang im Bezirk Hedmark. In seinem Nachlaß fand sich ein kleines abgegriffenes graues Notizbuch, auf dem in zierlicher Handschrift „Der Evangelist" geschrieben steht. Koppang war bekannt dafür, daß Gottes Wort dort kaum Einlaß fand. Thorsrud lud dennoch verschiedene Prediger ein. In seinem Buch stehen Grußworte von allen, die sich dort im Østerdalen (Osttal) Eingang zu schaffen versuchten. Klingende Namen wie Birkeli (späterer Bischof), Pedersen (von der Inneren Mission), Lindahl (ein Wanderprediger), Nysæter (von der Pfingstgemeinde), Wong (von der Chinamission) und viele andere sind hier mit ihren Grußworten zu finden.

Im März 1934 kamen Johan O. Smith und Sigurd Bratlie zu Besuch. Auch sie schrieben jeweils eine Seite in Thorsruds Notizbuch - in Gedichtform. Smith schloß seine Zeilen mit den Worten ab:

> „Und Christi Kreuz hat Wunderkraft,
> vereint uns nun in Bruderschaft."

und unterzeichnete mit „Oberstückmeister der Marine". Bratlie unterschrieb mit „Schneider", die letzten Zeilen seines Gedichts lauteten:

> „Dank für alle Liebesbande,
> die im Geiste, den Gott sandte,
> uns vereinen hier auf Erden:
> Christus gilt es gleich zu werden."

Nach der Neujahrskonferenz 1934/35 reisten Aksel J. Smith und Elihu Pedersen nach Flisa bei Elverum, wo nach Thorsruds Empfinden „Bedarf für etwas mehr als die übliche Verkündigung" bestand. Beide wollten eigentlich nur wenige Tage bleiben, verweilten dann aber mehrere Wochen dort. Die Versammlungssäle in zwei Orten waren nämlich zum Bersten voll mit unbekehrten Jugendlichen, und die beiden sahen ein weites Arbeitsfeld vor sich. Etwas später, im Frühsommer desselben Jahres, fuhren die beiden wieder zusammen los, diesmal nach Koppang. Allen Predigern graute dem Vernehmen nach vor diesem Ort, denn er galt als kaum zugänglich für die Botschaft. Doch der Apotheker Thorsrud und die beiden jungen Brüder kannten keine Scheu. Sie waren ganz und gar erfüllt von der Erweckung, die 1934 in der Gemeinde im Gange war, und gingen unverdrossen zu Werke.

„Damals besuchte ich die Handelsschule und hatte mir Lehrbücher mitgenommen. Ich versuchte zu lernen, aber daraus wurde nicht viel. Es gab viele Versammlungen, aber zum Lesen kam ich kaum“, erinnert sich Elihu Pedersen.

Nach der Sommerkonferenz 1935 fuhr eine ganze Gruppe junger Brüder in diese Gegend. Neben Sigurd Bratlie als Anführer waren Aksel J. Smith, Elihu Pedersen, Ronald Henriksen dabei - und Johannes Kronstad mit seinem Auto. Auf Anraten von Erik Thorsrud führte die Reise nach Trysil. Die Truppe wurde rasch als die „fidelen Musikanten“ bekannt. Eine ganze Weile blieben sie in Trysil; 1995 konnte die Gemeinde dort ihr sechzigjähriges Bestehen feiern.

Taufe mitten im Ort

Erik Thorsrud war in Reinli und Bagn in der Landschaft Valdres (Mittelnorwegen) aufgewachsen. Er empfand eine besondere Fürsorge für seine Heimat und es war sein Wunsch, daß die Freunde dorthin fuhren, damit man auch dort das Evangelium hören konnte. Er selbst begleitete die jungen Brüder und stellte sie seinen Verwandten und Bekannten vor.

Religiös waren sie schon, diese Orte, doch im wesentlichen waren es die älteren Leute, die am christlichen Leben teilnahmen. Jetzt aber gab es Versammlungen, wo sich die Jugend zuhauf drängte, während die Älteren zu Gegnern wurden, wobei ihnen übrigens der Ortspfarrer „mit gutem Beispiel“ voranging.

Manche bekehrten sich und wollten sich taufen lassen. Wenn man den Berichten Glauben schenken darf, so hatte noch nie eine Erwachsenentaufe durch Untertauchen in diesem Ort stattgefunden. Nun sollte aber Taufe sein, mitten im Ortskern, in einer kleinen Bucht des Flusses Begna. Es ging das Gerücht, daß die Einwohner zu stören beabsichtigten. Der Tag kam, und eine große Menschenmenge versammelte sich. Überall saßen Jugendliche, um die merkwürdige Szene zu beobachten. 24 Personen hatten sich zur Taufe gemeldet, und auch Johan O. Smith und Elias Aslaksen waren gekommen. Wider Erwarten blieb alles still und ruhig, als der Taufgottesdienst begann. Zuerst wurde Gottes Wort verkündigt, und danach fand die eigentliche Taufe statt. Alles verlief würdig und geziemend.

Der Prophetenmillionär aus Dänemark

Johan O. Smith hatte schon 1905 einen ersten Kontakt mit einem Dänen geknüpft, aber erst 1907, nach einem Besuch seines Bruders Aksel in Kopenhagen, festigte sich die Verbindung nach Dänemark. Ein Millionär dort wollte über Aksel die Zustimmung seines Bruders Johan O. Smith erreichen, eine Prophetenschule zu gründen. Sie sollte „Propheten vom guten, alten Schlag" hervorbringen.

„Es ist ungeheuer schwierig, Schüler für eine solche Schule zu finden, denn die Schüler müssen geistlich sein ... Eine Schule des Heiligen Geistes zu gründen ist eine äußerst schwierige Angelegenheit, denn zuerst muß abgebrochen werden, bevor ans Aufbauen gedacht werden kann." Johan O. Smith ließ sich, wie in allen Dingen, vom Geist raten. Aus der Prophetenschule wurde nie etwas.

1911 reisten Aksel Smith und Elias Aslaksen nach Jütland, und bei dieser Gelegenheit schlossen sich die ersten Dänen der Gemeinde an, zwei Frauen. Aslaksen und J. O. Smith fuhren auch mehrmals nach Kopenhagen und predigten dort an verschiedenen Stellen. Allmählich sammelten die beiden einige, die sich zur Gemeinde zählten. Auf Anraten der Brüder zog Sigurd Bratlie zur Betreuung der Geschwister nach Kopenhagen.

„Ich fuhr 1930 nach Kopenhagen. Damals war ich 25 Jahre alt. Tagsüber arbeitete ich als Schneider, und abends hielt ich Versammlungen. Zwei meiner Arbeitskollegen kamen mit zu den Versammlungen und wurden vom Evangelium ergriffen. Es waren Person und Riis Pedersen. Riis Pedersen hat seither alle Jahre hindurch treu in der Gemeinde gedient. Er heiratete später und hat zusammen mit seiner treuen Ehefrau eine große Familie bekommen. Immer hatte er ein offenes Haus. Seine Kinder gründeten selbst wiederum große Familien in der Gemeinde. Auch Person hat Kinder in der Gemeinde hinterlassen.

Theodor Ellefsen fuhr 1931 zusammen mit seiner Frau und den zwei kleinen Söhnen nach Jütland und blieb dort ungefähr vier Jahre lang. Ich besuchte sie gelegentlich."

J. O. Smith und Aslaksen hatten Ellefsen oft gedrängt, er solle im Dienst der Gemeinde umziehen. 1928 war er nämlich aus der Marine in den Ruhestand getreten und hatte sich in Grimstad, einem Küstenstädtchen Südnorwegens, niedergelassen. Smith hatte ein enges Verhältnis zu seinem alten getreuen Waffengefährten und wußte, daß er sich unbedingt auf ihn verlassen konnte. Nachdem Ellefsen sich zunächst geweigert hatte, zog er schließlich doch nach Fredericia (Jütland). Er hat es nie bereut.

Mit dem Fahrrad nach Hönefoss

Damals war es nicht so einfach, Konferenzen und Versammlungen zu besuchen. Einmal wollten Johan O. Smith, Theodor Ellefsen und Karl Pedersen an einer Konferenz in Hönefoss im südlichen Landesinneren teilnehmen. Da wußten sie sich keinen anderen Rat, als von Horten aus mit dem Fahrrad zu fahren. Bis nach Hönefoss waren es 120 km über schlechte, teilweise steile Schotterstraßen. Dort angekommen, mußten sie dann auf dem Fußboden übernachten, wo man notdürftig ein Strohlager bereitet hatte.

Dem Lehrer Moses Kronstad gelang es, für Versammlungen in Gulskogen bei Drammen eine Turnhalle als Nachtquartier zu mieten. Ältere Brüder, darunter Smith, Ellefsen, Berg, schliefen auf Holzbänken.

Ein glücklicher Mann

„Ich bin Elias Aslaksen aus Norwegen, ein glücklicher Mann, ein sehr glücklicher Mann." So begann Aslaksen 1956 seine erste Rede an der Philadelphia-Konferenz in Leonberg (Württemberg).

Seine darauf folgenden Ausführungen standen in deutlichem Gegensatz zu vielen anderen Reden während dieser Allianzkonferenz, zu der Prediger aus verschiedenen christlichen Gemeinschaften eingeladen waren. Auch Aksel J. Smith sprach bei dieser Gelegenheit, übrigens erstmals in seinem Leben auf deutsch.

Aslaksen und Aksel Smith (Johan O. Smiths 1919 verstorbener Bruder) waren zwar schon 1911 einmal in Deutschland gewesen, aber der erste richtige Kontakt wurde erst nach dem Zweiten Weltkrieg geknüpft. Während des Krieges heiratete nämlich eine Norwegerin, die wiederum Verbindung zu den Freunden hatte, einen deutschen Soldaten; die beiden ließen sich in Hamburg nieder. Neun Jahre nach Kriegsende, also 1954, besuchten sie die Sommerkonferenz in Nesbyen. Dort bekehrten sich beide. In der Folgezeit besuchte William Gilbu aus Sandefjord das Ehepaar in Hamburg. Er war einer der wenigen unter den Freunden, die damals überhaupt der deutschen Sprache mächtig waren. Dort wiederum kam er in Verbindung mit einigen, die die Freunde zu den jährlich in Leonberg stattfindenden Allianzkonferenzen einluden. Das Konferenzthema war immer das gleiche, nämlich „Die Einheit der Gläubigen". Die eingeladenen Prediger hatten ihren Platz auf dem Podium - hoch über der Versammlung. Die norwegischen Brüder allerdings blieben nicht so lange dort droben, sondern hielten sich lieber unten beim Volk auf.

„Dort saßen sie, die so gewaltig über die Einheit in Jesus Christus sprachen. Doch keiner von diesen sogenannten großen Predigern konnte andere zu sich einladen, damit sie bei ihm die Einheit der Gläubigen sehen und erleben konnten, von der er so mächtig sprach. Wir freilich konnten das. Wenn wir von Einheit sprachen, luden wir bei gleicher Gelegenheit alle, die kommen wollten, zu einem Besuch nach Norwegen ein, wo sie sich Arbeit suchen und unter uns leben und auf diese Weise erfahren konnten, wovon wir redeten.“ (Sigurd Bratlie)

„Ich war noch ein Kind, als Aslaksen, Smith und Bratlie in Leonberg waren. Eines prägte sich mir so tief ein, daß ich viele Jahre später als Erwachsener die Gemeinde aufsuchte. Es war die Tatsache, daß die Brüder die einzigen waren, die sich Zeit nahmen, um mit uns Kindern zu spielen. Ich werde es nie vergessen, wie David Nielsen und Arild Tombre (zwei damals jüngere Brüder, die oft mit den norwegischen Ältesten umherreisten) sich unser annahmen. Es war ein ganz ungewohntes Erlebnis. Keiner der anderen Prediger tat so etwas.“ (Erzählt von einem längst erwachsenen Deutschen, der mit seinen Eltern zwischen 1955 und 1960 die Konferenzen in Leonberg besuchte)

Die norwegischen Brüder wurden vielerorts in Deutschland, den Niederlanden und der Schweiz eingeladen. In der Folge wuchs die Gemeinde rasch in diesen Ländern, und mehrere norwegische und dänische Freunde ließen sich in Mitteleuropa nieder. Inzwischen ist die Gemeinde auf dem gesamten Kontinent vertreten, England eingeschlossen.

Von Kontinent zu Kontinent

Die Gemeinde breitete sich weiter über alle Erdteile und die meisten Länder aus. Es gibt zahlreiche eigentümliche Geschichten, wie die Menschen mit der Gemeinde in Kontakt kamen und von der Botschaft ergriffen wurden.

Im Jahre 1976 war ein Amerikaner zu einer Sommerkonferenz eingeladen worden, bei der auch Aksel J. Smith und Kåre J. Smith sprachen. Er wurde von dem, was er sah und hörte, so tief beeindruckt, daß er unbedingt an einen Ort ziehen wollte, wo es die Gemeinde gab. Wieder daheim angekommen, hatte er nichts Eiligeres zu tun, als seine Sachen zu packen und sich nacheinander von seinen Angehörigen und Freunden zu verabschieden. Einen seiner Freunde fragte er, ob er mit ihm dahin ziehen wolle, wo man Gottes Wort in die Tat umsetzt.

„Wohin?“ fragte der Freund.

„Nach Urbana in Ohio“, antwortete der erste.

„Urbana in Ohio, wo liegt das?“

„Keine Ahnung, aber ich werde es schon finden.“

„Was hast du denn da vor?“

„Weiß ich auch nicht, aber ich weiß, daß es mich dahin zieht.“

Der Freund zeigte sich interessiert, allerdings hatte er noch sein Abschlußsemester an einer Baptistenhochschule zu absolvieren, und darum beschloß er, erst sein Studium zu beenden. Er hoffte, Missionar zu werden, und vertröstete den ersten damit, daß er ihn nach seinem Abschluß besuchen wolle.

Am selben Tag kam es wegen einer Lappalie zu einer Auseinandersetzung mit seinem Vater. Der Streit artete derart aus, daß er schließlich Gott um Hilfe bat. Da spürte er, was er zu tun hatte: nämlich nach Ohio zu ziehen. Er brach sein Studium ab und zog dorthin. Nach seinen eigenen Worten hat er dies nie bereut.

1972 reiste Sigurd Bratlie zusammen mit einem der jungen Brüder zu einer Konferenz in Bangalore in Indien. Von dort aus sollte die Reise nach Australien führen, wo die beiden ebenfalls Freunde besuchen wollten. Zunächst kamen sie jedoch nur bis Singapur, weil alle Maschinen nach Australien ausgebucht waren. Da es in solchen Fällen erfahrungsgemäß zu ziemlich langen Wartezeiten kommen kann, wurde ihnen geraten, über Jakarta (Indonesien) weiterzufliegen, um auf diese Weise vielleicht früher ans Ziel zu gelangen. So taten sie auch, aber in Jakarta wurde ihnen mitgeteilt, daß sie fünf Tage auf das nächste Flugzeug zu warten hätten.

In Bangalore war ihnen eine Adresse aus Jakarta zugesteckt worden. Nun konnten sie die Zeit für einen Besuch nutzen. Der Mann, den sie antrafen, leitete eine christliche Versammlung, und er lud die beiden ein, bei ihm zu wohnen - und an den Versammlungen teilzunehmen. Die Sprachprobleme waren groß, sie wurden indessen etwas gemildert durch einen jungen Mann namens Sin, der sich redlich bemühte, so daß sie zumindest etwas von dem mitbekamen, was gesprochen wurde. In der Versammlung wurden die Brüder auch zum Sprechen aufgefordert, und eine Frau namens Phebe Ma mußte beim Übersetzen helfen. Sin folgte später mit nach Norwegen, um dort einen Beruf zu lernen. Schwester Ma besuchte Konferenzen in Holland und Norwegen, wo sie schließlich wohnen blieb, und übersetzte die Bücher und Schriften der Gemeinde ins Chinesische. Über Bekannte öffnete sie die Türen in Singapur, Hongkong und Taiwan für die Gemeinde, selbst nahm sie an zahlreichen Reisen in diese Weltgegend teil.

Im übrigen breitet sich die Gemeinde vielfach nach dem gleichen Muster aus. Häufig kommt es vor, daß Brüder der Gemeinde in verschiedene Länder eingeladen werden, um dort zu sprechen. Einige werden von der Botschaft ergriffen, danach stößt hier und da einer hinzu. Früher oder später hat sich eine kleine, im Wachstum begriffene Schar gebildet. Zu einem weiteren Wachstumsschub kommt es dann in der dritten Generation, wenn die Kinder zahlreich werden.

Gelegentlich geschieht es auch umgekehrt, daß nämlich ausländische Prediger die Konferenzen der Freunde in Brunstad besuchen, wieder nach Hause fahren und dort mit dem Evangelium, wie sie es hörten, weiterarbeiten. Auf diese Weise hat sich die Gemeinde z. B. auf Südafrika und Ägypten ausgedehnt.

Sonntagschule, Jungschar für Jungen und Mädchen und auch Kinderkonferenzen gehören zum Gemeindeleben. Hier eine Aufnahme vor dem Gemeindehaus in Horten (um 1930). Im Hintergrund das Haus Johan O. Smiths.

So sah es früher in der Umgebung des Gemeindehauses (Bildmitte rechts) in Horten aus. Der Weg zum Hafen und zum Bahnhof war nur kurz.

Unentgeltliche Arbeitseinsätze und gegenseitige Hilfeleistung waren immer schon ein Kennzeichen der Freunde. Hier in Dröbak beim Hausbau von Aksel Smith im Jahre 1913.

Gottesdienst im Freien - Elias Aslaksen spricht auf dem Marktplatz von Dröbak.

Der Zahnarzt Aksel Smith war von 1905 an ein vertrauter Mitarbeiter seines Bruders Johan. Die Spanische Grippe raffte ihn allerdings schon 1919 dahin.

Vater und Tochter - für die damalige Zeit topmodisch gekleidet.

Holzeinschlag am Jordan

In der Anfangszeit fanden die Freunde noch problemlos in einer Stube Platz. Doch bereits um 1910 mußte man größere Räumlichkeiten mieten. Im Jahre 1907 glaubte sich die Gemeinde in Horten wohlhabend, weil durch Spenden und Kollekten zwölf Kronen und siebzig Öre hereingekommen waren. Da fand Smith, daß man nun alle möglichen Säle mieten könne.

Nach Kriegsende 1918 kam der Gedanke auf, ein eigenes Gemeindehaus zu bauen, einerseits weil man eine eigene Versammlungsstätte als notwendig ansah, andererseits weil die Gemeinde immer mehr anwuchs. Ein Prachtbau kam indessen nicht in Frage. Ordnung, Funktionalität und Genügsamkeit sollten auch dem Gemeindehaus das Gepräge geben. In einer Gemeinde, die nur spärliche Geldmittel zur Verfügung hatte, mußte man sich mit Kollekten und unentgeltlichen Arbeitseinsätzen helfen. Smith schrieb einen vergnüglichen kleinen Artikel im Gemeindeblatt „Skjulte Skatter", eine biblische Illustration, um zu solchen freiwilligen Einsätzen anzuspornen:

„Einst geschah es, daß die Prophetenkinder zu Elisa sprachen: Siehe, der Raum, da wir vor dir wohnen, ist uns zu enge. Laß uns an den Jordan gehen und einen jeglichen daselbst Holz holen, daß wir uns daselbst eine Stätte bauen, da wir wohnen. Er sprach: Gehet hin! 2. Kön. 6, 1 ff.

Hier in Horten ist uns der Raum inzwischen auch zu eng. Gott hat die Arbeit gesegnet und Menschen zur Gemeinde hinzugefügt, so daß wir auf unseren Stühlen kaum Luft zum Atmen bekommen. Nun haben wir ein Grundstück gekauft und sind alle unterwegs zum Jordan, um Holz zu holen.

Möge Gott Glück und Gnade verleihen! Er hat uns reichlich mit geistlichen Gütern gesegnet; ist es dann etwas Großes, wenn wir etwas vom Zeitlichen abgeben? Dort am Jordan (in Christi Tod) gibt es keine Geizhälse. Die Bäume sind wie geschaffen zum Tempelbau. Und einer sprach: Gehe lieber mit deinen Knechten! Er sprach: Ich will mitgehen. Nunmehr fühlten sie sich sicher, denn Elisa war auch dabei. Damit hatten sie die Gewähr, daß Gott mit ihnen war und die Arbeit segnen wollte.

Als die Bundeslade gebaut werden sollte, redete Gott mit Mose und sprach: Sage den Kindern Israel, daß sie mir freiwillige Gaben bringen, und nehmet dieselben von jedermann, den sein Herz dazu treibt! Das sind aber die Gaben, die ihr von ihnen nehmen sollt: Gold, Silber, Erz usw. Doch nur von denen, die ihr Herz dazu treibt.

Hier in Horten hat es ganz den Anschein, als ob Männer und Frauen solche willigen Herzen haben, denn von außen sind sie nicht sonderlich angetrieben worden. Überdies halten wir ohnehin nicht viel von derartiger Massage. Sollte es allerdings ringsumher Menschen geben, die es von Herzen dazu treibt, beim Hausbau mitzuarbeiten, dann werden wir dies selbstredend nicht verbieten. Die Häuser, worin wir nun über 20 Jahre lang Versammlungen hatten, werden zu klein, und für Konferenzen ist es sowieso unerläßlich, ein eigenes Haus zu haben. Es hat sich immer gezeigt, daß es schwierig war, einen geeigneten Saal zu mieten.

Hier besteht die Auflage, gemauerte Wände zu errichten, so daß diesmal weniger Holz als vielmehr Mauersteine gefragt sind. Aber am Jordan findet man allerlei."

1922 wurde das Gemeindehaus in Horten eingeweiht. Es war auch für Konferenzen ausgelegt; und der Versammlungssaal bot Platz für 200 Menschen. Das Haus war für damalige Verhältnisse mit Küche, Speisesaal, Holzschuppen und WC im Keller modern eingerichtet.

Mehr Holz

Es kam viel „Holz vom Jordan". In einer Reihe von Ländern gibt es inzwischen eine oder mehrere Gemeinden mit eigenen Versammlungssälen, und verschiedene größere Konferenzzentren sind vorhanden. Brunstad in der Gemarkung Stokke (im norwegischen Bezirk Vestfold) ist eindeutig das größte und auch bedeutendste zentrale Konferenzzentrum, wohin auch alle Freunde aus der ganzen Welt gern kommen. Brunstad in Norwegen ist und bleibt der zentrale Konferenzort der Gemeinde; zur Sommerkonferenz 1995 fanden sich beispielsweise rund 8 000 Menschen dort ein. Bei den anderen Konferenzen an Ostern, Pfingsten und Neujahr ist die Teilnehmerzahl geringer. Aber selbst eine Brüderkonferenz mit weltweitem Teilnehmerkreis im Herbst 1995, die übrigens in diesem Rahmen zum ersten Male stattfand, vereinte an einem einzigen Wochenende etwa 2 000 Personen.

Als 1977/78 die neue Konferenzhalle gebaut wurde, lag das gesamte Spendenaufkommen monatlich bei umgerechnet 150 000 bis 200 000 DM, teilweise auch noch darüber. Opferwille und Geberfreude sind groß, das zeigt sich auch daran, daß ständig hier und da irgendwelche Bauvorhaben im Gange sind. Jede Ortsgemeinde handelt diesbezüglich eigenverantwortlich, hinzu kommen Einsammlungen für überregionale Bauvorhaben und die laufenden Betriebskosten in Brunstad und anderen Konferenzzentren. Auf diese Weise sind die Baukosten rasch getilgt. 1995 wurde in Brunstad ein großes Wohn- und Sanitärgebäude mit einem ein ganzes Stockwerk umfassenden Naßzellenbereich erstellt (Haus 33). Es enthält zusätzlich noch einen Versammlungs- und Festsaal und hat umgerechnet über 3,5 Millionen DM an Materialkosten verschlungen, wobei der tatsächliche Gebäudewert bei 7,5

Millionen DM liegen dürfte. Mit anderen Worten: über die Hälfte des Gebäudewertes wurde durch unentgeltliche Arbeitsleistungen erbracht.

Es sei betont, daß beinahe alle Arbeiten, gleichgültig welcher Art, auf freiwilliger unbezahlter Basis erfolgen, so daß eigentlich nur Materialkosten entstehen.

Der Gesamtwert des Konferenzzentrums Brunstad wird mit grob gerechnet rund 30 Millionen DM veranschlagt. Wenn man die Liegenschaften der Gemeinde in aller Welt zusammenzählt, so ergibt sich eine Wertsumme, die überschlagsmäßig zwischen 70 und 120 Millionen DM liegen dürfte. Die einzelnen Ortsgemeinden mieten bzw. besitzen ihre eigenen Versammlungshäuser, während die Konferenzzentren eine Art Gemeinschaftseigentum darstellen.

Als Folge des ständigen Wachstums der Gemeinde vollzieht sich eine stetige Bautätigkeit hier und da in der Welt. Unter den bestehenden Gemeinden zeichnet sich ein Trend ab, sich Anwesen im Grünen mit hohem Freizeitwert zu erwerben. Angesichts der kinderreichen Familien und einer nach Hunderten zu zählenden Geschwisterschar empfindet man es als angenehm, einen festen Bezugsort zu besitzen. Jugend- und Kinderarbeit mit dem dazugehörigen gesunden körperlichen Ausgleich war schon immer ein wichtiger Bestandteil der Gemeindearbeit. Von Anfang an nahm Johan O. Smith die Gemeindekinder an den unweit von Horten gelegenen Borrestrand mit. Sinnigerweise spielten sich dabei die Freiluftaktivitäten - Spielen, Baden, aber auch Taufgottesdienste - im Bereich zweier Landzungen ab, die Glocken- und Pfarrershalbinsel heißen.

Eine Reihe von Gemeinden in Norwegen haben sich bezüglich ihrer Vermögenswerte seit 1993 mit dem Zentrum in Brunstad verbunden. Hier ist eine Struktur entstanden, die an das Verhältnis eines Sportvereins zu seinem Dachverband erinnert. Im Fall einer Auflösung einer Gemeinde sollen deren gesamte Vermögenswerte dem Verband zufallen. Die Verbandsregelung kam auf Initiative einer Ortsgemeinde hin zustande, wo man die Zeit für gekommen hielt, den nicht-geistlichen Teil des Gemeindelebens in geschriebenen Satzungen festzuhalten. Es bleibt allerdings den Einzelgemeinden freigestellt, ob sie diese Anbindung an Brunstad wünschen oder nicht.

Der Satzungsvorschlag sorgte für einige Unruhe, in erster Linie unter denen, die die Gemeinde in der 1991 einsetzenden Erweckung verließen. Aber auch innerhalb von Ortsgemeinden wurden einige Stimmen dagegen laut. Die meisten norwegischen Gemeinden haben sich indessen ohne Zögern Brunstad angeschlossen, jedoch nicht alle. Historisch gesehen haben sich die Gemeinden in Norwegen immer an die „Hauptsitze“ gehalten, zunächst Horten, später Brunstad; und zwar sowohl geistlich als auch materiell.

„Jeder Gemeinde muß es freigestellt bleiben, ob sie sich Brunstad anschließt", sagt Kåre J. Smith. „Es handelt sich nicht um den Versuch einzelner, die Gemeindehäuser ringsumher in ihre Gewalt zu bringen, sondern vielmehr eine aus praktischen Erwägungen naheliegende Regelung. Die ganze Gemeinde ist ja zu allen Zeiten auf Vertrauen und gemeinsam getragene Verantwortung gebaut worden, und gerade diejenigen Freunde, die in Brunstad die Leitung übertragen bekommen haben, genießen bei den anderen großes Vertrauen."

Die Pflicht ruft - das ist keine leere Redensart bei den Freunden, in beiden Weltkriegen taten sie ihren Dienst. In zahlreichen Ländern mußten während des Zweiten Weltkrieges die gefallenen Söhne betrauert werden, so auch in Norwegen. Hier ein Bild aus dem Jahr 1940 von einer Gedenkfeier des Militärs in Narvik.

erste, der bezahlte. Ich wüßte nicht, daß jemals für ihn gesammelt worden wäre. Gelang es uns, ihm einen Dienst zu erweisen, so paßte er die nächste Gelegenheit ab, um uns vielfältig zurückzubezahlen. Mit einem solchen Leben als Grundlage konnte er wirklich das Licht scheinen lassen ...

Weil Bruder Smith ein Glaubensmann war, verstand er es, sich von Gott leiten zu lassen. Wir fühlten uns so sicher und geborgen, wenn er nur bei uns war oder uns geraten hatte. Wenn dann trotzdem einmal Schwierigkeiten auftraten, wußten wir, daß sich alles regeln würde. Einmal wollten wir eine Freiluftversammlung auf dem Gipfel des Berges Tonsås halten. Es herrschten widrige Wetterverhältnisse, doch Bruder Smith sollte ja dabei sein, und so fühlten wir uns sicher. Der Tag brach an, das Wetter war schön, und wir fuhren mit Lastwagen hinauf. Viele Menschen kamen von nah und fern. Als die Versammlung anfangen sollte, verdunkelte sich der Himmel, und als Bruder Smith aufstand, um zu sprechen, setzte ein leichter Schneeregen ein. Das Café dort war viel zu klein, um alle diese Menschen aufzunehmen. Da hob Bruder Smith die Hände empor und bat Gott, er möge die Wolken verjagen und die Versammlung ermöglichen. Anschließend nahm er seine Bibel und las laut vor. Da hörte der Regen auf, und die Sonne schien. Zwei unbekehrte Männer steckten die Köpfe zusammen und sagten: ‚Das war stark!' ...

Die Jugend scharte sich um Bruder Smith, und die Erinnerung an diesen stattlichen weißhaarigen Mann mitten in der Jugendschar wird nicht verblassen. Unser aller Interesse galt ihm, wenn er fragte und antwortete, Spaß machte und lehrte. Er wurde sozusagen nie müde. Wenn wir nach der Versammlung abends nach Hause kamen und uns zu Tisch setzten, wurde es spät, ehe wir wieder aufstanden. Oft dauerten die Gespräche bis weit nach Mitternacht. Es fehlte ihm nie an Gesprächsstoff. So war er bis zuletzt. Darum hatten wir nicht damit gerechnet, daß er so bald von uns gehen würde, und der Gedanke ist schmerzlich, daß wir ihn hier im Leben nie mehr sehen und hören werden ..."

Nach der Beerdigung fand ein gemeinsames Essen im Versammlungssaal statt, und am Abend gab es eine Gedenkfeier. Am folgenden Tag ging es mit zwei weiteren Gedenkversammlungen weiter. Ein ganz außergewöhnlicher Mann war entschlafen. Er hinterließ eine lebenstüchtige Bruderschaft.

Dieses Bild von Johan O. Smith hängt bei zahlreichen Freunden zu Hause an der Wand.

Der größte Trauerzug, den Horten je gesehen hat - am 8. Mai 1943 anläßlich der Beerdigung von Johan O. Smith. Und dies trotz aller kriegsbedingten Reisebeschränkungen.

Der Reformator

Die Freunde sehen Johan O. Smith als einen Propheten und Reformator zu „wahrem göttlichem Leben“ an. Elias Aslaksen beispielsweise hielt ihn für einen größeren Reformator als Martin Luther. Im folgenden sind einige Zitate über Smith wiedergegeben:

„Er glaubte mehr an Gottes Wort und an die Offenbarungen, die er in der Schrift bekam, als an alle anderen Menschen zusammengenommen. Er war in dieser Hinsicht ein großer Reformator.“ (Sigurd Bratlie)

„Die Gemeinde des lebendigen Gottes ist ohne menschliches Bemühen entstanden, ohne Organisation, ohne Mehrheitswahl - nur durch Glauben, Glaubensgehorsam und Treue, ausschließlich durch genaues Befolgen des Wortes Gottes. Ein Reformator geht gegen das Bestehende an - in völligem Vertrauen auf Gott und sein Wort. Man stelle sich einmal vor, bei fast jedem Menschen auf Widerstand zu stoßen und doch in dem Glauben festzustehen, daß das, was geschrieben steht und woran ich mich gehalten habe, richtig ist, daß es zum Segen ist, daß es Frieden bringt, daß es von Gott ist. Dann ist es gleichgültig, wieviele sich dagegen stellen.“ (Elias Aslaksen)

„Als ich selbst zur Gemeinde hinzukam, waren wir nicht mehr, als um einen Tisch herum Platz fanden. Ich war da bereits seit einiger Zeit bekehrt, verstand aber nichts und hatte keine Kraft zum Überwinden. Ich bat Gott, mich von der Erde wegzunehmen und wünschte zu sterben. Ich wollte nicht so weiterleben und immer wieder sündigen. Doch Gott kannte meine Sehnsucht und nahm sich meiner an; so führte er mich sozusagen direkt in Bruder Smiths Arme. Wäre er nicht treu gewesen, hätte er nicht aller Untreue zu widerstehen vermocht, allein auf weiter Flur, so würde die Gemeinde, so wie sie heute ist, nicht existieren, und wer weiß, was aus uns allen geworden wäre?“ (Elias Aslaksen)

„Wir haben etliche Bücher gelesen, auf die wir im Lauf der Zeit gestoßen sind, sicher vom Besten außerhalb der Gemeinde. In keinem Buch und auch nicht im praktischen Leben haben wir jedoch etwas gefunden, was der Gemeinde gleichkommt - an keinem Ort der Welt, wo wir waren, und in der übrigen Welt wird es kaum anders sein. Wir haben nichts gefunden, was der Gemeinde des lebendigen Gottes gleicht, etwas, was wirklich biblisch ist und nicht nur so genannt wird.“ (Sigurd Bratlie)

„Versuche dir einmal vorzustellen, die gesamte religiöse Welt stünde gegen dich - hättest du wohl so in Treue fest gestanden und unerschütterlich an weiteren Fortgang geglaubt? Was, meinst du, wäre wohl aus dir geworden?
Die lutherische Reformation war im Ergebnis letztendlich weitaus weniger tiefgreifend als die, mit der wir es hier zu tun haben: Jene hatte als Hauptanliegen, daß man Sündenvergebung erlangt, indem man sich durch Sündenbekenntnis und Glauben mit Gott versöhnt, anstatt sich sein Heil für Geld zu erkaufen. Selbstverständlich war dies ja soweit gut, aber es half nicht weiter. Es sind keine lebendigen Gemeinden daraus entstanden." (Elias Aslaksen)

Woran die Freunde glauben

„Es ist aber der Glaube eine gewisse Zuversicht des, das man hofft, und ein Nichtzweifeln an dem, das man nicht sieht." (Hebräerbrief 11, 1)

An Smiths Freunden fallen in erster Linie das praktische Christentum und einige äußerliche Merkmale ins Auge. Geist und Leben sind offensichtlich eng miteinander verbunden. Die Bekehrung scheint erst ein Anfang zu sein; danach soll der einzelne an sich selbst arbeiten, um ein besserer Mensch zu werden und die Sünde zu überwinden. Abgesehen von einigen wegweisenden Schriften und Traktaten sucht man jedoch bei den Freunden vergeblich nach einem schriftlich formulierten theologischen Überbau, sagen sie doch selbst: „Was sollen wir damit? Wir haben doch das Evangelium."

Audun Erdal bezeichnet in einer kirchengeschichtlichen Abhandlung das Schriftverständnis der Gemeinde als „stark biblistisch. Man kann einen Bibelvers aus dem Zusammenhang reißen und direkt in das persönliche Umfeld übertragen, ohne den Abstand zwischen der Welt der Bibel und unserer Welt zu sehen, und ohne dogmatische Reflexion." („Det teologiske Menighetsfakultetet", 1984)

Ohne Zweifel sind die Freunde bestrebt, ihr Leben mit der Lehre in der Gemeinde in Einklang zu bringen. Glaube und gute Werke sollen Hand in Hand gehen, denn der Glaube ohne Werke ist tot. Und das praktische Alltagsleben, das mit dem Glauben Hand in Hand geht, unterscheidet sie auf jeden Fall von anderen Freikirchen und der Landeskirche. Es ist bezeichnend, was Sigurd Bratlie in der Zeitschrift „Dag og Tid" 1984 äußerte: „Alle fragen, was wir lehren, aber niemand fragt, wie wir leben."

Vergleicht man einmal „Smiths Freunde" mit der Landeskirche, so lassen sich Unterschiede in der äußeren Form leichter ausmachen als solche in Lehrfragen. Rituale sowie Amtsbezeichnungen fehlen weitgehend in der Gemeinde, auch wenn die Gottesdienste innerhalb eines gewissen festgefügten Rahmens ablaufen. Alle haben Rederecht in der Versammlung, und die meisten machen davon auch Gebrauch, in lebendiger und bildhafter Sprache. Lieder und Musik nehmen in den Versammlungen eine zentrale Stellung ein, da springt schnell der Funke über. Es gibt einen Choral, der traditionell jedes Jahr angestimmt wird, und zwar während der Osterkonferenz in Brunstad: Am Ostermorgen beginnt die Versammlung mit dem Lied „Påskemorgen" (Ostermorgen) von N. F. S. Grundtvig*. Wenn fünf- bis sechstausend Menschen sich von ihren Plätzen erheben und diesen wunder-

 * dänischer Kirchenmann, 1783-1872

schönen, in Skandinavien wohlbekannten Choral singen, verwandelt sich die riesige Konferenzhalle beinahe in eine Kathedrale. Es ist ein Lobgesang von seltener musikalischer Fülle, der mit den Worten ausklingt: „Himmelsscharen aufwärts fahren, fahren aufwärts vom Grab zur Höh'." In solch feierlichen Augenblicken können einem schon hehre Schauer über den Rücken laufen, da scheint sich das hochgewölbte Dach des Versammlungshalle gleichsam zu heben.

Hinsichtlich der Glaubensinhalte fällt es nicht immer leicht, die Feinheiten zu entdecken; jedenfalls sind die Freunde bibeltreu im Sinne dessen, was sie für urchristlich halten und was Johan O. Smith geoffenbart worden ist. Geistliche Worte müssen geistlich gedeutet werden, und Gottesfurcht sowie die Bereitschaft zur Nachfolge Christi in einem heiligen Leben sind Voraussetzungen, um in die göttlichen Geheimnisse eindringen zu können. Ohne diesen Hintergrund, so meinen sie, sind die Weisheit und die Geheimnisse schwer zu verstehen, die in der Gemeinde so hell leuchten.

Indessen kann man auch etwas Schriftliches über Glaubensfragen finden, und zwar in dem (nur auf Norwegisch erschienenen) Heft „Hva vi tror" (Was wir glauben).

Vergebung der Sünden: „Smiths Freunde" liegen hier auf der Linie Luthers, der die Rechtfertigung allein durch den Glauben verkündigte. Sie glauben daran, daß Jesus Gottes Sohn ist, und daß man Sündenvergebung und ewiges Leben durch den Glauben an Jesu Tod erlangt, ohne dafür ein einziges gutes Werk vorweisen zu müssen. Sie glauben auch, daß Jesus hier auf Erden ohne Sünde lebte und daß sein Sterben eine Sühnetat für die Menschen war.

Gleichzeitig wird deutlich betont und anhand von Schriftstellen nachgewiesen, daß man seine Sünde bereuen und ihr absagen muß, wenn man Sündenvergebung erlangen will.

Sieg über alle bewußte Sünde: Die Freunde glauben, daß es durch die Kraft des Heiligen Geistes möglich ist, alle bewußte Sünde zu überwinden, nämlich all das, was in der Schrift „Werke des Fleisches" genannt und auch gemeinhin als Sünde angesehen wird. Sie glauben an das Schriftwort, daß Jesus denen helfen kann, die versucht werden, weil er selber gelitten hat und versucht worden ist. Sie sind davon überzeugt, daß Jesus von Mutterleibe an mit dem Heiligen Geist erfüllt war und in dieser Kraft überwinden konnte. Dies wiederum bedeutet nach Auffassung der Freunde, daß Jesus hätte sündigen können, wenn er dem Heiligen Geist auch nur im geringsten ungehorsam gewesen wäre. Daß es ihn Kampf und Leiden gekostet habe, um nicht zu sündigen, glaubt man mit einer Stelle aus dem Hebräerbrief belegen zu können: „Und er hat in den Tagen seines irdischen Lebens Bitten und Flehen mit lautem Schreien und mit Tränen dem dargebracht, der ihn vom Tod erretten konnte; und er ist auch erhört worden, weil er Gott in Ehren hielt."

Für die Freunde führt Gehorsam gegenüber dem Heiligen Geist zum Sieg in allen Versuchungen.

Heiligung: Dies ist nach der Bekehrung und Sündenvergebung der nächste Schritt. Nun gilt es, einen Weg zu gehen, nun gilt es, den guten Kampf des Glaubens zu kämpfen. Nun soll der Mensch in seinem Inneren verwandelt werden. Durch Glaubensgehorsam wird man erhöht und wächst hin zu immer größerer Vollkommenheit (gleichwie Jesus).

Aksel J. Smith erläutert: „In Gottes vollkommenem Licht ist vieles Sünde, was wir Menschen zunächst nicht dafür halten - es sind Unvollkommenheiten in Gottes Augen. Paulus war sich darüber im klaren, als er sagte: ‚Ich weiß nicht, was ich tue.' Und er fährt fort: ‚So tue nicht ich es, sondern die Sünde, die in mir wohnt.' Diese unbewußte Sünde bezeichnet Paulus an anderer Stelle als ‚Werke des Leibes'*. Wir sind davon überzeugt, daß uns durch Nachsinnen und die Weisung des Heiligen Geistes Dinge bewußt werden, die wir auf eine bessere Weise hätten tun können. Gott züchtigt uns, damit wir an seiner Heiligkeit teilbekommen. Petrus nennt dies ‚Teilhaftigwerden an göttlicher Natur'. Auf diese Weise, so unser Glaube, können wir zunehmen in allen Tugenden Christi, wie Geduld, Sanftmut, Barmherzigkeit, Liebe, Milde, Güte, Frieden und Freude. Dieses Wachstum im Guten nennt die Schrift ‚Heiligung'. Sie ist Voraussetzung, um Jesu Braut zu werden und einst mit ihm zusammen auf seinem Thron sitzen zu können. Von Jesu Braut steht geschrieben, daß sie sich bereitet hat, und daß es ihr gegeben wurde, sich anzutun mit schönem reinem Leinen. Das Leinen aber ist die Gerechtigkeit der Heiligen."

Christus ist geoffenbart im Fleisch: Wenn sie dazu berufen sind, Jesus nachzufolgen, der keine Sünde tat, so ist zweifellos sein Leben, seine Versuchungen, Kämpfe und Siege von fundamentalem Interesse und von außerordentlicher Bedeutung für die Freunde. Wenn Jesus nicht ebenso wie andere Menschen versucht worden wäre, wäre es nach Ansicht der Freunde höchst überzogen zu erwarten, daß Menschen überwinden sollten, so wie er überwunden hat. Alle Versuchungen, denen ein Mensch ausgesetzt ist, kommen von dem durch und durch bösartigen Fleisch, doch jeder einzelne hat einen freien Willen und kann selbst zwischen Gut und Böse wählen.

Der Unterschied zwischen „Sünde haben" und „Sünde tun" entspricht dem Unterschied zwischen „einen Eigenwillen haben" und „seinem Eigenwillen folgen". Jesus hatte ein Fleisch wie die anderen Menschen auch,

* Römerbrief 8, 13, norwegische Bibelübersetzung;
in der Lutherbibel steht von ‚Geschäften des Fleisches'.

d. h. er hatte einen Eigenwillen wie jeder andere Mensch, doch er war nicht sündig.

„Er hatte kein sündiges Fleisch. Wäre er der Sünde im Fleisch gefolgt, so wäre er sündig geworden. Die Schrift unterscheidet klar zwischen ‚Sünde haben' und ‚Sünde tun'. Von Jesus steht geschrieben, daß er seinen Brüdern in allem gleich werden mußte, damit er barmherzig würde und ein treuer Hoherpriester, zu sühnen die Sünden des Volkes. Denn worin er selber gelitten hat und versucht worden ist, kann er denen helfen, die versucht werden." (Aus der Broschüre „Hva vi tror")

„ Jesus geoffenbart im Fleisch - das ist das Geheimnis, das mich zu den Freunden führte und uns in der Gemeinde sammelt", sagte ein Amerikaner, der im reifen Erwachsenenalter zur Gemeinde fand. Die Freunde bezeichnen es oft als ein unaussprechlich großes Geheimnis, das ihnen geoffenbart wurde, wenn sie von „Jesus geoffenbart im Fleisch" sprechen.

„ ‚Und groß ist, wie jedermann bekennen muß, das Geheimnis des Glaubens: Er ist offenbart im Fleisch, gerechtfertigt im Geist ...' (1. Tim.3, 16) ‚Denn was dem Gesetz unmöglich war, weil es durch das Fleisch geschwächt war, das tat Gott: er sandte seinen Sohn in der Gestalt des sündigen Fleisches und um der Sünde willen und verdammte die Sünde im Fleisch.' (Röm. 8, 3) ‚Wenn wir sagen, wir haben keine Sünde, so betrügen wir uns selbst, und die Wahrheit ist nicht in uns.' (1.Joh. 1, 8)" (Zitiert aus der Broschüre „Hva vi tror")

Eben dieses Verständnis von Jesu Versuchungen verlieh Johan O. Smith den Glauben, daß es möglich sei, ein Siegesleben über die Sünde zu führen. Dies war und ist der zentrale Punkt in der Gemeindeverkündigung.

Die Gemeinde als Christi Leib: „In mehreren seiner Briefe vergleicht Paulus die Gemeinde mit einem Leib, der viele verschiedene Glieder hat. Wir legen großen Wert darauf, daß die Gemeinde als ein Leib funktioniert. Darum wird in unseren Gottesdiensten große Freiheit gegeben, einander zu erbauen, und die allermeisten beteiligen sich mit Reden, Zeugnissen, Gebeten oder Liedern. Wir sind mit einem Geist zu einem Leibe getauft. Wenn wir alle von demselben Geist getrieben werden, so ist die Gemeinschaft untereinander in Ordnung und ebenso unser Verhältnis mit dem Vater und dem Sohn. Von dieser Herrlichkeit spricht Jesus in seinem Hohenpriesterlichen Gebet: ‚Und ich habe ihnen die Herrlichkeit gegeben, die du mir gegeben hast, damit sie eins seien, wie wir eins sind.'

Wir sind Gottes Kinder und Christi Miterben, sofern wir mit ihm leiden. Darum genießen Gemeinschaft und Bruderschaft bei uns einen hohen Stellenwert, mit Christus als unserem ersten Bruder. Jesus freut sich über die, die an seiner Heiligkeit teilbekommen haben, und schämt sich nicht, sie Brüder zu heißen.

Johannes nennt ausdrücklich die Liebe zueinander als Beweis dafür, daß man vom Tod in das Leben gekommen ist. Zwischen solchen Personen, und hier sind Kinder, Jugendliche und Ältere, Männer und Frauen eingeschlossen, entsteht wahre geistliche Gemeinschaft.“ (Aus der Broschüre „Hva vi tror“)

Taufe: Die Gemeinde praktiziert die Glaubenstaufe (Erwachsenentaufe), da Gott nach ihrer Auffassung nicht den Bund eines guten Gewissens mit kleinen Kindern eingehen kann. Die Taufe gilt als der persönliche Bund eines guten Gewissens mit Gott, um in einem neuen Leben zu wandeln. Jedoch werden die kleinen Kinder vor die Gemeinde dargebracht und gesegnet, indem meist der Vorsteher für sie betet. Auf diese Weise beherzigt man Jesu Worte: Lasset die Kindlein zu mir kommen!

Die Taufhandlungen werden in den einzelnen Gemeinden, an Konferenzzentren und anderen geeignet erscheinenden Stätten vollzogen. Findet die Taufe unter freiem Himmel statt, so sammeln sich gelegentlich Schaulustige, die nicht zur Gemeinde gehören. Wann und wo die Taufe erfolgt, ist von Ort zu Ort verschieden. Auch während Konferenzen kommt es vor, daß getauft wird.

Eine ältere Frau in Süddeutschland berichtet, daß sie 1959 in der Badewanne auf dem elterlichen Bauernhof durch Elias Aslaksen getauft wurde, gleich beim ersten Besuch der Brüder. Aslaksen selbst wurde 1910 getauft, zusammen mit zwei anderen Brüdern, die damals unter den ersten der Gemeinde waren. Es war im Spätherbst, und zwar im Fjord nahe bei Horten; das Wasser war so eisig, daß man beinahe einen Krampf bekam. Johan O. Smith nahm die Taufe vor, er selbst hatte hinterher einige Tage lang steife Glieder. Der erste, den Johan O. Smith taufte, war übrigens sein Bruder Aksel.

Nachdem die Kinder nicht getauft werden, gibt es auch keine Konfirmation, weil ja kein Taufgelöbnis erneuert wird.

Allerdings findet in verschiedenen Gemeinden ein regelmäßiger Bibelunterricht statt, der dem kirchlichen Konfirmandenunterricht entspricht. Mancherorts wird z. B. ein dreimonatiger Unterricht mit einer Prüfung und einem Fest abgeschlossen. Früher bestand eine solche Prüfung aus Fragen und Antworten, während heute auch ein selbstgewähltes Thema vorgetragen wird. Aus Anlaß des Festes bekommen die Jugendlichen ein Geschenk, z. B. eine Bibel oder einen Buchband der Briefe von J. O. Smith.

Wissensmäßig wird diesen Jugendlichen mindestens ebensoviel Bibelkenntnis vermittelt wie den kirchlichen Konfirmanden; in manchen Gemeinden nehmen auch Jugendliche, die nicht zur Gemeinde zählen, am Bibelunterricht teil.

Abendmahl: Die Freunde sehen das Heilige Abendmahl als ein Mahl zur Selbstprüfung an. Es erinnert sie an Jesu großes Erlösungswerk und an das Heiligungswerk, das er in den einzelnen vollführen will. Mit der Teilnahme am Abendmahl bezeugen sie ihre Gemeinschaft mit Jesus und untereinander. Das Abendmahl findet mehr oder weniger regelmäßig statt, wobei es jedoch Unterschiede von Gemeinde zu Gemeinde gibt. Es ist eine ernste, persönliche Glaubenshandlung, an der nicht alle teilnehmen.

In einem Themenheft für den Schulgebrauch bemerkt der Theologe Elling Siqveland (Lehrerseminar Stord, 1993), daß die Freunde die Abendmahlshandlung als Sinnbild auffassen und mit ihr bezeugen, daß sie teilhaben an „Jesu Leib sowie seinem Versöhnungs- und Erlösungswerk“. In der Gemeindebroschüre „Hva vi tror“ wird die biblische Grundlage für das Abendmahl mit folgendem Bibelvers aufgezeigt: „Der Herr Jesus, in der Nacht, da er verraten ward, nahm er das Brot, dankte und brach's und sprach: Das ist mein Leib, der für euch gegeben wird; das tut zu meinem Gedächtnis. Desgleichen nahm er auch den Kelch nach dem Mahl und sprach: Dieser Kelch ist der neue Bund in meinem Blut; das tut, sooft ihr daraus trinkt, zu meinem Gedächtnis.“

Das Abendmahl geschieht zum Gedächtnis an Jesu Leben und Sterben. Darüber hinaus ist es ein Zeugnis der Gemeinschaft. „Der gesegnete Kelch, den wir segnen, ist der nicht die Gemeinschaft des Blutes Christi? Das Brot, das wir brechen, ist das nicht die Gemeinschaft des Leibes Christi? Denn *ein* Brot ist's: So sind wir viele *ein* Leib, weil wir alle an *einem* Brot teilhaben.“

In christlicher Tradition

Nach Erscheinen der ersten norwegischen Auflage dieses Buches veröffentlichte einer der führenden Theologen der norwegisch-lutherischen Staatskirche, Dr. theol. Steinar Moe, einen Aufsatz, der sich mit dem Christentumsverständnis der Gemeinde auseinandersetzt. In diesem Artikel, der im folgenden mit freundlicher Erlaubnis des Autors wiedergegeben wird, fügt Moe die Lehre der Gemeinde in einen breiteren theologischen Rahmen ein.*

Im folgenden werden wir den Standpunkt der Gemeinde in bezug auf den zentralen Inhalt des Christentums, das Evangelium, skizzenhaft darstellen, um dann auf dieser Grundlage über eine historische Einordnung in die Kirchenlandschaft im weiteren Sinne zu reflektieren.

Bei näherer Betrachtung erweisen sich die Freunde Smiths nicht als eine grundsätzlich andersgeartete Kirchengemeinschaft, z. B. verglichen mit der römisch-katholischen Kirche oder auch Bewegungen und Strömungen innerhalb des evangelisch-lutherischen Spektrums. Im Gegenteil: Was den

* Nach eiener kurzen Einleitung (entfallen) beginnen hier die Ausführungen Moes.

Kern des Christentums, das Evangelium, angeht, lehren Smiths Freunde im Prinzip das gleiche wie eine Reihe anderer Kirchengemeinschaften und konfessioneller Strömungen.

Kirchenhistorisch gesehen segeln Smiths Freunde z. B. im Kielwasser des alten Erik Pontoppidan*. Auch eine Reihe anderer lutherisch-pietistischer Autoren liegen auf dieser Linie, wie etwa Philipp Jakob Spener und August Hermann Francke in Deutschland. Deren Schriften wurden früher oft in Norwegen gelesen, nicht zuletzt in den Kreisen um Hans Nielsen Hauge. In der Hauge-Bewegung und vergleichbaren Gruppierungen finden wir Elemente des gleichen Evangeliumsverständnisses - ja auch bei Hauge selbst. Smiths Freunde sind also, wenn es um ihre Auffassung vom Wesentlichen des Christentums geht, keine isolierte Glaubensrichtung.

Was ist denn nun das Zentrale am Christentumsverständnis der Freunde Smiths? Ohne Zweifel ist es die Betonung des Evangeliums als eine zweifache Botschaft: Auf der einen Seite die Botschaft an den Menschen von der vergebenden Gnade Gottes um Christi willen; auf der anderen Seite die Botschaft - basierend auf der ersten - vom Gehorsam gegenüber dem Willen Gottes im Alltagsleben. Wir werden kurz anreißen, wie das Denken im Sinne dieser Zweiseitigkeit in den Schriften der Gemeinde deutlich wird, nicht zuletzt bei dem verstorbenen Sigurd Bratlie.

Als Grundvoraussetzung unterscheidet man zwischen dem *Anfang* und der *Fortführung* des Glaubenslebens. Am Anfang geschieht eine neue Geburt, man nimmt Christus auf und ist damit allein durch den Glauben gerechtfertigt. Die Grundlage dieses Glaubensanfanges liegt also nicht im Menschen. Sie ist ganz allein Gottes Werk; der Mensch ist der Beschenkte. Wenn es dagegen um die Fortführung des Glaubenslebens geht, kommt ein weiterer Gnadenbegriff zum Tragen: Gottes Gnade ist dann eine Kraft, die der Mensch braucht, um nach Gottes Willen leben zu können. Die Gnade gilt also nicht nur als Ausdruck der Liebe Gottes dem Sünder gegenüber, sondern der Gnadenbegriff wird zu einem Ausdruck der Kraft und Hilfe Gottes, die im Menschen wirksam ist. Besonders Sigurd Bratlie betont dies, z. B. in der Schrift „Die Gnade in Jesus Christus". Bratlie steht hier übrigens ganz im Einklang mit dem Gründer der Gemeinde, Johan Oscar Smith (1871-1943). In charakteristischer Weise beschreibt dieser die bereits erwähnte Zweiseitigkeit in seinem Artikel „Dobbelt frelse" (Zweifaches Heil, Skjulte Skatter 1914). Hier unterstreicht Smith, daß die Sündenvergebung nicht „das ganze Erlösungswerk" darstellt. Sein Standpunkt ist: „... im tiefstem Grund gibt es keinen christlichen Glauben ohne Werke" (Smith 1935). Mit solchen Aussagen verdeutlicht Smith in gleicher Weise wie Bratlie das

* Erik Pontoppidan (1698 - 1764), dänischer Theologe, geb. in Aarhus. Erarbeitete eine neue Erklärung zu Luthers kl. Katechismus (1737), wodurch der Pietismus seinen Einzug in dänischen und norwegischen Schulen und in den dortigen Konfirmandenunterricht hielt. Von 1747 bis 1755 Bischof von Bergen

Christentumsverständnis der Bewegung. Wenn dem Christenglauben keine Werke folgen, ist der Christenglaube falsch.

Somit ist die *Erwartung* von Glaubenswerken, ja deren *Forderung*, typisch für den Evangeliumsbegriff der Freunde Smiths. Das Evangelium ist nicht nur eine Botschaft zur Vergebung, sondern auch eine Hilfe zu ethischer Veränderung im Leben. Gottes Gabe (das Evangelium) führt somit zur Verwandlung des Menschen in der Nachfolge Christi. Wie Christus die Sünde im Leben überwand, so auch der Gläubige. Der Gläubige wird also durch einen Wachstumsprozeß geführt, durch den er buchstäblich mehr und mehr gerecht wird, mehr und mehr Christus ähnlich. Nur in der Glaubensgemeinschaft mit Christus kann das Wachstum in Gerechtigkeit geschehen. Nicht zuletzt hat Johan O. Smith den Gedanken entwickelt, daß der Christ alle *bewußte Sünde* überwinden kann, indem er in einer Art Siegeseinheit mit Christus lebt, also da, wo der Mensch und Christus in der Einheit des Geistes zusammengeschmolzen sind. Dieser Weg des Sieges ist auch der Weg der Erlösung.

In Anbetracht dieses Wachstumsprozesses bekommt also der *Erlösungsbegriff* einen besonderen Inhalt. Die Erlösung eines Menschen ist nicht etwas, was allein in der Vergangenheit geschah, z. B. in Verbindung mit Christi Tod und Auferstehung, in Verbindung mit der Taufe oder der Bekehrung o. ä. Erlösung ist etwas, das sich fortlaufend vollzieht, man kommt nicht „mit der Erlösung zu Ende". Erlösung bedeutet Verwandlung und Neuschöpfung bis zum letzten Lebenstag des Gläubigen. Und eines Tages wird Gott richten als ein „gerechter" Richter, d. h. dem Lebenseinsatz des Menschen angemessen. Sigurd Bratlie z. B. polemisiert gegen den Gedanken, Gott werde im Gericht schon gnädig sein und durch die Finger sehen. Nach Bratlies Denkweise ist es nicht richtig, den Gnadenbegriff auf die eschatologische Perspektive (die Endzeit, Gottes Gericht) zu beschränken. Denn die Gnade wirkt, wie wir schon betont haben, als Hilfe zu einem Siegesleben des Gläubigen - *bevor* das Gericht eintrifft. Gottes Gericht stellt insofern nur eine Etappe dar, wo die Handlungen der früheren Lebensetappe geprüft werden. Aus diesem Grunde umschreibt das Wort „Gerechtigkeit" Gottes Haltung und Handeln im Gericht treffender als das Wort „Gnade".

Bei Smiths Freunden ist also der Gedanke an Sieg im Christenleben ein Kernpunkt. Man rechnet jedoch nicht mit vollem Sieg über die Sünde zu einem sehr frühem Zeitpunkt in der Entwicklung des Christenlebens, die Aussicht ist aber positiv. Die Grundregel für ein christliches Leben besagt: „Christentum und Sieg darf man nicht trennen" (Elias Aslaksen). Die christlichen Ideale werden darum als erreichbar verkündigt. Das vollbrachte

geheilt worden. Heute bin ich glücklich verheiratet, habe viele Kinder und führe ein erfülltes Leben in der Gemeinde", verriet mir einer von ihnen.

Die Freunde halten sich nicht für die einzigen gottesfürchtigen Menschen. Solche gab es selbstverständlich auch schon vor der Zeit J. O. Smiths, und genauso glauben die Freunde, daß auch außerhalb der Gemeinde aufrichtige Christen zu finden sind. Das sehen sie ja schon anhand der Menschen bestätigt, die mit dem Verlangen zur Gemeinde stoßen, die Sünde zu überwinden, so wie es dort gelehrt wird. Andererseits besteht für die Freunde kein Zweifel, daß die Gemeinde die besten Wachstumsbedingungen bietet, um in der Nachfolge Jesu auf dem Weg des Gehorsams und der Leiden heranzureifen.

Die Freunde bleiben hauptsächlich unter sich und pflegen nahezu keine Zusammenarbeit mit anderen Glaubensgemeinschaften. Sie bezeichnen andere Glaubensgemeinschaften als „religiöse Parteien", und solche Parteibildungen werden gemäß der Schrift als Sünde angesehen. Die Freunde unterschieden sich im Verlauf ihrer ganzen Geschichte deutlich von allen Kirchen und kirchlichen Gemeinschaften. Die norwegische Staatskirche wird als „Hure" tituliert, weil sie „Hurenordnungen" habe; hier sei der Staat das Fundament und nicht Christus. Nach Meinung der Freunde sind finanzielle Abhängigkeiten der Gottesfurcht und dem heiligen Leben abträglich und fördern stattdessen ein laues Christentum, wo sich alles ausschließlich um Sünde und Gnade dreht. Jegliche Pastorenausbildung und Kirchenorganisation nach menschlichem Gutdünken wird als verkehrt angesehen. Dies sei unbiblisch, weil die Schrift nichts von „Pfarrern" und „Kirchen" erwähne. Aslaksen sprach gar von „... Treuebruch, Unglaube, Weltlichkeit, Spitzfindigkeit und Ungehorsam gegen die deutlichen Worte der Schrift, wodurch es zu all diesem kirchlichen Elend gekommen ist! Mit Recht können wir fragen: War etwa Paulus katholisch? Oder Petrus Baptist? Oder Johannes Methodist? ..."

In erster Linie befassen sich die Freunde mit ihrer eigenen Gemeinde und arbeiten an ihrem eigenen Heil. Somit ist auch kein Platz vorhanden für „Krieg" gegen Kirchen oder andere Glaubensgemeinschaften. Sie haben vollauf genug mit sich selbst zu tun und wollen in Ruhe für sich leben. Darum lassen sie andere Glaubensgemeinschaften in Frieden.

Die Verkündigung der Gemeinde bezieht sich auf das Geistliche, doch gibt es daneben noch eine Reihe von Verhaltensnormen, die je nach Region, Land oder Kontinent variieren.

Grundsätzlich fördert die Lehre der Freunde eine pietistische Lebensweise. Die Gottesdienste und das Zusammensein im Rahmen der Gemeinde genießen neben dem Familienleben den höchsten Stellenwert. Indessen ist im ganzen gesehen auffallend wenig Fanatismus festzustellen.

Was den Alkoholkonsum anbelangt, so ist es hier und da üblich, zu besonderen Anlässen ein Glas Wein oder Bier zu trinken, ohne daß dies jemals ausartet. In Norwegen gibt es diesbezüglich deutliche regionale Unterschiede. Dort, wo die Abstinenzlerbewegung traditionell das christliche Leben geprägt hat, ist Alkoholkonsum weiterhin ungewöhnlich, während andernorts durchaus Alkohol in Maßen genossen wird. Die meisten Freunde akzeptieren solche kulturellen Unterschiede ohne weiteres. In den USA sowie in Rußland beinhaltet die Bekehrung eine praktisch augenblickliche Abkehr von jeglichem Alkoholgenuß, während man diesbezüglich auf dem europäischen Kontinent und in vielen anderen Teilen der Welt gelassener und unbefangener eingestellt ist. Ich habe in der Tat keinen einzigen Fall von Trunkenheit beobachtet; es geht eher um ein Glas Wein im Freundeskreis. Bei Konferenzen ist Alkohol übrigens verboten.

Rauchen ist ganz ungewöhnlich, doch es kommt vor. Man kann auf Fotos der Freunde aus früheren Jahren erkennen, daß manche von ihnen Pfeife rauchten, während dies heutzutage ein Unding wäre. An den Konferenzzentren ist das Rauchen verboten.

Tanz ist ebenfalls unüblich, jedoch hat mir ein bekehrtes und frisch verheiratetes Paar berichtet, daß sie auf ihrer Hochzeitsreise mit dem Schiff fuhren und an Bord den Brautwalzer tanzten. Ins Kino wird nur ganz selten gegangen, doch die meisten Jugendlichen haben schon einmal einen Kinofilm gesehen.

Die Freunde lieben das Zusammensein mit ihresgleichen, und viele von ihnen sind der Ansicht, daß innerhalb der Gemeinde mehr als genug an Freizeitbeschäftigungen angeboten wird. Somit ist unter den Freunden in Norwegen eine Mitgliedschaft in Sport- oder sonstigen Vereinen eher selten anzutreffen, während dies z. B. in manchen anderen Ländern geradezu häufig ist, wie etwa in Österreich.

In dem Maße, wie man auf dem Weg der Heiligung voranschreitet, verlieren die Dinge außerhalb der Gemeinde mehr und mehr ihren Reiz. Sigurd Bratlie erzählte einmal, daß seine Mutter ihm das Mühlespielen beigebracht hatte. Als Junge konnte er dann vor dem Einschlafen wach liegen und über einzelne Züge nachgrübeln; doch nach seiner Bekehrung war damit Schluß. In diesem Zusammenhang geht es überhaupt nicht darum, daß Mühlespielen etwa verboten wäre (was nicht stimmt). Die Sache ist jedoch, daß er so sehr von dem geistlichen Leben ergriffen wurde, daß er seine ganze Lust und alles Interesse darin fand.

Nahezu keiner der Freunde sagt von sich, daß er von Zweifeln oder Anfechtungen geplagt sei. Stattdessen bezeugen sie voll Freimut, Gottes Kinder zu sein. Generell treten sie als freundliche, fröhliche und humorvolle

Menschen in Erscheinung, die ihre Zufriedenheit mit dem Dasein bekunden. Es wäre indessen abwegig zu behaupten, daß sie etwa keine Probleme hätten. Allerdings glauben sie, daß sie den Weg gefunden haben, auf dem die Probleme immer mehr ihren Stellenwert einbüßen, während der Lohn beständig zunimmt.

Von der „Mission Alte Schule" in Backnang/Württemberg gehen weitverzweigte Hilfeleistungen aus, die deutlich über den Rahmen der Gemeinde hinausreichen.

Leonberg: Durch die Allianzkonferenzen öffneten sich für Smiths Freunde die Türen nach Deutschland, der Schweiz und den Niederlanden.

Zuhause

„Wenn die Dinge anfangen, dich zu beherrschen, werden sie gefährlich. Solange das Materielle nichts bedeutet, hat es auch keine Macht." (Aksel J. Smith)

Die Wohnungen der Freunde wirken nicht überladen und entsprechen im wesentlichen dem Bevölkerungsdurchschnitt. Sie heben sich allenfalls dadurch ab, daß vielfach neben Familienbildern Bibelverse und Porträts von leitenden Brüdern der Gemeinde an den Wänden hängen. Bilder von Johan O. Smith, Elias Aslaksen, Sigurd Bratlie und Aksel J. Smith erscheinen immer wieder, aber auch Bilder anderer Personen, die der jeweiligen Familie viel bedeuten. Für einen wie mich, der die Freunde auf dem ganzen Erdenrund zuhause besucht hat, ist dies ein vertrauter und immer wiederkehrender Anblick.

Kaum jemand von den Freunden hat ein Fernsehgerät, doch gibt es Ausnahmen hiervon. Die meisten besitzen Radio und Kassettenrecorder. So gut wie alle haben eine Zeitung abonniert. Die Gefahr übermäßigen Medienkonsums dürfte kaum gegeben sein, insbesondere drahtlose Medien werden mit großer Zurückhaltung gehandhabt. Man will sich nicht zu sehr dem weltlichen Einfluß aussetzen. Dennoch zeigen sich die Freunde gut informiert über das, was um sie herum vorgeht; nur lassen sie sich nicht von Unterhaltung und Sensationshascherei beherrschen.

Einer Familie wurde es bange, als Sigurd Bratlie sie einmal besuchen wollte. Was würde er bloß sagen, wenn er feststellte, daß sie ein Schwimmbecken hatten? Nun, Bratlie zog sich eine Badehose an und sprang kopfüber hinein. Sein Kommentar: „Wenn man im Paradies ist, soll man das auch ausnutzen."

Warm und geborgen

Bei den Freunden zuhause findet man eine geborgene und trauliche Atmosphäre vor, in der es als wichtig angesehen wird, Zeit füreinander zu haben. Gespräche untereinander und die gemeinsame Auferbauung durch Hausandachten und Gebete prägen das Bild wesentlich. Vor den Mahlzeiten wird gebetet oder gesungen, um das Essen zu segnen. Ich habe dies aber nie als künstlich oder übertrieben empfunden, weder zuhause bei den Freunden noch bei Ausflügen. Alles wirkt ganz natürlich, fern von einem leeren Ritual.

Gesang und Musik haben einen zentralen Stellenwert; man singt und spielt aus dem jeweiligen Gemeindeliederbuch (für den deutschen Sprachraum: „Lieder des Lebens") bzw. dem Kinderliederbuch (deutsch: „Kinderlob"). Die „Kinderhilfe", das Monatsblatt für Kinder im deutschen Sprachraum, dient als Quelle zum Lesen und Vorlesen. Der Lesestoff beschränkt sich jedoch bei weitem nicht auf Gemeindeliteratur. Märchen und Erzählungen, Comics, Zeitschriften - und selbstverständlich Schulbücher findet man vor, nicht anders als gemeinhin üblich. Die meisten Kinder erhalten in angemessenem Maße Anregungen, wobei unter Anregungen allerdings nicht Unterhaltungsfilme mit gewalttätigem oder erotischem Inhalt zu verstehen sind. Heimcomputer und Computerspiele sind weit verbreitet, und nichts deutet darauf hin, daß sich die Freunde solcher Hilfsmittel weniger bedienen als andere Menschen.

In Norwegen ist es eher selten, daß Kinder der Freunde den Kindergarten besuchen. In einem bestimmten Fall haben Eltern ihr Kind, das eine Behinderung hatte, bewußt in den Kindergarten geschickt, damit es das soziale Verhalten einüben und somit besser den Anforderungen der Schulzeit gewachsen sein könne.

In kinderreichen Familien müssen alle Hand anlegen. Oftmals wohnt eine jüngere fremde „Schwester", nicht selten aus dem Ausland, bei der Familie. Es gibt hier einen weit verzweigten und gut funktionierenden Au-pair-Service, der eine Mischung aus praktischem Sprachunterricht, Kinderpflege und Einübung auf die spätere Mutterrolle darstellt.

Im übrigen ist es beeindruckend zu sehen, wie geschickt die Geschwister miteinander umgehen. Den Worten einer Krankenschwester zufolge könnte sich so manch anderer eine Scheibe von den Gemeindefamilien abschneiden. Sie beschreibt die Kinder als offen, ausgeglichen, ohne negative Auffälligkeiten, positiv eingestellt und überaus geschickt im Umgang miteinander. Die Kinder sind freundlich und wohlerzogen, manche wirken allerdings etwas still und in sich gekehrt. Die meisten unterscheiden sich nicht von ihren Altersgenossen außerhalb der Gemeinde.

Die Eltern haben in den meisten Fällen ein unverkrampftes Verhältnis zu den Einflüssen, denen ihre Kinder zwangsläufig in der Schule ausgesetzt sind. Die Verhältnisse sind natürlich von Ort zu Ort verschieden, aber im großen und ganzen haben die Kinder in der Schule ihren Frieden. Hier und da hört man von harmlosen Neckereien, vereinzelt kam es allerdings auch zu gemeinsamen tätlichen Übergriffen seitens der Mitschüler. Die Jungen haben wie ihre Väter kurzgeschnittenes Haar und unterscheiden sich damit nicht sonderlich von den anderen, während die Zöpfe und Röcke der Mädchen schon eher ins Auge fallen. Sticheleien wie etwa die Titulierung als „Zopfschwester" verpuffen jedoch schnell. Inwieweit die Kinder z. B. an

Schulausflügen und mehrtägigen Klassenfahrten teilnehmen, hängt von der jeweiligen Elternmeinung über den Einfluß der Klassenkameraden ab.

Eine Reihe von Freunden beteiligt sich aktiv am öffentlichen Leben, z. B. als Mitglieder kommunaler oder betrieblicher Gremien, und manche Eltern wirken in Elternbeiräten bzw. Klassenpflegschaften mit. Ihr Einsatz dort kommt sowohl ihren eigenen als auch anderen Kindern zugute.

Die Freunde besuchen einander häufig. Gegenseitige Fürsorge und Anteilnahme zeigt sich auch in den zahlreichen Briefkontakten mit Freunden, die weit entfernt wohnen. Die Hilfsbereitschaft ist ausgeprägt, ob es nun um praktisches Handanlegen beim Hausbau oder etwa um Hilfeleistungen bei Krankheitsfällen in einer Familie geht.

Nicht gezwungen, sondern geliebt

Die Eltern rechnen damit, daß die Kinder mit zunehmendem Alter selbst den Wert der „Welt“ und die Werte und Grundüberzeugungen, die sie in der Gemeinde und der Familie vermittelt bekamen, gegeneinander abwägen können. Das versetzt sie in die Lage, ihren Weg selbst zu wählen. Von Glauben oder Bekehrung aus Zwang halten die Freunde nichts, vielmehr sind sie bemüht, die Gemeinde durch Liebe und die Kraft des Vorbildes weiterzubauen.

Nur vereinzelt folgen sämtliche Kinder den Spuren ihrer Eltern und bleiben in der Gemeinde, aber immerhin trifft man auch solche Familien. Dann freut man sich, doch werden Familien, bei denen dies nicht der Fall ist, deswegen nicht gering geachtet.

Lediglich in Ausnahmefällen kommt es vor, daß Eltern über ihren Kindern den Stab brechen, weil sie andere Wege gehen.“ Solch ein Verhalten würde mehr über die Eltern als über die Kinder aussagen. Eltern, die so handeln, können wohl kaum Frieden finden, weder mit sich selbst noch mit Gott", meint ein Gemeindevorsteher dazu.

Bei manchen beginnt der Bruch mit der Gemeinde im Jugendalter, wenn sie ihren Eltern nicht mehr gehorchen und den Gottesdiensten fernbleiben. Wenn es soweit ist, so trifft man gelegentlich die Einstellung an, „sich für verlorene Jahre entschädigen zu wollen“. Einzelne können in seelische Nöte geraten, während die Mehrzahl derer, die diesen Schritt tun, sich dafür als gut gerüstet erweist. In den Gesprächen, die ich bei der Entstehung dieses Buches mit Personen führte, die die Gemeinde verlassen haben, äußerten nur einige wenige, dadurch in eine Krise oder in Schwierigkeiten geraten zu sein.

„Ich war in einer Versammlung im Ausland und wurde dort gefragt, ob alle meine Kinder sich zur Gemeinde hielten. Nein, der größere Teil meiner

Kinder ist nicht dabei, mußte ich einräumen. Halleluja, riefen einige daraufhin. Sie freuten sich geradezu darüber, daß wir nicht so perfekt sind und nicht alles so ist, wie wir es uns gern wünschen würden." (Ein Gemeindeältester)

„Meine Kindheit in der Gemeinde war eigentlich wunderschön, und ich habe ausschließlich gute Erinnerungen an die Zeit daheim und in Brunstad. Jetzt bin ich seit einigen Jahren außerhalb der Gemeinde, doch habe ich weiterhin ein gutes Verhältnis zu meinen Eltern und Geschwistern. Ich spüre, daß ich jederzeit wieder kommen dürfte." (Frau, etwa 30 Jahre alt)

„Früher hatten wir einen gewissen Anteil an gesetzlichen (formalchristlichen) Brüdern. Sie hatten das typische ‚fromme' Äußere und waren ungemein auf feste Formen und Regeln erpicht. Alles sollte sich in einem engen Rahmen abspielen, und wenn nur alles gut aussah, so waren sie zufrieden. Ein Gemeindeältester, der zum Glück inzwischen die Gemeinde verlassen hat, hätte es am liebsten gesehen, wenn man Stacheldraht um das Gelände von Brunstad gespannt hätte. Wachtposten mit Taschenlampen hätten dann Jugendliche, die händchenhaltend im Dunkeln ertappt worden wären, beim Schlafittchen packen und arrestieren sollen. Von dieser Sorte Brüder gab es tatsächlich einige, doch glücklicherweise sind sie immer weniger geworden." (Mann in den Dreißigern)

Ein volles Dutzend?

Unter den Freunden gibt es viele kinderreiche Familien. Sie springen unmittelbar ins Auge, während Familien mit wenigen Kindern kaum auffallen. Es ist indessen nicht so, wie manche glauben machen, die Kinderzahl solle möglichst der Anzahl von Jesu Jüngern entsprechen, nämlich zwölf. Die Spannbreite ist größer als vermutet, sie liegt zwischen 0 und 18 Kindern. In Norwegen liegt die Kinderzahl weit über dem Landesdurchschnitt; international beläuft sich die Kinderzahl pro Gemeindefamilie auf 5,6 (errechnet auf einer Basis von 4000 Familien).

Ob die Entwicklung überall ähnlich verlaufen wird wie in Norwegen, vermag derzeit niemand mit Sicherheit vorauszusagen; daß aber die Anzahl der Großfamilien zunehmen wird, darf angenommen werden. Dort, wo die Gemeinde außerhalb Norwegens gegenwärtig am stärksten wächst, erhält sie indessen Zuwachs von vielen nicht mehr jungen Familien, deren Kinderzahl in Abhängigkeit von der jeweiligen Herkunft sehr verschieden ist. Mancherorts sind zwei bis fünf Kinder normal, mehr aber nicht.

Auch hinsichtlich der Kinderzahl hört man gelegentlich die Freiheitslosung: „Nimm so viele Kinder an, wie du Glauben hast." Allerdings war die Verkündigung in der Gemeinde seit Aslaksens Tagen auf diesem Gebiet eindeutig. Ihr zufolge ist es die große Aufgabe der Frau, Kinder zu gebären und ihnen eine christliche Erziehung angedeihen zu lassen. Elias Aslaksen ermahnte die Frauen und schrieb folgendes:

„Und du Ehefrau, nimm deine Aufgabe ernst! Sei still und sanftmütig, voll Anmut und Güte, ergeben und untertan. Bringe Kinder zur Welt! Dazu bist du berufen. Familienplanung ist ein unheilvolles Kapitel in unserer Zeit. So etwas ist völlig unbiblisch, entstanden aus Unglauben, Selbstliebe und Furcht vor Leiden und Mühen, weil man genießen will, anstatt zu geben. Hier wie überall sonst ist das Schriftwort eindeutig und klar: ‚Seid fruchtbar und mehret euch!' ‚Siehe, Kinder sind eine Gabe des Herrn, und Leibesfrucht ist ein Geschenk ... Wohl dem, der seinen Köcher mit ihnen gefüllt hat!' ‚Dein Weib wird sein wie ein fruchtbarer Weinstock drinnen in deinem Hause.' Das ist deutliche Rede! Gelobt sei Gott!

Und die apostolische Rede im Neuen Bund lautet nicht minder klar: ‚Sie wird aber selig werden dadurch, daß (nicht: ohne daß) sie Kinder zur Welt bringt'. ‚So will ich nun, daß die jüngeren Witwen heiraten, Kinder zur Welt bringen, den Haushalt führen ...' Und selbstverständlich findet sich nicht ein einziges Wort in umgekehrter Richtung, das also für Familienplanung spräche."

Aus diesem Verständnis heraus praktizieren die Freunde in aller Regel keine Empfängnisverhütung und heißen alle Kinder willkommen, die sich einstellen. Eine große Kinderzahl wird als ein Zeichen der Frömmigkeit, insbesondere von seiten der Frau, angesehen, und die meisten empfinden es als eine Freude, viele Kinder zu haben.

Doch keine Regel ohne Ausnahme; eine Reihe von Gründen kann die Kinderzahl begrenzen. Vielleicht sind nicht beide Eheleute in der Gemeinde, es kann Krankheit vorliegen, oder die beiden sind, was dies betrifft, schlichtweg anderer Ansicht.

„Es liegt uns gänzlich fern, die Leute in irgendeiner Weise über ihr Intimleben aushorchen zu wollen. Es gibt Fälle, in denen besonders einfühlsames, mitmenschliches Verständnis gefordert ist. Wir haben nicht das Recht dazu, anderen etwas aufzuerlegen, das ist die Sache Gottes und ihres eigenen Gewissens. Wir verkündigen die Schrift, so wie sie für uns geoffenbart worden ist, und dann muß jeder selbst wählen, was er tut." (Kåre J. Smith)

Empfängnisverhütung kommt vor. Auch Sterilisationen kommen vor. Beides nur ganz vereinzelt, aber jedenfalls kommt es vor.

Was andere so meinen ...

„Acht Jahre lang Außenminister eines Landes zu sein, ist anstrengend, doch es gibt gelegentliche Lichtblicke. Ein solcher Lichtblick war für uns, auf Sigurd Bratlie zu stoßen und diese Gemeinde kennenlernen zu können." (Knut Frydenlund, norwegischer Außenminister während der Gefangenschaft von Sigurd Bratlie in Bagdad, in einer Ansprache in Brunstad)

„Eine Frau aus dieser Versammlung dazu zu bewegen, ihr Haar abzuschneiden, dürfte wohl genauso schwer sein wie seinerzeit die Verkündigung des Evangeliums im alten Rom." (Svein E. Dittmann, Psychiater, in einem Aufsatz für die Zeitung „Tønsbergs Blad")

„Jahrelang besuchte ich regelmäßig die Gottesdienste, daneben ging ich auch in die Kirche. Nach etwa drei oder vier Jahren identifizierte ich mich mit der Gemeinde und trat aus der Staatskirche aus. In den Jahren, in denen ich mich äußerlich von den übrigen Frauen unterschied, hat nie jemand eine Bemerkung darüber verloren." (Toril Veierland in einem Leserbrief an die obige Zeitung)

„Ich habe die Weihnachtsfeier der Gemeinde in Oslo besucht. Was mich beeindruckt hat, war die Wärme, der Freimut, die Gemeinschaft und Einheit, die ich gespürt habe. Diese Gemeinschaft und Einheit, die Sie haben, ist Reichtum und Kraftquelle zugleich für jedes Gemeinwesen, nicht zuletzt in unserer Zeit, in der so viel an das Ego appelliert und Zwietracht gesät wird, in der es so verbreitet ist, sich Vorteile auf Kosten anderer zu verschaffen. Ich möchte Ihnen für die Gemeinschaft und Einheit danken, die Sie als wertvolle Bereicherung in unsere Gesellschaft einbringen." (Thorvald Stoltenberg, früherer norwegischer Verteidigungs- und späterer Außenminister, in jüngster Zeit UNO-Friedensvermittler im ehemaligen Jugoslawien. Während des Gefängnisaufenthaltes von Sigurd Bratlie in Bagdad war er Staatssekretär im Außenministerium. Aus einer Ansprache in Brunstad)

„In der Tagespresse ist ein dermaßen verzerrtes Bild von dieser Gemeinde gezeichnet worden, daß es geboten erscheint, einige orientierende Worte über diese spezielle Gemeinde zu sagen. Ich habe die Freude, zwei Mitglieder der Gemeinde persönlich zu kennen, und wage zu sagen, daß sie sich durch ein hohes Maß an Frömmigkeit auszeichen, sofern man dieses Wort einmal gebrauchen darf. Ihr Lebenswandel bewegt sich auf außerordentlich hohem moralischen Niveau, was wiederum mit ihrer theologischen Auffassung zusammenhängt." (Rechtsanwalt E. H. Eriksen in einem Beitrag für die größte norwegische Zeitung, "Aftenposten")

„Sie, die hier versammelt sind, sind entschlossen, in den Spuren der Bibel zu gehen und sie als Richtschnur zu betrachten; und ich muß sagen, daß die Bergpredigt auch der Leitfaden für die Politiker und Staatsmänner unserer Tage sein sollte. Dies sind Werte, denen auch Staatsmänner folgen sollten." (Knut Frydenlund, seinerzeit norwegischer Außenminister während des Gefängnisaufenthaltes von Sigurd Bratlie in Bagdad, in einer Ansprache in Brunstad)

„Ein Spaziergang zur Festungsanlage oberhalb Hortens sollte unbedingt auf Ihrem Programm stehen. Dort stellen Sie fest, daß es in dieser Stadt nur zwei Kirchen mit hohen Türmen gibt: die Garnisonkirche am ehemaligen Marinestützpunkt Karljohansvern und die Methodistenkirche in der Stadtmitte. Erstere wurde 1855 im charakteristischen gotischen Stil erbaut, das Kirchenschiff wurde 1925 vom Maler Harald Kihle neu gestaltet. Die architektonisch sehenswerte, gut erhaltene Kirche am Markt ist etwas jünger (1875). In Horten gibt es mehrere Glaubensgemeinschaften und christliche Gemeinden. Auch eine weltweit tätige Freikirche, die ‚Norwegische Bewegung', wurde in Horten (in erster Linie von Angehörigen der Marine) gegründet." (Aus der offiziellen deutschen Fassung der Touristenbroschüre für den Verwaltungsverband Borre, dem auch Horten zugehört)

„‚Smiths Freunde' bilden eine der kleinsten Sekten in Norwegen; sie leben sozial gesehen ziemlich abgeschieden und pflegen wenig Verbindung mit anderen Kreisen. Die überwiegende Mehrzahl der norwegischen Bevölkerung kann wohl nichts mit dem Namen dieser Sekte anfangen, und der Rest würde sagen: ‚Ach ja, das sind doch die Leute, die so ungeheuer viele Kinder haben und immer so altmodisch gekleidet sind.' Dennoch sind sie als überaus ehrliche, überaus fleißige und äußerst sparsame Menschen bekannt. Sie werden wohl keine Probleme aufwerfen." (Per Lönning, damaliger Bischof, in einem Brief an einen Österreicher. Dieser Brief wurde vervielfältigt und an Medien und Einzelpersonen international verschickt.)

„‚Smiths Freunde' bilden - nach der Staatskirche - die zahlenmäßig größte Glaubensgemeinschaft auf Stord. Diese Gemeinschaft vertritt klare Standpunkte hinsichtlich Lehre und Lebenswandel ... Die Freunde sind bestrebt, so rechtschaffen wie möglich zu leben, unter ihresgleichen und unter Außenstehenden. Daher gibt es kaum jemanden, der etwas Negatives über ihre Anhänger vorbringen kann. ... Vielmehr könnten vielleicht alle Christen von den Freunden etwas lernen, nämlich wie wichtig es ist, ein Leben voll Liebe und Güte zu Gott und den Nächsten zu führen, anstatt sich die Sache leicht zu machen und sich damit zu trösten, daß Gott auch diesmal wieder vergeben wird." (Theologe Elling Siqveland, Dozent am Lehrerseminar Stord/Westnorwegen)

„Nach außen tritt die Gemeinde nur wenig in Erscheinung, jedoch weisen die Familien große Kinderzahlen auf. Diese Form der ‚biologischen Mission' sorgt für eine große Mitgliederstärke. Die Gemeinde pflegt kaum Kontakt mit ihrer Umwelt. In einem derart geschlossenen System besteht ein Nährboden für die Herrschaft einer autoritären Führungsriege, die durch systematische Einflußnahme auf die heranwachsenden Kinder ihren eigenen Auffassungen zum Ziel verhelfen will. Die Welt dieser Jugendlichen teilt sich auf in ein ‚wir' und ein ‚die' (da draußen), wobei die Impulse von außen meist als verachtenswert gelten. Tatsächlich ist viel vom Elend unserer Welt bei ‚Smiths Freunden' nicht zu finden. Sie tauchen in Kriminalitäts- oder Scheidungsstatistiken sozusagen nicht auf. Die große Not unserer Zeit, nämlich Einsamkeit und Isolation, dürfte wohl ebenfalls kein wesentliches Problem in Brunstad darstellen. Dies gilt, wohlgemerkt, solange man nicht ‚opponiert'." (Svein E. Dittmann, Psychiater, in einem Bericht der Zeitung „Tønsbergs Blad")

„Aufgrund ihrer religiösen Überzeug leben die ‚Freunde' in gewisser Weise doch in einer ‚anderen Welt'. Sie neigen zu einer gewissen Scheu gegenüber der materiellen Kultur, von der sie umgeben sind. Ihr Interesse für Politik hält sich mitunter in Grenzen. Dabei sind sie jedoch keineswegs weltfremd, sondern gehen ihrer Arbeit nach, haben Familien und pflegen auch persönliche Verbindungen zu Personen außerhalb ihrer Gruppe. Sie leben weder isoliert noch in Opposition zur übrigen Gesellschaft. Sie sind gesetzestreu und gewissenhaft und einem positiven und moralischen Leben verpflichtet." (Dr. phil. Lowell D. Streiker; Auszug aus einem juristischen Gutachten)

„‚Smiths Freunde' zählen wohl zu den besten Christen, die es überhaupt gibt. Das einzige Negative an ihnen ist, daß sie sich so abkapseln." (Alf Walaas, norwegische Methodistenkirche)

„Wie keine andere Bewegung sind sie überzeugt, daß ein Christ durch Gottes Kraft und mit Jesus als Vorbild so weit in der Heiligung kommen kann, daß er nicht mehr bewußt sündigt. Es wird klar zwischen bewußter und unbewußter Sünde unterschieden. Wir alle begehen unbewußte Sünden, doch laden wir damit keine Schuld vor Gott auf uns. Die Erbsünde ist ja auch nichts Schuldhaftes; niemand kann für etwas zur Rechenschaft gezogen werden, das er gar nicht getan hat. Dieser Unterschied zwischen bewußter und unbewußter Sünde ist auch ein wichtiger Schlüssel, um die zahlreichen scheinbaren Widersprüche in der Bibel hinsichtlich der Sünde zu entkräften." (Theologe Elling Siqveland, Dozent am Lehrerseminar Stord. Siqveland hat mehrere Abhandlungen über verschiedene Glaubensgemeinschaften für den studentischen Unterricht verfaßt)

„Er war ein guter Mann. Noch näher kann man Jesus wohl nicht kommen." (Rolv Wesenlund, Schauspieler, über einen der Freunde, an den er sich gut aus seinen Kindertagen erinnerte)

Anläßlich eines Kinderfestes gab in Waltrop/Westfalen sogar eine eigene Blaskapelle den Ton an.

In Ungarn erfreut sich die Gemeinde eines stetigen Wachstums. Hier bei einer Ausflugsfahrt.

Die Gemeinde breitet sich weltweit aus. Zuwachs gibt es sowohl in Afrika als auch in Südamerika (Im Bild unten wird eine Konferenz in einem Schafstall abgehalten).

Die Freunde spiegeln hinsichtlich Ausbildung und Beruf einen repräsentativen Bevölkerungsquerschnitt wider. Hier ein Sattler, eine Näherin und eine Ingenieurin.

Während eines Gottesdienstes - Puppenmama und „Baby“ sind eingenickt.

Ansprachen und persönliche Beiträge werden in zahlreiche Sprachen übersetzt. Die Übertragung geschieht drahtlos, so daß der Hörer nicht in seiner Bewegungsfreiheit eingeschränkt ist.

Große Jugendscharen sind für die Gemeinde kennzeichnend. Hier in Bergen/Westnorwegen.

In den Gemeindehäusern ist überall für Mütter mit Kindern vorgesorgt. U. a. sind auch spezielle Räumlichkeiten für sie vorhanden. Hier in Sarpsborg (Bezirk Östfold).

Ausflüge, Sport und Gemütlichkeit sind Ausdruck des Gemeinschaftslebens der Freunde. Schon von Kindesbeinen auf werde enge und herzliche Kontakte gepflegt.

Die Taufe geschieht durch Untertauchen. Hier in Brunstad und in Kamerun.

Der norwegische Nationalfeiertag am 17. Mai wird im ganzen Land festlich-ausgelassen begangen. Auch ein Kindergeburtstag bietet altersgemäß eine willkommene Gelegenheit zum Feiern in allen Variationen.

Bei den Kinderkonferenzen darf ein Umzug nicht fehlen. Sonst gibt es jede Menge Spiele, Spaß - und Ernst.

Das Weihnachtsfest wird in der jeweils landestypischen Tradition mit Weihnachtsbaum und Geschenken begangen. Hier in Norwegen.

Hochzeiten in der Gemeinde haben ein festliches Gepräge

Abiturfeier in Norwegen: ein Fest für die jungen Freunde wie für die anderen.

Gemeinsames Würstchengrillen gehört oft zu den Höhepunkten eines Ausflugs.

In Norwegen wird die Sommersonnenwende traditionell mit einem großen Feuer begangen.

Spaß und Spiel kommt bei den Kinderkonferenzen neben der Verkündigung nicht zu kurz.

Jugendliche beim „Springen“ mit Langlaufskiern über selbstgebaute kleine Schneehügel. Die meisten Mädchen tragen beim Langlauf Röcke. - Skispringen ist den norwegischen Freunden beinahe schon geläufig. Sigurd Bratlie war in seiner Jugend ein beherzter und hervorragender Skispringer und sprang auch in späteren Jahren noch gern von Schanzen.

Gemeinschaftliche Arbeitseinsätze haben eine lange Tradition.

Das erste Gemeindehaus: Das Gebäude in Horten im Jahre 1995.

Vom „Holzeinschlag am Jordan" schrieb Johan O. Smith 1922. Das Holz kam dem erste Gemeindehaus zugute.

Brunstad 1995

Das Konferenzzentrum Hessenhöfe in Blaubeuren/Württemberg

Das Konferenzzentrum Victory im Staate New York, USA

Das Konferenzzentrum Long Point Camp in Australien

Außenminister Knut Frydenlund und Verteidigungsminister Thorvald Stoltenberg während eines Besuchs in Brunstad im Jahre 1985. Ihre Bekanntschaft mit der Gemeinde geht auf den Gefängnisaufenthalt von Sigurd Bratlie in Bagdad zurück.

Die Landrätin („Fylkesmann") des Bezirks Vestfold, Mona Rökke, zu Besuch in Brunstad.

Der Weg ist weit vom „Lökenstölen" im norwegischen Hallingdal, wo Brüdertreffen mit bis zu 50 Teilnehmern stattfinden, bis zum Konferenzzentrum in Israel.

Die Gemeinde wächst, und fast überall ist eine lebhafte Bautätigkeit im Gange. Oben ein Neubau im Konferenzzentrum Hessenhöfe, unten ein Blick auf das reizvoll gelegene Konferenzanwesen in der Nähe von Budapest/Ungarn.

Brunstad, im Sommer 1995. Freunde aus allen Teilen der Welt stellen sich zum Pressefoto für die Zeitung „Aftenposten" auf.

Torsteinslåtta - ein ehemaliger Bauernhof, wo viele Brüdertreffen stattfinden. Oben ein Gruppenbild von einer Jungscharfreizeit, unten ein Schnappschuß während eines Arbeitseinsatzes.

Der Geist ist der gleiche, sei es in Victory/USA oder in Brunstad.

Wenn die Freunde unterwegs sind, kommen oft Omnibusse zum Einsatz. Dann kann man während der Fahrt Versammlungen abhalten (hier in Frankreich).

Der Weihnachtsmann zu Besuch bei Freunden in Hongkong.

Insbesondere in Erweckungszeiten wird gemeinschaftlich in sog. Gebetskreisen gebetet.

Während einer Afrikareise im Jahre 1975.

Viele der Freunde sind tatkräftige und erfolgreiche Menschen, die neue Arbeitsplätze schaffen. Hier eine Lachsfarm in Westnorwegen.

Viel Arbeit verbirgt sich hinter dem Namen „Skjulte-Skatter-Verlag". Hier werden Tonbandkassetten für den Versand verpackt. Ihre Zahl geht in die Zehntausende.

Nicht oft sieht man die Freunde Straßenmission treiben, aber doch bisweilen: „Werde ein Jünger Jesu!"

Auf einem Segeltörn in Harstad / Nordnorwegen.

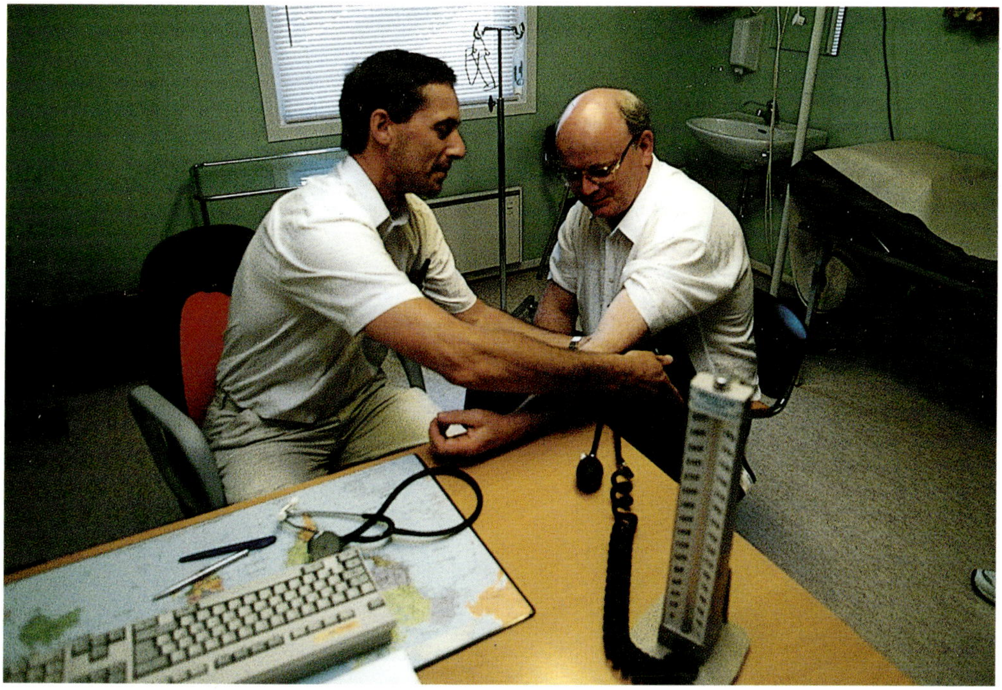

In Brunstad steht während der Konferenzen ein notärztlicher Bereitschaftsdienst in einer speziell dafür eingerichteten Behandlungseinheit zur Verfügung - kaum verwunderlich, wenn bis zu 8 000 Menschen zusammen sind.

Die Übersetzeranlage in Brunstad ist beeindruckend. Gleichzeitig wird in bis zu 15 Sprachen simultan übersetzt. Auch in anderen Konferenzzentren wie z. B. Hessenhöfe und sogar in einigen Ortsgemeinden gibt es solche Übersetzeranlagen.

Kinderreiche Familien sind ein Charakteristikum für Smiths Freunde. Die Bandbreite ist allerdings groß; sie reicht von null bis zu 18 Kindern. Die Durchschnittszahl beläuft sich auf 5,6 Kinder pro Familie.

Die Ehe

Unter Jugendlichen, die in der Gemeinde aufwachsen, kommt ein Zusammenleben vor der Ehe - auch während der Verlobungszeit - vermutlich so gut wie nie vor. Gespräche mit Jugendlichen zeigen allerdings, daß sie über die körperlichen Aspekte des Liebeslebens ebensogut Bescheid wissen wie ihre ungläubigen Altersgenossen. Es ist indes auffallend, welch hohen Wert sie - neben dem Glauben - einem guten Zusammenleben beimessen, auch in sexueller Hinsicht. Eine erfüllte eheliche Gemeinschaft gilt ihnen als zentrale Voraussetzung für eine dauerhafte Beziehung. Solche Aussagen hört man nicht nur von jungen oder neuverheirateten Menschen, sondern auch von älteren in Ehren gehaltenen Brüdern und Schwestern. Sowohl Sigurd Bratlie als auch Aksel J. Smith haben dies früher schon immer betont, dasselbe tut auch Kåre J. Smith, einer der jetzigen Leiter. Aus Gesprächen mit Männern in der Gemeinde geht deutlich hervor, daß „Liebe und Zärtlichkeit zur Frau, ein gutes eheliches Miteinander sowie ein vorbildlicher Lebenswandel gegenüber den Kindern und anderen Menschen“ beinahe als Bestandteil der Lehre angesehen werden. Bei Gesprächen mit Frauen klingt das gleiche durch, wobei zusätzlich als vorrangig bezeichnet wird, daß man es als Frau dem Mann zeitlich ermöglicht, „unter seinen Brüdern zu sein, denn dadurch wird die Ehe noch besser.“ Die Freunde finden ihre Ehepartner sowohl innerhalb als auch außerhalb der Gemeinde. Die Anzahl der Ehen, die innerhalb der Gemeinde geschlossen wurden, überwiegt jedoch bei weitem.

Drei Ehepaare (die im Verlauf der letzten beiden Jahre geheiratet haben) betonen fast gleichlautend, wie wichtig es ist, „ein inniges Verhältnis zueinander zu haben“. Sie reden genauso offen über sexuelle Fragen wie jeder andere, nicht nur mit dem Interviewer, sondern auch untereinander; auch über Sex vor der Ehe.

„Ich war beinahe etwas überrascht, wie offen verheiratete Schwestern über solche Dinge sprachen. Hierin unterscheiden wir uns nicht wesentlich von Frauen außerhalb der Gemeinde. Wir verwenden ja auch die Verlobungszeit dazu, um einander besser kennenzulernen, doch mit dem letzten Schritt warten wir, bis wir verheiratet sind.“ (Eine Mittzwanzigerin)

„Über Dinge, die hinter der Schlafzimmertür vor sich gehen, sprechen wir nicht, solange wir ledig und ungebunden sind. In dem Moment aber, wo man sich verlobt, öffnet sich eine neue Welt. In einer Gemeinschaft wie der unsrigen kann man sowieso nicht leben, ohne daß man auch in diesen Dingen aufgeklärt wird. Und die meisten von uns haben zu Hause gute und liebevolle Vorbilder gehabt.“ (Ein Dreißigjähriger)

Die Familie ist ein wichtiges Fundament für die gesamte Gemeinde, darum gibt jede neue Eheschließung Anlaß zu einem würdigen Fest. Die weitaus meisten heiraten zuerst standesamtlich, dann folgt gewöhnlich eine Familienfeier im engeren Rahmen und schließlich ein Gemeindefest, meist im Gemeindesaal. In Norwegen, wo Kirche und Staat nicht getrennt sind und neben der Ziviltrauung als gleichberechtigte Alternative auch die kirchliche Eheschließung zugelassen ist, bevorzugen einige Paare die letztere Möglichkeit. Es gibt hier keine feste Regel oder Vorschrift. Da die Freunde indessen nicht der Kirche angehören, ist es für sie auch in Norwegen das Nächstliegende, standesamtlich zu heiraten. (Die Gemeinde in Norwegen könnte ebenfalls eine Trauungsbefugnis bekommen, dazu müßte sie sich aber organisieren und sich einen Namen geben.)

Hochzeit

Das Hochzeitsfest in der Gemeinde ist jedesmal etwas Besonderes. Immer gibt es reichlich zu essen. Oftmals steuert jede einzelne Familie Kuchen oder etwas anderes bei, es sei denn, daß das Essen an Ort und Stelle zubereitet oder auch anderweitig beschafft wird. Das Fest ist ausgefüllt mit Ansprachen, Segenswünschen und Ermahnungen; Familien, Freunde und das Brautpaar kommen zu Wort; Lieder aus dem Gemeindeliederbuch erklingen, unter anderem solche, die speziell für diese Anlässe verfaßt worden sind. Das Ganze dauert in der Regel mehrere Stunden, wie es überhaupt bei den Freunden Brauch ist, wenn sie feiern.

Im Tenor laufen die Ansprachen darauf hinaus, daß eine Gemeindeehe als etwas besonders Herrliches hervorgehoben wird. Die meisten räumen selbstverständlich ein, daß es auch viele gute Ehen außerhalb der Gemeinde gibt - „in der Welt“, wie sie es nennen -, doch glauben sie, daß die Ehe durch Gottesfurcht und den Segen der Gemeinde noch hinzugewinnt.

Eine Witwe berichtet von ihrem Mann, der Direktor in einem großen internationalen Unternehmen war. Obwohl er nie der Gemeinde angehörte, warf dies keinerlei Probleme auf, weder für ihn noch für sie; auch dann nicht, wenn die Frau von Glaubensfreunden Besuch bekam. Aufgrund seiner Stellung hatte der Mann eine Reihe von Repräsentationsaufgaben wahrzunehmen, bei denen sie ihm selbstverständlich als Gastgeberin zur Seite stand. Zwar legte sie persönlich keinen allzu großen Wert darauf. Aber da die beiden einander in bezug auf die Gemeinde völlige Freiheit ließen, war es für sie nicht schwierig, sich im praktischen Leben aufeinander einzustellen. „Ich kann guten Gewissens behaupten, daß wir eine gute Ehe und ein erfülltes Familienleben hatten.“ Das konnten auch die Kinder bestätigen.

Von insgesamt 88 befragten Ehepaaren betonen 77, daß sie eine gute Ehe und ein inhaltsreiches Leben innerhalb der Gemeinde führen.

Bei drei weiteren Paaren wurde die Ehe geschieden, wobei jeweils ein Partner die Gemeinde verließ und ihr auch die Schuld am Scheitern seiner Ehe und Familie zuschob.

Bei zwei Ehepaaren befindet sich nur ein Ehepartner innerhalb der Gemeinde. Nach Aussage der Eheleute schafft das überhaupt keine Probleme, obwohl der Partner, der in der Gemeinde ist, den anderen auch gern dort sehen würde.

Sechs von den 88 Paaren haben die Gemeinde innerhalb der letzten vier Jahre verlassen, führen aber weiterhin ein gutes Eheleben. Ein Verbleiben in der Gemeinde war ihnen schwierig erschienen, nachdem die große Erweckung 1991 ausgebrochen war. Dies begründeten sie aber mit angeblich untragbaren Verhältnissen in der Gemeinde, mit ihrer Ehe hatte das nichts zu tun.

Scheidungen gibt es äußerst, äußerst selten, kommen aber vor. Indessen gilt man nach einer Scheidung in der Gemeinde nicht als völlig frei; solange der geschiedene Ehepartner lebt, soll man nicht wieder heiraten. Aber ganz vereinzelt ist das schon vorgekommen; insbesondere stoßen gelegentlich solche Paare oder auch einzelne wiederverheiratete Personen von außen zur Gemeinde. Sie dürfen die Gottesdienste besuchen, ihre Lebensgestaltung wird als eine Sache zwischen ihnen und Gott angesehen. Allerdings werden sie ermahnt, und sie dürfen keine verantwortliche Funktion in der Gemeinde wahrnehmen; dazu benötigten sie ja das Vertrauen der anderen und müßten selbst als gutes Vorbild gelten. Im Prinzip leben Wiederverheiratete in einer ungültigen Ehe, solange der erste Ehepartner noch lebt.

„Wir sind eine offene Gemeinde und wollen die Menschen nicht daran hindern, zu uns zu kommen. Nicht wir sollen die Menschen richten, sondern Gott. Aber wir verurteilen die Sünde, die darin besteht, sich scheiden zu lassen und wieder zu heiraten, solange dies nicht im Einklang mit Gottes Wort steht." (Kåre J. Smith zum Verfasser 1995)

Harmonie zwischen Mann und Frau

Smiths Freunde sind eine Gemeinde mit auffallend wenig Geboten und Regeln. Der Geist und nicht der Buchstabe ist maßgebend. Der einzelne soll tun und lassen können, wozu er Glauben und Einsicht hat. Mitten in all dieser Freiheit findet man jedoch eine Sammlung von Ratschlägen in bezug auf Verlobung, Ehe und Scheidung, die von Elias Aslaksen niedergeschrieben wurden. Diese behandeln die Thematik vom biblischen Standpunkt aus und bilden die Grundlage für das Verständnis in der Gemeinde:

„Auf diesem Gebiet herrscht unter den Gläubigen weitgehend eine tiefe Finsternis. Ja, es hat sich sogar eine derartige Begriffsverwirrung breitgemacht, daß manche in der Befürchtung leben, der eheliche Verkehr sei etwas mehr oder weniger Unreines und Gemeines; ja, einige sind sich sogar dessen sicher, ganz im Widerspruch zu Gottes Wort!

Hier übertritt man z. B. das Wort: ‚Die Ehe werde von allen in Ehren gehalten, und das Ehebett sei unbefleckt.' Dieses Wort so aufzufassen, daß das Ehebett durch den Verkehr der Eheleute befleckt würde, ist ja geradezu aberwitzig. Das Ehebett wird selbstredend nur dann befleckt, wenn Fremde hineinkommen.

Noch weit verführerischer ist aber die Behauptung, der man oft begegnet, daß der eheliche Verkehr nur erlaubt sei, um ein Kind zu zeugen, sonst nicht.

Sowohl dem Geist und Sinn als auch dem Buchstaben nach steht dies in krassem Widerspruch zu dem, was der überaus weise und treue Apostel Paulus schreibt. Demzufolge ist ja das eheliche Leben eine Hilfe, um sich auf dem geschlechtlichen Gebiet rein zu bewahren. Also ist das eheliche Zusammenleben in sich selbst rein.

Sollte man seine eheliche Schuldigkeit nur ausnahmsweise erfüllen, dann wäre es um ein Vielfaches schwieriger, verheiratet zu sein, als ledig zu bleiben! Dann müßte die Ermahnung so lauten: ‚Das beste, was ihr tun könnt, um in Reinheit und Keuschheit bewahrt zu bleiben, ist, unter keinen Umständen zu heiraten.'

Die detaillierte Unterweisung des Apostels Paulus über das eheliche Leben ist ganz einzigartig - schnörkellos, glasklar und unmißverständlich. Es gibt diesbezüglich überhaupt keine Entschuldigung für Mißverständnisse und Fehlverhalten.

Viele Ehen sind unglücklich geworden, ja sogar in die Brüche gegangen, weil man sich nicht an diese Lebensgesetze gehalten hat. Stattdessen ist man in Hurerei oder andere Unreinigkeit gefallen oder trägt Schuld daran, daß es dem Ehepartner so ergangen ist. Man hat keinerlei Garantie dafür, daß sich der andere rein bewahren kann.

Es steht auf jeden Fall mit göttlicher Sicherheit fest, daß der eheliche Verkehr in sich selbst heilig und rein ist. Gott selbst hat uns ja so erschaffen, er hat es so gewollt und bestimmt."

Scheidungen kommen vor

Scheidungen kommen vor, allerdings sehr selten und nur in Ausnahmefällen. In der Gemeinde hält man sich an das, was die Bibel über die Zulässigkeit von Scheidungen sagt, erweist aber den Betroffenen großes Mitgefühl und Verständnis. Hat das Ehepaar Kinder, so denkt man zuallererst an deren Wohlergehen. Meistens werden leitende Brüder zu Rate gezogen. Diese erteilen ihre Ratschläge, betonen aber, daß die Eheleute selbst die Entscheidungen fällen müssen. Stellt sich z. B. die Frage, bei wem die Kinder nach der Scheidung leben sollen, so denkt man zuallererst an deren

Wohlergehen und weniger daran, sie möglichst „in der Gemeinde zu behalten".

Bei Ehepartnern, die sich beide am Gemeindeleben beteiligen, gibt es so gut wie keine Scheidungen. Zu einer Trennung kann es kommen, wenn einer die Gemeinde verläßt und der andere bleiben will. Dabei können vertrackte Situationen entstehen, wenn derjenige, der aus der Gemeinde gegangen ist, aufs neue heiratet, sich dann wiederum scheiden läßt und schließlich in die Gemeinde zurückkehrt. Im Prinzip gilt er ja weiterhin als mit dem ersten Ehepartner verheiratet, und es ist ganz natürlich, daß er sich wieder mit seinem ersten Ehepartner verbindet.

In der oben genannten Broschüre „Verlobung, Ehe, Scheidung" schreibt Aslaksen wie folgt:

„Scheidung ist im neuen Bund nur aus einem einzigen Grund erlaubt; und auch dann nur unter der Bedingung, daß man, solange der geschiedene Ehegatte lebt, nicht wieder heiratet. Nur bei Untreue des Partners ist es zulässig, sich scheiden zu lassen. Nach Jesu Wort kann der eine Ehepartner sich zur Scheidung entschließen, wenn der andere untreu ist und mit einem oder mehreren anderen zusammenlebt - aus keinem anderen Grund.

Wer geschieden ist, darf unter keinen Umständen wieder heiraten, solange sein geschiedener Ehepartner lebt. Richtig verstanden ist er nämlich weiterhin mein Ehepartner, mit dem ich nur nicht zusammenlebe - wozu ich mich wegen seiner Untreue entschlossen habe. Heiratet man dann doch jemand anders, dann hat man eigentlich zwei Ehegatten: einen, mit dem man nicht zusammenlebt und einen, mit dem man zusammenlebt. Und ebendas ist nach Gottes Wort streng verboten.

Dies steht nämlich in aller Deutlichkeit geschrieben. Hier gibt es kein Schlupfloch, keine Entschuldigung für ein Mißverständnis oder ein Fehlverhalten.

In jedem Fall ist es lebensnotwendig, einen klaren, entschiedenen, unerschütterlichen biblischen Standpunkt einzunehmen.

Ist mein Ehepartner nicht untreu, habe ich treu bei ihm zu bleiben. Habe ich mich der Untreue meines Partners wegen zur Scheidung entschlossen, wozu ich dann ja volles Recht habe, muß ich ganz und gar damit einverstanden sein, niemand anders zu heiraten, solange mein geschiedener Ehepartner lebt (oder mich eventuell wieder mit meinem Ehepartner versöhnen).

Zu behaupten, daß Gott oder der Heilige Geist gesagt hätte, man solle Gottes Wort übertreten und jemand Geschiedenen heiraten bzw. sich als geschiedene Person anderweitig verheiraten, solange der geschiedene Ehepartner lebt - das ist eine verwerfliche Frechheit und Gotteslästerung! Dann wäre ja das Reich Gottes mit sich selbst uneins geworden.

Das Volk Gottes ist oft so weit davon entfernt, ihn zu fürchten und zu lieben, daß es sich einen Dreck darum schert, was die Schrift sagt oder auch nicht sagt, sondern man tut nach eigenem Gutdünken."

„Ehe ohne Trauschein"

Als Mann und Frau unverheiratet zusammenzuleben, wird als unvereinbar mit Gottes Wort angesehen, und darum wird auch nicht akzeptiert, daß z. B. Verlobte zusammen wohnen. Da sich auch viele Unbekehrte zur Gemeinde halten, gibt es natürlich solche Fälle, allerdings sehr wenige. Für Verlobte und Geschiedene, die wieder verheiratet sind, sowie für unehelich Zusammenlebende ist es während der Konferenzen nicht gestattet, im selben Raum, Zelt oder Wohnwagen zu nächtigen. In solchen Fällen müssen die beiden voneinander getrennt einquartiert werden.

Früher versammelten sich die Freunde in Oslo in einer Turnhalle („Idrettens Hus"). Dieses Bild - von einer Festveranstaltung - ist eines der wenigen Bilder, das von diesem Saal existiert.

Ein glücklicher Mann: Elias Aslaksen

Frauen in der Gemeinde

„Die Mütter bauen die Heime, und die Männer bauen die Gemeinde."

Im allgemeinen gibt es kaum Zweifel daran, daß die Frauen in der Gemeinde geachtet und geehrt werden. Gleichzeitig sind sich alle darüber im klaren, daß man menschliche Schwächen nicht nur außerhalb, sondern genauso auch innerhalb der Gemeinde findet. Den Freunden ist auch nicht unbekannt, daß ein christliches Umfeld Menschen mit unterschiedlichen, auch stark dominanten Charakterzügen anziehen kann.

„Auch unter uns trifft man Männer, die das in der Bibel skizzierte Unterordnungsverhältnis mißverstehen. Wir beziehen gegen jegliche Art von Geschlechterdiskriminierung klar Standpunkt. Sollte so etwas dennoch vorkommen, scheuen wir uns nicht, den Betreffenden zurechtzuweisen. Kein Mensch hat einen Machtanspruch über einen andern, das steht nur Gott zu."
(Kåre J. Smith)

In einer Gemeinde mit derart ausgeprägten Familienstrukturen, wie es Smiths Freunde sind, wird sich immer die Frage aufdrängen, ob nun die Frauen frei sind oder unterdrückt werden. Selbstverständlich kommt es darauf an, wie man diese Begriffe interpretiert, denn viele Menschen außerhalb der Gemeinde verstehen unter Freiheit etwas anderes als die Freunde. Wenn man den Status der Frau in der Gemeinde betrachtet, besteht auf jeden Fall kein Zweifel daran, daß ihre Rolle hoch geachtet wird. Das betrifft sowohl verheiratete als auch unverheiratete Frauen. Man müßte geradezu mit Taubheit geschlagen sein, wenn man dies nicht deutlich aus den Beiträgen in den Gottesdiensten heraushören würde. Dort, wo viele Kinder als Zeichen der Frömmigkeit gelten, können überhaupt keine Zweifel daran aufkommen, daß die Frauen in sehr hohem Ansehen stehen.

Viele Gespräche und Besuche in Familien ergaben den Eindruck, daß sich die Partnerverhältnisse zwischen Mann und Frau innerhalb oder außerhalb der Gemeinde letztendlich kaum unterscheiden. Rein geistlich gesehen sind die Familien mit dem Mann als „Haupt" der Familie „patriarchalisch" strukturiert, wie es in der Bibel vorgezeichnet ist. Dies wird oft mit dem Leben auf einem Schiff verglichen: Alle Besatzungsmitglieder haben ihre Pflichten, die Arbeit wird gemeinsam bewältigt, aber einer ist der Kapitän. Über das Geistliche hinaus scheint in den meisten Ehen der Freunde annähernd eine partnerschaftliche Gleichstellung zwischen Mann und Frau zu bestehen, genauso wie dies außerhalb der Gemeinde der Fall ist. So gesehen folgen die Freunde der allgemeinen Entwicklung der Gesellschaft.

Wohl gibt es vereinzelt Fälle, in denen die Frauen unterdrückt werden - ebenso wie auch in anderen gesellschaftlichen Gruppierungen. Seitens der Lehre der Gemeinde wird hingegen in keiner Weise akzeptiert, daß Frauen diskriminiert werden.

Mütter mit mehreren Kindern bleiben in der Regel Hausfrauen, doch gibt es unter den Freunden selbstverständlich auch Ehepaare, bei denen aus finanziellen Gründen beide Partner verdienen müssen. In bezug auf die Gemeinde schafft dies keinerlei Probleme - ganz im Gegenteil werden in solchen Fällen die Betreffenden in ihren Beschlüssen bestärkt. Solche Dinge haben mit der „Lehre" nichts zu tun. Jedem wird die Freiheit eingeräumt, sein Leben selbst zu gestalten. In einem Fall bekam ein junger Familienvater ein schlechtes Gewissen, weil er mit seinem Einkommen allein die Familie nicht mehr ernähren konnte. Ein befreiendes Gespräch mit dem Vorsteher seiner Heimatgemeinde führte dazu, daß nun beide berufstätig sind, ein Kindermädchen haben und sowohl in der Ehe als auch in der Gemeinde glücklich sind.

Wir alle haben eine Aufgabe

„Es ist Unsinn zu behaupten, daß wir Schwestern in der Gemeinde unterdrückt werden. Keineswegs wird das so unter uns gehandhabt. Wir haben alle unseren Platz und unsere Aufgabe in der Gemeinde, und niemand ist größer als der andere. Mutterschaft ist wohl fast ebenso wichtig wie Bruderschaft. Wir Schwestern haben in der Versammlung genau dieselbe Freiheit, Gottes Wort zu sagen und Zeugnis abzulegen, auch wenn wir uns nicht als geistliche Lehrer aufspielen. Außenstehende, die so von uns reden, als wären wir Schwestern Menschen zweiter Klasse, haben kaum etwas von einem Leben im Glauben an Jesus verstanden. Ganz im Gegenteil, wir sind freie Menschen, die aus freien Stücken ein bibeltreues Leben führen. Daß wir uns, geistlich gesprochen, dem Mann unterordnen, so wie die Schrift sagt, hat für das Alltagsleben keinerlei praktische Bedeutung. Ich glaube, daß jeder, der uns aus nächster Nähe betrachtet, feststellen muß, daß wir ein ganz normales Leben führen. Liebe, Fürsorge und Mitgefühl prägen unser Gemeinde- und Familienleben. Im biblischen Sinne untertan zu sein, hat nichts mit Unterdrückung oder Unterwerfung zu tun.

Es gibt einige, die uns Schwestern aufgrund unserer Aufgaben in der Gemeinde belächeln und uns 'Küchentanten' nennen. Es ist doch nichts Komisches daran, daß die Aufgaben verschieden sind. Vermutlich haben die Brüder bei Baueinsätzen und Außenarbeiten Härteres zu leisten als wir. Das würde gerade noch fehlen, daß wir uns die Arbeit nicht aufteilten. Allerdings praktizieren wir im Vergleich zu anderen wohl eine eher traditionelle Arbeitsteilung." (Eine Mittvierzigerin)

„Ich bin Einzelkind und habe Eltern im fortgeschrittenen Alter. Ich hätte sicher Grund gehabt, mich einsam zu fühlen, bin es aber nicht. Im Gegenteil, ich habe viele Freunde und bin 'Tante' vieler Kinder, obwohl ich keine richtige Tante bin. Die Gemeinde ist wie eine große Familie, der Unterschied zwischen geistlichen und leiblichen Geschwistern verschwindet beinahe.

Wenn Gott will, daß ich heirate, dann sorgt er schon für eine Gelegenheit. Doch finde ich auch nichts Negatives daran, unverheiratet zu bleiben. In der Gemeinde kann man auch als alleinstehende Frau ein inhaltsreiches und erfülltes Leben führen, und es fällt einem nicht schwer, glücklich und zufrieden in seinem Stand zu sein. Selbstverständlich habe auch ich Gefühle, Sehnsüchte und Wünsche, und es ist ja das Natürlichste von der Welt, als Ehepaar zusammenzuleben. Nur ist es bei mir bisher nicht dazu gekommen.

Was uns alle in der Bruderschaft verbindet, ist ja, daß wir mit der Sünde im Fleisch fertig werden wollen; das ist unser gemeinsames Ziel. Wenn wir als unverheiratete Schwestern zusammenkommen, stärken wir uns gegenseitig in unserem Kampf. Wir sprechen oft darüber, was wir in den Versammlungen gehört haben, aber selbstverständlich auch über viele andere Dinge.

Meiner Ansicht nach hat sich in meiner Heimatgemeinde in den letzten Jahren vieles zum Besseren gewandelt. Viele von uns lebten zwar in der Gemeinde, doch ohne von Herzen dabei zu sein. Jetzt sind wir viel mehr vom Evangelium ergriffen, und unser Leben hat sich zum Guten verändert. Die Erweckung hat mehr Ernst und größeres Verständnis in mein Leben gebracht. Ich habe mehr Kraft bekommen, um meine Vorsätze im praktischen Leben umzusetzen. Das Leben ist hoffnungsvoller geworden, und es ist viel einfacher, die Sünde zu überwinden. Die Erweckung hat handfeste positive Auswirkungen auf mein Leben gehabt. Früher war ich nur Zuschauer, jetzt bin ich selbst mittendrin." (Eine Frau, Ende Zwanzig)

Kaum eine Frau in der Gemeinde trägt Schmuck oder sichtbares Make-up, die meisten jedoch gebrauchen Parfüm - stets dezent und diskret. Nach der biblischen Aussage kommt der äußerlichen Schönheit der Frau im Vergleich zu den inneren Werten nur untergeordnete Bedeutung zu. Dennoch findet man eine Vielzahl von Variationen, was Farben, Bekleidungs- und Schuhmode betrifft. Die Frauen sehen keinesfalls alle einheitlich aus. Trotz Rock und sittsamer Erscheinung wirken sie überhaupt nicht uniformiert.

Johan O. Smith hatte gegenüber Dingen wie Schmuck ein unverkrampftes Verhältnis. Einmal nahm ein Mann in einer Versammlung eine Dame etwas gehässig aufs Korn, weil sie eine goldene Brosche trug. Smith hielt dies jedoch für unangemessen und wies den Mann mit den Worten zurecht: „Was hast du bloß mit der Brosche? Die Frau besitzt doch auch ein Herz aus Gold."

„Ich hatte ein sehr strenges Zuhause. Von Zeit zu Zeit schlug mein Vater mich und meine Geschwister, und auch zu Mama war er alles andere als nett.

Meiner Meinung nach hat er mir meine Kindheit gestohlen. Er stellte so viele Verhaltensmaßregeln und Vorschriften auf, daß es mir zeitweise einfach zuviel wurde. Ich bin froh darüber, daß ich der Gemeinde den Rücken gekehrt habe." (Eine Mittdreißigerin)

Solange das Christentum existiert, wird über die Stellung der Frau innerhalb des christlichen Lagers diskutiert. Auch unter Smiths Freunden kam es zwischen 1912 und 1916 zu einer heftigen Diskussion darüber. Mehrere Brüder bestanden darauf, daß Frauen in den Gottesdiensten ganz einfach zu schweigen hätten. Johan O. Smith war anderer Auffassung, er verstand das Evangelium nicht auf diese Weise. Für seine christlichen Zeitgenossen war er in dieser Hinsicht ein Radikaler, und er steckte nicht vor solchen Brüdern zurück, die die Frauen in den Gottesdiensten zum Schweigen verdammen wollten. Im Oktober 1916 schrieb er im Gemeindeblatt „Skjulte Skatter":

‚Wie in allen Gemeinden der Heiligen sollen die Frauen schweigen in der Gemeindeversammlung, denn es ist ihnen nicht gestattet zu reden, sondern sie sollen sich unterordnen, wie auch das Gesetz sagt.' ‚Eine Frau aber, die betet oder prophetisch redet mit unbedecktem Haupt, die schändet ihr Haupt.'

Beachte, daß in der erstgenannten Bibelstelle der Begriff ‚reden' im Sinne eines Gegenteils von ‚sich unterordnen' gebraucht wird. Paulus geht sehr wohl davon aus, daß eine Frau beten und prophetisch reden kann. Aber wie kann jemand prophetisch reden und gleichzeitig schweigen? Wer prophetisch redet, der redet den Menschen zur Auferbauung, zur Ermahnung und zum Trost. Wer weissagt, erbaut die Gemeinde.

Immer wieder sehen wir, wie der Buchstabe tötet, der Geist aber lebendig macht. Wir sind jedoch Diener des Geistes geworden und nicht des Buchstabens. Wie aber löst der Geist diesen scheinbaren Widerspruch auf?

Nun, jede Frau, die mit unbedecktem Haupt betet oder prophetisch redet, die schändet ihr Haupt. ‚Der Mann aber ist das Haupt der Frau', gleichwie Christus das Haupt der Gemeinde ist. Deshalb soll die Frau ‚um der Engel willen' ein Zeichen der Unterordnung auf dem Haupte tragen.

Die Frau ist ‚vom Manne' und ‚um des Mannes willen geschaffen', gleichwie die Gemeinde von Christus ist und um seinetwillen besteht. Die Frau, die in der Bibel als das schwächere Geschlecht bezeichnet wird, soll sich darum dem Manne unterordnen, genauso wie sich die Gemeinde Christus unterordnet. Dieses Bild soll klar und deutlich beibehalten werden, so daß wir immer daran erinnert werden, daß Christus das Haupt ist.

Wenn also die Frau betet oder prophetisch redet, soll sie ihr Haupt mit dem Zeichen der Unterordnung bedecken. Während sie redet, gibt sie dadurch zu erkennen, daß sie die Stellung einnimmt, die ihr als Frau geziemt. Dann weiß sie um ihre Aufgabe und geht in ihrer Rede nicht zu weit, indem sie sich etwa zum Lehrer oder Herrn des Mannes aufschwingt. In aller Unterordnung redet sie prophetisch zur Auferbauung der Gemeinde.

Wenn sie prophetisch redet, soll sie nicht über auferbauende, tröstliche und ermahnende Worte hinausgehen, sondern im übrigen schweigen. Sie soll keine Rede halten, durch die sie Herr oder Lehrer des Mannes sein will; in dieser Hinsicht gilt es für sie zu schweigen und sich unterzuordnen, und zwar nicht etwa, weil sie, verglichen mit dem Mann, in Christus minderwertig wäre, sondern weil sie als Repräsentant der Gemeinde sich nicht ihrem Haupt widersetzen soll.

Nun kommt es aber öfters vor, daß eine Frau geistlicher ist als die anwesenden Männer. Wenn sie dann nach ihrem Licht eine prophetische Rede hält, kann der Mann viel daraus lernen. So gesehen ist sie ja trotzdem ein Lehrer des Mannes. Was soll man denn dazu sagen? Nun, es muß der Frau gestattet sein, nach ihrem Licht zu reden, so gut sie es vermag. Nur soll sie sich in ihrem Geist davor rein bewahren, Herr über den Mann sein zu wollen. Der Mann indessen soll in solchen Fällen nicht so ängstlich sein und sich in seiner Ehre gekränkt fühlen, denn daß er fleischlich ist, daran ist er selbst schuld.

Mangel an Erkenntnis hat dazu geführt, daß man dem Buchstaben gedient und ihn überbetont hat, daß die Frau über Gebühr zur Magd herabgewürdigt worden ist, was nicht der Absicht der Schrift entspricht. Wir müssen lernen, Diener des Geistes und nicht des Buchstabens zu sein. Wie soll man sich also verhalten? Nun, die Frau soll in all ihrem Tun und Wandel dem Mann Ehrerbietung erweisen und sich nicht zum Haupt und Lehrer über ihn erheben. Der Mann wiederum hat sich selbst zu richten, wenn er sich durch die prophetische Rede einer Frau gerichtet fühlt. Es kann nicht angehen, daß er zu solch primitiven Mitteln greift, wie der Frau das Wort zu verbieten, um sein Fleisch zu verteidigen."

„In der Gemeinde existiert noch ein gewisser Unterschied in den Geschlechterrollen, der in vielen anderen Glaubensbewegungen verschwunden ist; dagegen ist wohl nichts einzuwenden?" (Eine Endvierzigerin)

„Die Frauen tragen Röcke, stecken das Haar zusammen und schminken sich nicht. So sieht das Durchschnittsbild einer Schwester in der Gemeinde aus. Nun arbeite ich selber im Freien und trage dabei aus praktischen Gründen Overalls und Hosen. Andere Schwestern tragen z. B. Regenschutzanzüge, die aus Jacke und Hose bestehen. Beim Skilanglauf tragen einige von uns Hosen, weil wir glauben, daß das praktischer ist; die meisten jedoch tragen Röcke und haben ihren Spaß dabei. Die Sache stellt überhaupt kein Problem dar, denn diesbezüglich wird Freiheit gelassen. Ich bin nie zurechtgewiesen worden, weil ich Hosen getragen habe, aber selbstverständlich trage ich Röcke in den Versammlungen, während der Konferenzen und bei allem, was sonst im Rahmen der Gemeinde geschieht - so wie alle anderen. Rock und Haare sind für uns kein Diskussionsthema. Es ist einfach so, wie es ist, und wir haben keine Probleme damit." (Eine Mittzwanzigerin)

„Jeder kann selber frei wählen, ob er in der Gemeinde sein will oder nicht. Wenn man sich für die Gemeinde entscheidet, dann wählt man auch das Leben, das hier gelebt wird. Ich selbst möchte es nicht anders haben." (Ein siebzehnjähriges Mädchen)

Diese Familienaufnahme der kinderreichen und glücklichen Familie Gilbu aus Sandefjord fand sich in einem Beitrag aus der Wochenzeitschrift „NÅ“.

Einst und jetzt mit Rock. Unpraktisch? Nein, sagen die Mädchen.

Konferenzsaal in Victory in den USA.

Rast im Sonnenschein während einer Skitour in den norwegischen Bergen.

„Er ist ein Apostel Gottes. Bruder Bratlie hat das gute, inhaltsreiche und bedeutungsvolle Werk eines Apostels unter uns getan. In diesem Dienst hat er seinen Leib verschlissen, in diesem Leben hat er Sieg gewonnen. Freunde in vielen Ländern und allen Erdteilen sind Gott von Herzen dankbar für die Hilfe, die sie in ihrem Leben durch den Dienst dieses Gottesmannes bekommen haben."

Sigurd Bratlie kann nicht mehr in Worten Zeugnis ablegen, aber sein ganzes Leben ist ein einziges Zeugnis. Er bekehrte sich mit neun Jahren und kam 1920 zur Gemeinde. Ein oder zwei betagte Freunde hier im Saal haben dies noch miterlebt. Bratlies allererster Beitrag steht noch immer deutlich und klar vor ihren Augen. Sein Gebet war es, zugerüstet zu werden zum Werk des Dienstes. Und eben über die Erfüllung dieser Bitte spricht Smith heute. Die beiden sind nicht nur eng befreundet und miteinander verschwägert, sie haben immer ein ganz besonderes Verhältnis zueinander gehabt. In der Zeit, als Aslaksen noch lebte, bildeten diese Männer ein geistliches Dreigestirn, Freunde, die so verschieden waren, wie man nur sein kann, aber in herzlicher Eintracht einander ergänzten. Geschichten über ihre gemeinsamen Angeltouren machten die Runde. Über Aslaksen, der so gern angelte und darüber ganz und gar die Zeit vergaß, und die beiden anderen, die mit großem Einfallsreichtum alle möglichen Finten ersannen, um doch noch rechtzeitig zur Versammlung zu gelangen.

Doch noch weit mehr Menschen erinnern sich an Bratlie in seinen späteren Jahren:

„Wovon dieser Mann sprach, das habe ich all die Jahre hindurch gesucht."

„Ich las das Buch ‚Die Braut und die Hure' und verstand, daß dies das Leben war, das ich führen wollte."

„Vor Bratlies Besuch graute mir tagelang. In Amerika gelten Pastoren als etwas Besonderes, wir haben uns darum richtig in Schale geworfen. Aber dann war es ein Erlebnis, diesen kleinen, angenehmen und gar nicht extravaganten Mann kennenzulernen. Zuerst spielte er mit den Kindern, stellen Sie sich das einmal vor, bevor er an uns dachte."

„Wo ist dieser Bratlie? Nein, machen Sie keine Witze, der da kann es doch wirklich nicht sein!" (Ein Journalist, der Sigurd Bratlie suchte, nachdem er gehört hatte, daß dieser die Gemeinde mit eiserner Hand führte.)

Solche und ähnliche Stimmen könnte man zuhauf zitieren.

Als während der besagten Geburtstagsversammlung in Brunstad dazu aufgefordert wurde, daß alle, die durch Sigurd Bratlies Dienst gesegnet wurden, nach vorne kommen und gemeinsam ein Lied singen sollten, erhob sich beinahe der ganze Saal. Das war eine bewegende Freudenkundgebung, geboren aus der Dankbarkeit vieler Menschen.

„Das war etwas von dem Unglaublichsten, das ich je gesehen habe. Ich bin selbst ganz bewegt. Das hätte ein reizvolles Bild für die Zeitung abgegeben."(Kurt-Johnny Olsen, Journalist der Tageszeitung „Aftenposten", der an der Festversammlung teilnahm)

Beim Bau der ersten Versammlungshalle in Brunstad.

Die Scheune in Brunstad wurde zu einer Übernachtungsstätte umgebaut.

So sieht der ehemalige Bauernhof Brunstad heute aus.

Auf der Konferenz

„Brunstad ist das Beste, was es gibt!" (Eine Gruppe badender Kinder in Brunstad 1995)

Die Sommerkonferenz in Brunstad in der Gemeinde Stokke (Bezirk Vestfold) ist das Hauptereignis der Gemeinde und der jährliche Höhepunkt für die meisten der Freunde. Da treffen sich rund 8 000 Freunde aus ganz Norwegen - und aus aller Welt. 1995 waren 27 Länder vertreten. Viele Freunde benützen die Fähre von Fredrikshavn (Dänemark) nach Larvik, und Charterflugzeuge bringen kontinentaleuropäische Freunde zum Flugplatz Torp, nur wenige Kilometer vom Konferenzort entfernt. In der zweiten Juliwoche strömen Freunde aus aller Welt nach Vestfold. Die meisten kennen einander schon lange, und die Wiedersehensfreude ist groß. Und wer noch niemanden kennen sollte, schließt schnell neue Bekanntschaften.

Keine Plakate oder Zeitungsinserate machen Reklame für die Konferenz, sie wird nur innnerhalb der Gemeinde angekündigt. Es wird auch nicht mit berühmten Rednern oder Predigern geworben. Nach Brunstad kommen Menschen mit einem Verlangen nach Gottes Wort und dem Wunsch nach Gemeinschaft mit anderen. Man muß sich früh genug anmelden, weil viele kommen wollen, und selbst Brunstad mit seinem weiten Gelände hat seine Grenzen.

An jedem Konferenztag finden drei Gottesdienste statt. Sie verlaufen in derselben Weise wie in den örtlichen Gemeinden. Auch hier ist nicht von vornherein bekannt, wer als erster das Wort ergreifen und welches Thema er behandeln wird, doch meistens hält einer der leitenden Brüder die erste Rede. Auch während der Konferenzen herrscht völlige Redefreiheit, und es sind immer viele, die etwas auf dem Herzen haben.

Wenn man die Art und Größe derartiger Versammlungen bedenkt, so muß man sagen, daß alles ungewöhnlich diszipliniert und harmonisch abläuft. Der Leiter der Konferenz achtet gut darauf, daß die notwendigen Pausen - für Essen, Baden und Spiel - eingehalten werden.

Weil hier Freunde aus aller Herren Länder zusammenkommen, wird während der Gottesdienste in zahlreiche Sprachen simultan übersetzt (1995 in 15 Sprachen). Die ausländischen Freunde können mit Infrarotempfängern und Kopfhörern der Versammlung in ihrer Sprache folgen. Die Übertragung erfolgt drahtlos, die Sender sind unter dem Hallendach installiert. Durch dieses System ist größtmögliche Bewegungsfreiheit innerhalb des Saales gewährleistet.

Während der Konferenz werden zwei Kollekten aufgenommen. Die erste Kollekte soll die Kosten decken, die im Zusammenhang mit der Konferenz entstanden sind, der Überschuß geht in die „Evangelisationskasse". Die Einkünfte der zweiten Kollekte gegen Ende der Konferenz hingegen sind für den Betrieb und weiteren Ausbau des Konferenzzentrums Brunstad bestimmt. (Während der Sommerkonferenz 1995 kamen für diesen Zweck nahezu 200 000 DM herein.) Die Kollekte wird mit Plastikeimern erhoben, die man durch die Reihen gehen läßt.

Im Anschluß an die Sommerkonferenz finden zwei weitere Konferenzen speziell für Kinder bzw. Jugendliche statt. Bei der Kinderkonferenz gibt es vorwiegend Spiel und Spaß, Freiluftaktivitäten und natürlich auch Kinderstunden.

Viele der Freunde verbringen ihren Sommerurlaub in Brunstad. Das Gelände ist reizvoll in der Nähe von Tönsberg am Westfjord gelegen. Brunstad verfügt über einen großen Badestrand und ist ringsum von Wald umgeben. Angelpartien auf dem Fjord und den zahlreichen nahegelegenen Seen und Flüssen sind Aktivitäten, denen so mancher gerne nachgeht. In dieser Oase der Ruhe und des Friedens finden viele Entspannung vom hektischen Treiben des Alltags.

Obwohl sich hier viele Menschen auf engem Raum versammeln, ist die auf dem gesamten Konferenzgebiet herrschende Atmosphäre von Ruhe und Ordnung geprägt.

Ein ausgeklügeltes Sicherheitssystem schließt Feuerwehr, Notarzt mit Notfallambulanz und vieles andere Drum und Dran ein, was zu derart großen Zusammenkünften gehört. Auch eine Buchhandlung gibt es, in der man Schriften und Bücher der Gemeinde kaufen kann. Selbst ein Lebensmittelgeschäft fehlt nicht auf dem Gelände, allerdings ist auch der Weg zu den Geschäften in der naheliegenden Ortschaft Stokke nicht weit.

Weitere Konferenzen in Brunstad finden zu Neujahr und Ostern statt. An Pfingsten wird hier ebenfalls eine Konferenz abgehalten, die aber mehr regionalen Charakter trägt, da gleichzeitig auch innerhalb und außerhalb Skandinaviens weitere Konferenzen stattfinden.

Brunstad hat selbstverständlich kein Monopol auf Konferenzen. In Deutschland, den Niederlanden, den Vereinigten Staaten, Ungarn und Polen befinden sich ansehnliche Konferenzzentren, und auch in den meisten anderen Ländern gibt es Möglichkeiten für die Freunde, sich zu Konferenzen zu versammeln. In Rußland z. B. räumt man freitags ein Fabrikgebäude für die am Samstag beginnende Konferenz, in der Ukraine hält man die Konferenz in einem Kindergarten, in Argentinien in einer kleinen Pension oder, was auch einmal vorkam, in einem Schafstall - nachdem man die Schafe zuvor herausgelassen hatte. Im übrigen werden Konferenzen in Dänemark, Schweden, Österreich, England, Frankreich, der Schweiz,

Finnland, Rumänien, Bulgarien, Türkei, Israel, Weißrußland, Indien, Singapur, Hongkong, Kanada, Australien, Brasilien, Chile, Uganda, Kamerun, Zaire, Kenia und Südafrika abgehalten, um nur ein Schlaglicht auf die weltweite Konferenztätigkeit zu werfen. Zu Konferenzen außerhalb Norwegens werden häufig Norweger als Gäste eingeladen.

In den Jahren nach 1906 fanden die ersten Konferenzen in ganz bescheidenem Rahmen statt. Da kamen gelegentlich Freunde von außerhalb zu Besuch nach Horten, um sich gemeinsam zu versammeln. Gleichzeitig besuchten Johan O. Smith und Aksel Smith auch Allianzversammlungen in Oslo. 1907 konnte Smith zwei große private Räume und ein Gästehaus in Horten anmieten. Im Jahre 1912 wurde ebenda eine neue Molkerei fertiggestellt, und dieses Gebäude wurde zur ersten eigentlichen Konferenzstätte der Gemeinde, bis die Freunde 1922 ihr eigenes Gemeindehaus errichteten. Dort fanden dann viele Jahre lang drei bis vier Konferenzen jährlich statt. Besonders für Freunde, die an ihrem Heimatort allein waren oder nur wenige Glaubensfreunde hatten, waren diese Zusammenkünfte von großer Bedeutung. Dies geht etwa aus dem Bericht einer Konferenz hervor, die am Buß- und Bettag 1924 stattfand. Dort heißt es: „Bruder Ditlefsen kam den weiten Weg von Mehavn in der Finnmark (im äußersten Norden Norwegens) und traf nach fünftägiger Reise rechtzeitig ein." Ditlefsen fuhr übrigens gestärkt und frohgemut wieder nach Hause.

Brunstad - ein Konferenz- und Ferienzentrum

„Jesus vergleicht das Himmelreich mit einem Sauerteig, vermengt in drei Scheffel Mehl, bis alles durchsäuert war. So hat sich auch die Gemeinde entwickelt." Aksel J. Smith zieht dieses biblische Gleichnis zur Illustration heran.

Vom geringen Anfang an, als sieben bis acht Personen sich versammelten, hat sich die Zahl der Konferenzteilnehmer laufend erhöht. Bis zum Beginn der dreißiger Jahre war der Versammlungssaal in Horten, der etwa 200 Menschen Platz bot, für alle Konferenzen groß genug. Die Teilnehmer waren damals, bis auf eine einzige Ausnahme, fast ausschließlich Norweger. Von 1931 bis 1956 hielt die Gemeinde ihre Sommerkonferenz in Nesbyen im reizvoll gelegenen Hallingdal ab, wo die Teilnehmerzahl bis auf 800 anstieg. Die weitaus meisten davon waren Norweger, aber auch einige Schweden, Dänen und eine Handvoll Deutscher wohnten den Versammlungen dort bei. Nesbyen wurde unter anderem aufgrund seiner zentralen Lage als Konferenzort gewählt. Indes gab es noch einen anderen Grund, die „Schwestern von Nesbyen". Damit waren vier außergewöhnliche Frauen gemeint, die sich aufopferungsvoll für die Gemeinschaft einsetzten und die Konferenzen arrangierten. Nesbyen wurde in einer Zeit, in der das Kommunikationswesen nicht mit dem heutigen vergleichbar war, ohne

Zweifel zu einem wichtigen Knotenpunkt, der die Freunde zusammenband.

Schließlich wurde Brunstad im Bezirk Vestfold das Konferenzzentrum, doch das war keineswegs von vornherein beschlossene Sache. Elias Aslaksen hatte praktisch schon mündlich seine Zusage zum Kauf eines Grundstücks in Hokksund, in der Nähe von Drammen, gegeben. Unterdessen hatte Aksel J. Smith Gott um einen passenden Ort gebeten, woraufhin er auf das kleine Anwesen Brundstad stieß. Es kam zu einem Tauziehen zwischen den beiden Plätzen, was damit endete, daß Aslaksen nachgab. Einen Augenblick lang erkannte er wohl seinen alten Freund Johan O. Smith in seinem Sohn Aksel wieder. Für die Entwicklung der Gemeinde sollte sich die Wahl von Brunstad als Glücksgriff erweisen.

Heute hat das Konferenz- und Ferienzentrum Brunstad sein Aussehen gegenüber früher fast völlig verändert. Damals wohnten die Leute in weißen Pyramidenzelten ohne Boden, und der „Saal" bestand zuerst aus nichts weniger als einem halbfertigen Rohbau ohne Dach, über den Planen gespannt waren. 1961 wurde dann das erste Konferenzgebäude fertiggestellt; es war für 2000 Menschen ausgelegt. Um Übernachtungsmöglichkeiten zu schaffen, wurden an verschiedenen Orten Norwegens Baracken aus der deutschen Besatzungszeit aufgekauft. An Ort und Stelle zerlegt und in Brunstad wieder aufgebaut, dienen die „deutschen Baracken" bis heute ihrer neuen Bestimmung. Die ehemalige Scheune von Brunstad wurde ebenfalls zu einem Übernachtungshaus umgebaut, und wo das Ganze noch enden wird, vermag niemand zu sagen. Eines jedenfalls steht zweifelsfrei fest: Die große Konferenzhalle - mit Platz für etwa 5000 Menschen - ist bereits jetzt zu klein.

Ein Umzug während einer Kinderkonferenz.

Am norwegischen Nationalfeiertag hat sich die Musik in der großen Konferenzhalle besonders in Schale geworfen.

Natürlich ist der Größenunterschied zwischen dem Musikensemble in Brunstad und St. Petersburg beträchtlich. Aber die Lieder sind dieselben und werden mit gleichem Eifer gesungen.

Bauen nach traditioneller Weise in Südafrika.

Badespaß in Brunstad

Zwei Jungen helfen bei einem Arbeitseinsatz in Finnland mit

Zwei Mädchen passen auf ihre kleineren Geschwister auf.

Jugendstunde im Freien

Verlag mit Freiwilligen

„Mein Sohn, wenn du meine Worte annimmst und meine Gebote bei dir behältst, wenn du dein Ohr zur Weisheit wendest und dein Herz zur Klugheit neigst, ja, wenn du nach Einsicht rufst und deine Stimme erhebst, um Verstand zu erlangen, wenn du danach suchst wie nach Silber und danach gräbst wie nach verborgenen Schätzen, dann wirst du die Furcht des Herrn verstehen und Erkenntnis Gottes finden. Denn der Herr ist es, der Weisheit gibt. Aus seinem Munde kommt Erkenntnis und Verstand." So lesen sich die Worte aus den Sprüchen Salomos in der norwegischen Bibelübersetzung. Sie standen Pate bei der Namensgebung des norwegischen Gemeindeblatts „Skjulte Skatter" (Verborgene Schätze).

Aksel Smith eröffnete 1907 die Diskussion über die Herausgabe einer eigenen Zeitschrift. Johan O. Smith war in dieser Sache zurückhaltender, er wollte nichts in die Wege leiten, wofür er die Zeit noch nicht reif hielt; denn es ging ja hier um einen Kraftakt, sowohl was den Arbeitsaufwand als auch die finanzielle Seite betraf.

Beide Brüder Smith schrieben oftmals Leserbriefe an andere Zeitungen und Zeitschriften; doch nachdem Johan O. Smith immer mehr als Irrlehrer betrachtet wurde, verschlossen sich für ihn die Redaktionstüren.

Eine der Ursachen war höchstwahrscheinlich Johan O. Smiths ermahnende Art zu schreiben. Das geht aus der Durchsicht verschiedener Artikel in den christlichen Zeitschriften „Byposten" (Stadtpost) und „Missionæren" (Der Missionar) hervor. Smiths Beiträge stehen in deutlichem Gegensatz zu vielen anderen Einsendungen, die oft nur Reiseberichte aus der Missionsarbeit zum Inhalt hatten.

Der Bedarf für eine eigene Zeitschrift, in der die Freunde den Kampf gegen andere aufnehmen und auf Angriffe anderer antworten konnten, war damit zweifelsohne gegeben.

Fast fünf Jahre sollten noch vergehen, bevor der Gedanke in die Tat umgesetzt wurde. Es war die Zeit, als Johan O. Smith für General Seiersted im Haus der Marineoffizier-Vereinigung tätig war. Nun hatte er eine geregelte Dienstzeit und konnte sich seine Arbeit ungewöhnlich frei gestalten. Da spürte er, daß nun die Zeit für die Herausgabe einer eigenen Zeitschrift reif war.

Die erste Nummer von „Skjulte Skatter" wurde im Januar 1912 mit acht Seiten Umfang herausgegeben. Ein halbes Jahr später betrug die Auflage bereits 900 Stück.

Im April desselben Jahres kam das erste Buch im „Skjulte-Skatter" -Verlag heraus. Es war die norwegische Erstveröffentlichung eines Buches der französischen Mystikerin Madame Guyon (1648-1717): „Das Gebet". Elias Aslaksen hatte das Buch in London in englischer Fassung gekauft und ins Norwegische übersetzt.

Es sollte sich bald zeigen, daß ein eigener Verlag von großer Bedeutung war. Die Gemeindevorsteher hatten jetzt vermehrt Gelegenheit, über das Geheimnis zu schreiben, das ihnen nach ihrer Meinung aus der Schrift geoffenbart wurde. Als sich nach und nach das Verhältnis zu anderen Glaubensgemeinschaften zuspitzte, konnten sie so ihre Sichtweise vertreten. Noch mehr Bedeutung gewann das Blatt jedoch als wichtigstes Bindeglied für Kontakte zu immer neuen Freunden im ganzen Land. Insofern war „Skjulte Skatter" in allen Jahren auf besondere Weise Symbol und Ausdruck des Zusammenhalts der Gemeinde.

Im Jubiläumsjahr 1962 schreibt der damalige Redakteur Aksel J. Smith: „Wir stehen zu allen 50 Jahrgängen von ‚Skjulte Skatter', sie verdienen unsere Anerkennung, und in jeder Ausgabe finden wir die gesunde Lehre der Gottesfurcht. Es gibt dort keine jährlich wechselnden Lehrsätze und Meinungen. Das Blatt war ein wichtiger Angelpunkt in der tiefgreifenden und gesegneten Heiligungserweckung unter uns, welche ständig an Kraft gewann und Fortschritte machte. In diesen Tagen stehen wir in einer Entwicklung wie nie zuvor. Wir freuen uns über die Scharen von Kindern und Jugendlichen, die schon in jungen Jahren Licht über die wahren Lebenswerte bekommen und sich dazu entschließen, Jesu wahre Nachfolger zu werden.

In den 50 Jahren des Bestehens von ‚Skjulte Skatter' hat Gott dafür gesorgt, daß ständig treue Menschen mit Gottes Weisheit und dem Geist der Offenbarung mitgearbeitet haben. Bruder Aslaksen hat praktisch für jede Nummer während all dieser Jahre einen Beitrag geschrieben. Über 30 Jahre lang hat auch Bruder Sigurd Bratlie Nummer für Nummer herrliche Lebensweisheiten aus der nie versiegenden Quelle weitergegeben ..."

Edwin Bekkevold, der ehemalige Heilsarmeeleutnant, sandte folgendes Grußwort anläßlich des 50jährigen Jubiläums: „Im Spätsommer 1917 begegnete ich erstmals Johan O. Smith in Vardö. Wir hatten mehrere gewinnbringende Zusammenkünfte, und bei einem dieser Treffen schenkte er mir einen eingebundenen Jahrgang von ‚Skjulte Skatter'; ich glaube, es war der Jahrgang 1916. Bald darauf besorgte ich mir sämtliche Jahrgänge von 1912 bis 1918, die ich zu einem Buch binden ließ. Seither sammle ich alle Ausgaben bis zum heutigen Tag.

‚Skjulte Skatter' ist für mich ein geistliches Lexikon, das sowohl in geistlichen wie auch in irdischen Fragen allerlei geistliche Wegleitung bietet. Der Inhalt ist schnörkellos, klar und eindeutig. In all den 50 Jahren war es auch eine Kampfschrift - sowohl innerhalb als auch außerhalb der Gemeinde. Die

Artikel sind von nicht verblassender Aktualität, und ich lese sie immer wieder. Sie haben nicht diesen Beigeschmack vom seelischen Menschen, sondern sind geistliche Vollwertkost. ‚Skjulte Skatter' war in unschätzbarem Maße zur Hilfe und zum Segen, eine Unterweisung in Gottesfurcht, zur Stärkung und Erbauung für aufrichtige, wahrheitssuchende Seelen. Das Blatt ist seiner Aufgabe in vollem Umfang gerecht geworden."

Die Brüder Johan und Aksel Smith gaben die Zeitschrift bis zu Aksels Tod 1919 gemeinsam heraus. Bis 1943 blieb Johan O. Smith Herausgeber, dann übernahm sein Sohn Aksel J. Smith die Arbeit. Ende 1987 ging die Redaktion auf Sigurd J. Bratlie (Johan O. Smiths Enkel) über, und seit 1992 leitet er auch die Arbeit des Verlages. Nur zwei Redaktionswechsel im Lauf von über 80 Jahren, das ist wohl selbst im christlichen Blätterwald eine Seltenheit, außerdem sind redaktionell kaum Veränderungen zu erkennen. Das Ziel der Zeitschrift ist heute dasselbe wie 1912.

Die Zeitschrift hat im großen und ganzen wirtschaftlich immer auf solidem Grund gestanden; zeitweise war es allerdings um die Zahlungsfähigkeit vieler Abonnenten nicht so gut bestellt. Aksel Smith mußte des öfteren Geld zuschießen. Ende 1919, nach Aksels Tod, lieh sich Johan O. Smith sogar privat Geld, um die weitere Herausgabe von „Skjulte Skatter" zu sichern. Der Geldgeber war jedoch geradezu ein Wucherer und sicherte sich ein Pfandrecht an Smiths Haus. Smith hatte große Probleme mit der Rückzahlung seiner Schulden. Er fragte mehrere, ob sie ihm nicht einige Kronen leihen könnten, aber überall wurde er abschlägig beschieden. Nicht daß die Leute unwillig waren, doch in den damaligen schlechten Zeiten sahen sie sich einfach außerstande, hier helfen zu können. Johan und Pauline machten damals sicherlich schwere Stunden durch und mußten befürchten, ihr Haus zu verlieren.

Der älteste Sohn Kristian rettete alles. Als er fünfzehn Jahre alt geworden war, fand er in der Marinewerft an Bord eines Panzerschiffes Arbeit, wobei er den Anstrich zu reinigen und zu erneuern hatte. Das war eine „Schmutzarbeit" mit besonders guter Bezahlung. Er verdiente mit wöchentlich 72 Kronen so viel, daß er gut zu Hause etwas beisteuern konnte. Das war die Rettung für „Skjulte Skatter", und die Schulden wurden abbezahlt.

Heute verfügt das Monatsblatt „Skjulte Skatter" über ca. 2 600 Abonnenten. Der Buchverlag ist damit beschäftigt, alle Schrifterzeugnisse auf EDV zu übertragen. 30 Bücher und Traktate sind bisher überarbeitet und herausgegeben worden. Unter den größeren Projekten befindet sich auch eine Sammlung von Reden Sigurd Bratlies, die er 1980 und 1985 jeweils über ein bestimmtes Thema hielt. Hervorzuheben sind auch die norwegischen Liederbücher.

Der gleichnamige Medienverlag konnte ein kontinuierliches Wachstum verzeichnen, 1994 wurden ungefähr 30 000 Kassetten mit Versammlungsmitschnitten und Liedern versandt. Auch in anderen Ländern, wie z. B. in Deutschland, wird in gleicher Weise gearbeitet. Nicht zuletzt die „Mission Alte Schule", von der weiter unten noch die Rede sein wird, verschickt eine große Anzahl Briefe und Kassetten über die ganze Welt. Alle Verlagsarbeit geschieht freiwillig und unentgeltlich.

In den neu entstandenen Gemeinden im deutschsprachigen Raum wurde schon bald der Bedarf für ein Monatsblatt spürbar, und so erschien im Jahr 1961 die erste Ausgabe der Zeitschrift „Das Leben". Dem Titel liegen die Worte aus dem ersten Johannesbrief zugrunde: „... und das Leben ist erschienen, und wir haben gesehen und bezeugen und verkündigen euch das Leben, das ewig ist, welches war bei dem Vater und ist uns erschienen."

Aksel J. Smith schreibt in seinem Leitartikel in der Januarausgabe des Gründungsjahres u. a.: „Heutzutage mangelt es nicht an meisterhaften Reden über alle möglichen Themen; es ist jedoch ein großer Mangel an Menschen, die ihr Leben zur Nachfolge empfehlen können. In der Gemeinde und in unseren Heimen aber müssen solche Menschen da sein." „Das Leben" veröffentlicht Artikel aus dem norwegischen Gemeindeblatt sowie Beiträge deutschsprachiger Freunde. Ebenso finden sich darin Ankündigungen der größeren Konferenzen in diesem Raum.

Eine Auswahl von Gemeindezeitschriften in verschiedenen Sprachen. Sie sind Symbol und Ausdruck des Zusammenhalts der Gemeinde.

Die „Nationalhymne“ der Gemeinde

Das norwegische Liederbuch „Herrens Veier“ (Wege des Herrn) beinhaltet 435 Lieder. Alle wurden von Freunden verfaßt, und das Liedgut läßt kein Lebensverhältnis aus. Von Anfang an bis heute haben Lieder in der Gemeinde eine wichtige Rolle für den Zusammenhalt gespielt. Neu entstehende Lieder werden vielfach schnell in andere Sprachen übertragen, wodurch sie zum internationalen Gemeingut werden. Auch auf diese Weise empfindet man und bringt zum Ausdruck, daß man ein Teil der Gesamtgemeinde ist

Lieder waren von Anfang an Zeugen der Entwicklung innerhalb der Gemeinde, und bereits 1904 entstanden die ersten eigenen Lieder. Nicht zuletzt während und nach Erweckungszeiten griffen sehr viele zur Feder. In solchen Zeiten überschäumender Geistesfülle flossen die Lieder förmlich aufs Papier nieder. Doch Johan O. Smith war ein strenger Zensor, und eine Menge Lieder wurde verworfen. Mehrere dieser „durchgefallenen“ Lieder hatten deftige kriegerische Ausdrücke zum Inhalt, die zu Mißverständnissen Anlaß geben konnten. Meist war Elias Aslaksen der leidtragende Autor, aber er war ja auch einer der engagiertesten Produzenten.

Die Bandbreite des Liedgutes ist groß. Die Melodien stammen aus der norwegischen und internationalen Musikliteratur, viele Melodien sind geradezu populär. Hier finden sich neben bekannten christlichen Melodien auch Volksweisen, Gassenhauer und Shanties, nicht zuletzt aber auch Kompositionen aus den Reihen der Gemeinde, wie z. B. von Rudolf Schwaiger, dem einstigen gefeierten Schlagerkomponisten.

Unter den Liederdichtern der Anfangszeit ragt besonders Johan O. Smith mit seinen wegweisenden Liedern heraus, in denen er oft Bilder aus dem Seemannsleben gebraucht, wie z. B. in der folgenden Kostprobe:

„Auf hohem Meere, zu Gottes Ehre
segeln der Himmelsküste wir zu.
Eisern der Wille, Zion zum Ziele,
kreuzen wir fort in Sturm und in Ruh'.
Oft steht der Wind entgegen mit Wut,
wild braust die See und prüft unsern Mut.
Im Sturmesrasen hart wir anbrassen,
Wind kommt uns so zugut.“

Es gab einige Frühvollendete unter diesen Dichtern der Anfangszeit, die das Liedgut der Gemeinde wesentlich bereicherten. Zu nennen wären hier z. B. die von Johan O. Smith außerordentlich hoch geschätzte Hilda Broks, die bereits mit 28 Jahren verstarb, oder Ole Skiaker und Thorleif Hansen.

Die Entstehungsgeschichten der Lieder sind vielfältig. Einer der produktivsten unter den noch lebenden Liederdichtern ist zweifelsohne Elihu Pedersen. Er erzählt von einem Dienstmädchen, dem er einmal begegnete. Es trällerte ein Lied, an dessen Melodie er Gefallen fand. „Noch einmal", bat Pedersen. Das Mädchen sang. „Und noch einmal", kam es von Pedersen. Inspiriert von dem jungen Mann, der von ihrem Gesang so angetan war, sang das Mädchen wiederum. „Nach dem dritten Male wußte ich die Melodie auswendig und konnte Worte dazu dichten", lacht Pedersen.

Für mich als jemand, der mit dem Notizblock die Gottesdienste verfolgt und subjektiv beurteilt, mit welcher Inbrunst und welchem Nachdruck und Engagement die verschiedenen Lieder gesungen werden, scheint sich ein Lied besonders hervorzuheben. Das sage ich, ohne damit andere Lieder herabsetzen zu wollen. Aber sollte jemals unter den Freuden ein Lied zur „Nationalhymne" gekürt werden, würde ich Thorleif Hansens Lied von der „Verheißung des Evangeliums" vorschlagen*, ein Lied, dessen Reiz man sich nicht entziehen kann, marschmäßig und frisch, ein Lied, das die Freunde unverkennbar mit ganzem Herzen schmettern:

1. Die Verheißung, wofür's Evangelium bürgt,
ganz gewiß in Erfüllung wird gehn.
Ja und Amen ist er, der die Rettung erwirkt,
und Gott selbst ließ den Eidspruch ergehn.
Darum halten wir freudig und glaubensfest aus,
in dem Streit, den wir führen auf Erd',
denn wir fechten nicht unnütz ins Leere hinaus,
Gottes Same bringt ewigen Wert.

Refrain: Unserm Gott sei gedankt,
daß wir Gnade erlangt,
daß lebendige Hoffnung er gab,
weil kraft göttlicher Hand
unser Heiland erstand
mit Gewalt aus versiegeltem Grab!

* „Herrens Veier", 72, deutsche Übertragung: „Lieder des Lebens", 50

2. Wir sind hier nicht zu Haus, unser Heim, das ist dort,
in der ewigen, himmlischen Stadt.
Das bezeugt das Bekenntnis, das göttliche Wort,
das der Heiland einst abgelegt hat,
daß sein Reich nicht von hier, nicht von dieser Welt sei.
Laßt auch uns auf das Wort legen Wert
und bekennen durchs Leben und auch mit dem Wort:
„Wir sind Gäste und Fremde auf Erd'!"

3. Eine neue Natur ist beschieden der Braut,
ganz von göttlicher Fülle erfüllt.
Wenn ohn' Runzel und Fleck sie den Bräutigam schaut,
ist ihr Hunger auf ewig gestillt.
Dieses Werk jetzt in unserem Innern geschieht,
und Gott selbst tut's von Anfang bis End'.
Drum voll Hoffnung im Glauben geduldig besteht
in der Liebe, die Gott euch gesend't!

4. Ja, wir preisen dich, Gott, für den himmlischen Ruf,
für das Erb', unverwelklich und rein;
und für das, was in uns deine Liebe erschuf
durch den Sohn, den wir haben gemein.
So bewahr uns in feurigem Geiste und gib,
daß ein jeder Gewißheit erstrebt
und im Herzen verspürt einen mächtigen Trieb
und wahrhaftig das Leben erlebt.

Dieses Lied steht im übrigen auch als Beispiel für die zahlreichen Übertragungen norwegischer Lieder ins Deutsche, die in das hier gebräuchliche Liederbuch „Lieder des Lebens" Eingang gefunden haben und es wesentlich prägen; dies bedeutet jedoch keineswegs, daß das deutsche Liederbuch eine Kopie des norwegischen wäre. Zweifelsohne führt es ein eigenständiges Dasein. Neben einer stärkeren Berücksichtigung deutschsprachiger Autoren aus der Gemeinde findet man hier auch vereinzelt pietistische Lieder wie „Die Sach' ist dein, Herr Jesus Christ" von Samuel Preiswerk. Insgesamt umfaßt diese Sammlung 316 „Lieder des Lebens". Übrigens haben auch einige Lieder hieraus den Weg ins norwegische Liederbuch gefunden.

Die Kinderliederbücher

„Ein Kind sind wir nur einmal im Leben; niemals kehrt die Kinderzeit wieder. Was du als Kind tust, bleibt in deinem Gedächtnis, solange du lebst." Mit diesen Worten leitet Johan O. Smith das Kinderliederbuch „Mandelblomsten" (Die Mandelblüte) ein. Es beinhaltet 141 Lieder. Im Gegensatz zu „Herrens Veier" besteht es nur zum Teil aus Liedern, die von Freunden selbst gedichtet wurden, hingegen finden sich hier eine ganze Reihe z. T. international bekannter Lieder, wie etwa Luthers „Ein feste Burg ist unser Gott" oder auch „Stille Nacht". Beide Lieder sind auch in dem deutschen Pendant enthalten, das nach einem Psalmwort den Namen „Kinderlob" trägt. Es hat etwa den gleichen Umfang wie „Mandelblomsten". Zwar enthält auch dieses Buch großenteils Lieder aus den Reihen der Gemeinde, doch findet die evangelisch-christliche Tradition, in der sich die Gemeinde sieht, gerade in diesem Buch ihren unverkennbaren Niederschlag. Klangvolle Namen, wie z. B. Paul Gerhardt, Hedwig von Redern und Julie von Hausmann tauchen in dieser Liedersammlung auf. Selbstverständlich haben auch die bekannten alten Weihnachtslieder hier ihren Stellenwert.

Traditionelle Feste

Wer vielleicht glauben mag, die Freunde ließen die traditionellen Feste unbeachtet verstreichen, muß sich gründlich eines Besseren belehren lassen. In Norwegen feiern sie den Nationalfeiertag am 17. Mai ebenso selbstverständlich wie die Sommersonnenwende und das Weihnachtsfest - letzteres sowohl als ganze Gemeinde im Saal, als auch im trauten Familienidyll, ganz wie es auch anderswo üblich ist.

Es gab früher einmal eine Diskussion über das Feiern solcher Feste, und auch in der Gemeinde gab es manche, die sich an dem „heidnischen" Gepräge dieser Tage stießen. Solche Ansichten fanden aber keinen Rückhalt bei Johan O. Smith, Elias Aslaksen, Sigurd Bratlie und Aksel J. Smith. In der Tat hat Johan O. Smith mehrmals solche Brüder zurechtgewiesen, die überall „Abgötterei" witterten. Über das Weihnachtsfest schrieb er 1940: „Eine Gedenkfeier an Jesu Geburt ist wohl besser als ein heidnisches mittwinterliches Tanz- und Trinkgelage. Und wo steht eigentlich geschrieben, daß Jesus im Sommer geboren wurde? Spielt das überhaupt eine Rolle? Gerade in der dunklen Winterzeit steht es uns doch wirklich gut an, Weihnachten zu feiern. Wir müssen etwas beweglich sein in unserem Geist, dann verstehen wir alles viel besser."

1978 wurde Sigurd Bratlie im Irak inhaftiert, weil er in einer Versammlung Gottes Wort verkündigt hatte. Als er zu Ostern 1979 nach Brunstad zurückkam, war die Aufmerksamkeit groß, auch von seiten der Medien.

Gefangen in Bagdad

„Das hat die Gemeinde zu intensivem Gebet vereint, es entstand sozusagen Erweckung. Sollte man sich darüber nicht freuen?“ (Sigurd Bratlie auf der Osterkonferenz 1979, nach fünf Monaten Gefängnisaufenthalt in Bagdad)

„In einem Gefängnis in Bagdad sitzt ein Mann von fast 74 Jahren: der Norweger Sigurd Bratlie. Er ist bereits im fünften Monat eingesperrt, ohne daß die irakischen Behörden zu einer befriedigenden Erklärung bereit waren, wofür er überhaupt angeklagt ist. Wie zu Jahresbeginn, weiß man auch heute noch nicht, was mit ihm geschehen wird. Wir wissen, daß sich dieser Mann nie politisch engagiert hat, weder in Norwegen noch im Ausland. Weiterhin haben wir erfahren, daß sein Gesundheitszustand sich laufend verschlechtert. Es ist zweifelhaft, ob er ausreichend ärztlich versorgt wird. Er darf nicht ins Freie gehen, und die Bedingungen in irakischen Gefängnissen sind - milde ausgedrückt - nicht besonders gut. Selbst für einen gesunden und kräftigen Mann in seinem Alter würde ein solcher Gefängnisaufenthalt eine schwere Belastung darstellen.

Jetzt hat sich das Außenministerium eingeschaltet und Bevollmächtigte nach Bagdad gesandt. Auch Außenminister Frydenlund hat sich persönlich in dieser Sache engagiert, doch ohne nennenswertes Ergebnis. Sigurd Bratlie befindet sich noch immer im Gefängnis. Hier bedarf es offensichtlich anderer, weitaus stärkerer Druckmittel. Die norwegischen Behörden müssen dem Regime in Bagdad klar machen, daß wir eine derartige Behandlung eines älteren Menschen nicht akzeptieren können. Und wenn Worte keinen Eindruck machen, muß man zu stärkeren Mitteln greifen. In Bagdad steht ein warmer, unerträglicher Sommer bevor, der Bratlies Gesundheit überfordern könnte.

Wir haben mit großem Befremden festgestellt, daß der Fall Sigurd Bratlie die Massenmedien und die öffentliche Meinung kaum beschäftigt hat. Nicht einmal die sogenannten christlichen Tageszeitungen bewiesen besonderes Engagement. An einer Stelle wurde sogar angedeutet, daß Bratlie ein ‚Sektierer‘ sei - als ob das in dieser Sache von Bedeutung wäre. Bratlie repräsentiert die völlig gesetzeskonforme religiöse Gemeinschaft der ‚Freunde Smiths‘, die gewiß niemandem etwas zuleide tut. Anscheinend muß man nur alt genug sein, eine unbedeutende Gruppe repräsentieren und Meinungen vertreten, die als nicht zeitgemäß gelten, um von der öffentlichen Meinung seinem Schicksal überlassen zu werden.“

Dieser Leitartikel stand in der Zeitung „Dagbladet“ im März 1979. Sigurd

Bratlie saß bereits seit 17. November 1978 im Gefängnis. Auch wenn es stimmen mochte, daß in Norwegen keine große öffentliche Diskussion stattfand, so wurde dennoch hinter den Kulissen fieberhaft gearbeitet. Bedeutende norwegische Politiker, an der Spitze Außenminister Knut Frydenlund, Staatssekretär Thorvald Stoltenberg und der Parlamentsabgeordnete Finn Kristensen, arbeiteten mit Hochdruck in dieser Angelegenheit.

Bratlie war auf Einladung einiger Christen nach Bagdad gekommen, um Bibelstunden und Hausversammlungen zu halten. Dort wurde er zusammen mit mehreren anderen Christen ohne Angabe von Gründen festgenommen. Erst einen Monat später, am 18. Dezember, bestätigten irakische Behörden die Inhaftierung Bratlies. Tags darauf bekam er zum ersten Mal Besuch von einem norwegischen Diplomaten.

Erstmalig im Januar wurde ein Grund für seine Gefangennahme genannt. Die irakischen Behörden behaupteten, Bratlie stehe unter dem Verdacht, sich an subversiven Aktivitäten gegen die Sicherheit des Landes beteiligt zu haben.

In einem Geheimprozeß vor dem Revolutionstribunal wurde Bratlie zu einem Jahr Gefängnis verurteilt. Der norwegischen Sonderbeauftragten, Yvonne Huslid, gelang es, eine Audienz bei dem tatsächlichen Drahtzieher im Irak, dem Vorsitzenden der regierenden revolutionären Baath-Partei, Saddam Hussein, zu erwirken. Am 26. März unterzeichnete Saddam einen förmlichen Amnestievorschlag und ersuchte Frau Huslid darum, den norwegischen König und das norwegische Außenministerium telegrafisch von der bevorstehenden Freilassung Bratlies zu verständigen. Aus unerfindlichen Gründen blieb diese Nachricht jedoch im norwegischen Außenministerium unbeachtet, oder aber sie wurde mißverstanden. Jedenfalls richtete noch gut zwei Wochen später, am 10. April, der norwegische König ein telegrafisches Gnadengesuch an den irakischen Präsidenten, Marschall Ahmed Hassan Al-Bakr, mit der Bitte, es mit dem fünfmonatigen Gefängnisaufenthalt bewenden zu lassen. Indessen landete am Karfreitag, dem 13. April, um 15.30 Uhr auf dem Osloer Flughafen Fornebu ein Flugzeug mit Sigurd Bratlie an Bord, gefolgt von Botschafter Helge Leikvang und Yvonne Huslid. Außenminister Knut Frydenlund war gekommen, um Bratlie willkommen zu heißen. Bratlie umarmte den Außenminister und dankte für alle Hilfe.

Am Rollfeld erwartete ihn auch seine Frau Rakel, die treulich für ihn gebetet und auf ihn gewartet hatte. Sie hatte Trost in Gottes Wort gefunden und war nie darüber im Zweifel gewesen, daß ihr Mann zurückkommen würde.

„Ein Engel Gottes"

Mehr als alle anderen war Yvonne Huslid mit der Angelegenheit in Bagdad beschäftigt. Sie hatte die Bemühungen um Bratlies Freilassung ins Rollen gebracht und wurde vom norwegischen Außenminister persönlich mit dieser Aufgabe betraut. Yvonne Huslid war eine außergewöhnlich arbeitsame und unerschrockene Frau, die sich selbst bei mehreren Gelegenheiten großer Gefahr aussetzte. Unter anderem stahl sie sich ohne Genehmigung ins Gefängnis, um Bratlie persönlich besuchen zu können. Zu diesem Zweck stand sie stundenlang Schlange, zusammen mit Irakern, die ihre Verwandten besuchen wollten. Sie war es auch, die mit dem faktisch starken Mann des Iraks, Saddam Hussein, Kontakt hielt. Gleichzeitig bemühte sie sich um die Personen, die mit der Sache befaßt waren, um den Gefängnisaufenthalt für Bratlie einigermaßen erträglich zu gestalten und damit das Schlimmste zu verhindern. Es ist nicht übertrieben zu behaupten, daß Yvonne Huslid unter Einsatz ihres Lebens hervorragende Arbeit geleistet hat. Nach ihren eigenen Worten wurde Bagdad für sie zu „Tausendundeinem Alptraum", in Anspielung auf die „Märchen aus Tausendundeiner Nacht".

Aksel J. Smith drückte es anders aus: „Sie war ein Engel Gottes für Bruder Bratlie."

Zu erwähnen bleibt, daß Yvonne Huslid sich später für die Befreiung aller gefangenen Christen im Irak einsetzte, auch jener, die mit Bratlie eingesperrt wurden. Unter ihnen befand sich Sobhi Ibrahim Youssef, Atomphysiker und Professor an der Universität Bagdad, der Bratlies Gastgeber und Übersetzer war. Er saß 300 Tage im Gefängnis. Im September wurde er freigelassen und nach Ägypten ausgewiesen.

„Pastor Bratlie wurde zu einer Bauernfigur in einem großen internationalen Schachspiel, in dem eine Reihe großer politischer Ereignisse direkt oder indirekt sein Schicksal bestimmten", äußerte Botschafter Helge Leikvang, als er zusammen mit Bratlie aus Bagdad kam.

Zahlreiche Faktoren waren in dieser Zeit die Ursache dafür, daß Sigurd Bratlie zu dieser von Leikvang beschriebenen Schachfigur wurde. Unter anderem fand damals auf Kabinetts- und Parlamentsebene eine Debatte über norwegische Öllieferungen nach Israel statt, darüber hinaus wirkten sich die zügig voranschreitenden Friedensverhandlungen zwischen Israel und Ägypten auf die politische Lage im Nahen Osten aus, und Bagdad war auch besorgt über die Entwicklung im Nachbarland Iran.

Auch wenn die hohe Politik in der Diskussion um die Bemühungen zur Freilassung Bratlies eine Rolle spielte, so stellten doch in erste Linie die irakischen Behörden das eigentliche Problem dar. Wo Menschenleben nichts zählen, Verhaftungen, Terror und Hinrichtungen zum Alltag gehören, hat auch das Schicksal eines norwegischen Christen keine Bedeutung, bevor nicht der Druck von seiten der Weltöffentlichkeit groß genug wird.

Der König und der Apostel

In Norwegen hatte diese Angelegenheit alle politischen Ebenen beschäftigt, es gab Appelle von Außenminister Frydenlund, mehrere diplomatische Initiativen, und viele Parlamentsabgeordnete brachten die Sache in verschiedenen Gremien zur Sprache. Sigurd Bratlie dankte allen herzlich für ihren Einsatz, um ihn aus seiner Gefangenschaft zu befreien. Er besuchte das Parlament und wurde von König Olav in Audienz empfangen. Und worüber sprachen wohl die beiden, der König und der Apostel, der Smiths Freunde leitete? Nun, Bratlie dankte für die unverdiente Gnade, die ihm zuteil geworden war, und der König wollte seinerseits mehr über den Aufenthalt in Bagdad, aber auch über die Gemeinde erfahren. Ansonsten sprachen sie über Dinge, die dem Himmelreich angehören.

Durch die Zeitungen dankte Bratlie allen, die in ihren Gebeten für ihn eingestanden hatten. Die Freunde gehen davon aus, daß die Gebete mehr als alles andere dazu beigetragen haben, Bratlie zu befreien, und daß Gott viele Menschen als Werkzeuge für seinen Dienst gebraucht hat.

„Da bin ich wieder“

„Ja, ja, da bin ich wieder. Mir ging es ja gut, im Gegensatz zu euch, die ihr zu Hause wart. Es mag vielleicht merkwürdig klingen, aber ich fand einen derartigen inneren Frieden, daß ich nicht eine Sekunde lang bekümmert war. Ihr wart es ja, die ihr für die Gemeinde gekämpft habt. Ich empfinde heute eine solch große Dankbarkeit, daß Worte sie nicht ausdrücken können. Aber ich will gern die Gelegenheit ergreifen, euch allen zu danken, groß und klein, für jeden Gedanken, jedes Gebet und für euren starken Glauben.“ (Sigurd Bratlie in Brunstad, Ostersamstag, 14. April 1979)

Eine der Folgen des Gefängnisaufenthaltes in Bagdad war, daß die Gemeinde wie nie zuvor in den Blickpunkt des Medieninteresses rückte. Allerdings weisen die Zeitungsartikel aus dieser Zeit zum Teil elementare Mängel an Kenntnissen auf. Bratlie wurde u. a. mit einem Papst verglichen, dessen Worte Gesetzescharakter haben und von allen Anhängern befolgt werden müssen. Der inzwischen verstorbene Außenminister Knut Frydenlund konnte über diesen Vergleich nur herzlich lachen, nachdem er Bratlie kennengelernt hatte.

In einem Interview mit der Zeitung „Sandefjords Blad“ am 17. April 1979 sagt Bratlie etwas, was der Wahrheit wohl wesentlich näher kommt:

„Ich bin immer ein Mann gewesen, der sich gern im Hintergrund hielt - bei den Planungen in Brunstad ebenso wie im Zusammenhang mit dem erfreulichen Wachstum der Gemeinde. Aber ich kann gut verstehen, daß es jetzt nötig ist, hervorzutreten. Der ungeheure Einsatz von seiten des Außenministeriums, der Gemeinde und nicht zuletzt unseres Königs verpflichtet mich, öffentlich die Dankbarkeit auszudrücken, die in diesen Tagen mich, meine Familie und meine Freunde überwältigt. Ich muß es wohl mit dem Fuchs halten, der, als ihm das Fell über die Ohren gezogen wurde, sagte: ‚Es ist alles nur ein Übergang.'

Sie sind sicher gespannt zu erfahren, wie das alles passieren konnte. Ich kam zu Professor Sobhi Youssef, den ich von Deutschland her kannte und der mein Gastgeber während des Aufenthaltes in Bagdad war. Zehn Tage lang konnte ich in Ruhe Bibelstunden halten. Am letzten Tag indessen sah ich während der Bibelstunde drei Männer in das Haus kommen. Sie verhielten sich ruhig und störten weder mich noch meine Zuhörer. Als ich geendet hatte, kamen sie zu mir und hießen mich mitzukommen. Ein Teil von uns wurde zur Polizeistation verfrachtet, verhört und schließlich eingesperrt. Wir hatten keine Ahnung, warum das geschah. Einen Monat lang war ich mit vier anderen in einer Zelle eingeschlossen; es war so eng, daß wir jeweils Kopf an Fuß nebeneinander liegen mußten, um Platz zum Schlafen zu haben. Keiner meiner Mitgefangenen war aus unserer Versammlung. Ich verstand kein Wort von dem, was sie sagten, aber sie erwiesen mir unglaublich viel Fürsorge. Ein 29jähriger Libanese war so rührend besorgt um mich, daß er mich beinahe verwöhnte, soweit das eben möglich war.

Ich stand in der Zelle, blickte mich um, und bevor die Hoffnungslosigkeit mich übermannte, standen zwei Schriftstellen hell und klar vor meinen Augen: ‚Die reines Herzens sind, werden Gott schauen' und: ‚So demütigt euch nun unter die gewaltige Hand Gottes.'

Plötzlich war alle Angst wie weggeblasen, und ich bekam einen tiefen Frieden. Vier Gefängnisse mußte ich kennenlernen, bevor ich freigelassen wurde. Als ein Monat vergangen war, kam ich in das Gefängnis, in dem auch die anderen saßen, die gemeinsam mit mir verhaftet worden waren. Hier blieb ich zwei Monate - es wurden zwei wertvolle Monate. Die anderen beteten für mich, und selbst meine größte Plage, die Schlaflosigkeit, konnten sie durch ihre Gebete heilen. Zuvor hatte ich sechs Jahre lang nicht mehr ohne Medikamente geschlafen. In Bagdad gab es keine Medikamente, aber das inständige Gebet meiner Mitgefangenen hat mir Hilfe verschafft.

Das Essen war gut und immer ausreichend. Niemand fügte mir Böses zu. Kein Schlag, kein Stoß und auch nie ein böses Wort. Ich litt, kurz gesagt, keine Not. Das konnte ich allerdings niemandem mitteilen, weder mündlich noch schriftlich. Ich hatte Schreibverbot. Aber merkwürdigerweise drangen einige Briefe von meiner Frau bis zu mir durch, worauf wir in der Zelle jedesmal ein Fest feierten. Meine Mitgefangenen konnten zwar nicht verstehen, was in den Briefen stand, aber es war, wie wenn sie davon aufgemuntert würden und neue Hoffnung schöpften. Kein anderer bekam Briefe. Ich vergesse nie, wie meine Mitgefangenen mich ansahen und bekannten, daß mein Wesen Hoffnung und Mut bei ihnen bewirkte. Mein Glaube und meine Ruhe haben sich auf sie übertragen, ohne daß ich genau erklären kann, was geschehen ist.

Im Gefängnis wurde mir kein Schaden zugefügt, aber ich sah ja, daß die Behörden ihre Hintermänner und Spione im Gefängnis hatten, die uns Geheimnisse entlocken sollten, die wir vielleicht verschwiegen hatten. Glücklicherweise hatte ich nichts zu verbergen, und die meisten der anderen Gefangenen hüteten sich davor, etwas zu sagen. Eine Reihe von ihnen hatte kaum eine Ahnung, warum sie überhaupt im Gefängnis saßen, aber sie wagten nicht, eingehend mit ihren Mitgefangenen darüber zu reden."

Tatsächlich war das Gefängnis weitaus schlimmer, als es Bratlie schilderte. Das verlautete von seiten der anderen Gefangenen. Läuse waren eine tägliche Plage, und tagaus, tagein gab es das gleiche Essen, Reis und Suppe. Bratlie bekam einen Ausschlag von der Suppe und aß daher weniger. Und auch bei den Verhören ging die irakische Sicherheitspolizei nicht gerade zimperlich mit ihm um, doch Bratlie wollte nie Einzelheiten davon erwähnen. Daß er persönlich Ruhe und Frieden in Gott fand, hat ihm dazu verholfen, dieses Erlebnis positiv in Erinnerung zu behalten. Bei seiner Entlassung herrschte Jubel im Gefängnis, und er wurde von seinen Mitgefangenen buchstäblich auf Händen getragen. Es war unverkennbar, daß er sich im Gefängnis Ansehen erworben und seine Leidensgenossen durch seine Ruhe und Hilfsbereitschaft gewonnen hatte.

Übrigens hatte einer der Mithäftlinge den anderen Gefangenen eingeschärft, sie dürften Bratlie kein Haar krümmen. Es war kein anderer als Ali Akbar Hashemi Rafsandschani, der spätere iranische Präsident. Beide hatten Respekt voreinander, allerdings war Bratlie in der Folge nicht so glücklich über die iranische Politik gegenüber Israel, deren Repräsentant Rafsandschani wurde. Bratlie äußerte einmal halb scherzhaft, er müsse wohl doch nach Teheran reisen und ein ernstes Wort mit seinem ehemaligen Gefängnisfreund reden.

„Die Freunde führen ein stilles Leben nach der Bibel. Wir haben weder am Gefängnis noch am Fernsehen Interesse - und jetzt bin ich in beiden gewesen." (Sigurd Bratlie, nachdem er im Fernsehen interviewt wurde)

Foto: Trygve Indrelid

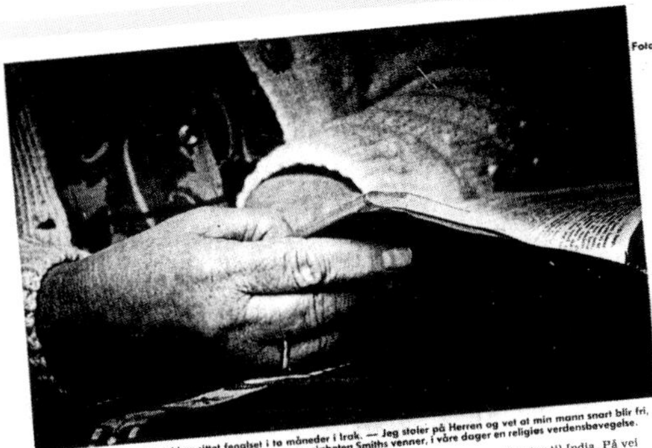

"Jeg vet min mann snart kommer hjem fra fengselet i Irak . . ."

Rakel Bratlies mann Sigurd har sittet fenglset i to måneder i Irak. — Jeg stoler på Herren og vet at min mann snart blir fri, sier hun. Rakel Bratlie er datter av grunnleggeren av menigheten Smiths venner, i våre dager en religiøs verdensbevegelse.

HUN VET DET ER MAKT I DE FOLDEDE HEN

Det er like før nå, sier fru Rakel Bratlie.

«Jeg er overbevist om at min mann vil bli sluppet ut av fengselet med det første.

Fru Bratlie, som er gift med pastor Sigurd Bratlie — som i to måneder har sittet fengslet i Irak — er så sikker i sin tro.

I hele sitt liv har hun stolt betingelsesløst på Herren og hans ord. — I mangel på brev og opplysninger om hvordan hennes mann har det i fengselet i Irak, har hun bibelen å trøste seg med.

«Se hva jeg fant igår kveld da jeg på måfå slo opp i bibelen», sier hun og leser for meg av apostelen Paulus brev, 22. vers:

« . . . og gjør dessuten herberge istand for meg; for jeg håper at jeg ved eders bønner skal bli gitt eder . . .»

«Dette skrev Paulus da han selv satt i fengsel», sier hun.

«For meg er dette et brev fra min mann.

Det er Sigurd som snakker til meg gjennom himmelen».

Tungt har det likevel vært mange ganger i de to måneder som er gått.

I en hel måned visste hun ikke engang om han var i live.

Sigurd Bratlie, som er verdensleder for den sterkt religiøse menigheten *Smiths venner*, hadde vært på en misjonstur til India. På vei hjem skulle han etter invitasjon besøke Irak. Fru Bratlie vet ikke hvem invitasjonen kom fra, eller årsaken til at han ble arrestert. En måneds tid senere fikk imidlertid ambassadør [illegible] på ufor-

blant venner og bare blant dem. Vi gjør ingen ting for penger — det er bare Gud som lønner oss».

I de 79 år som er gått siden den gudfryktige skredderen Johan O. Smith fra Horten begynte å så sine første frø blant likesinnede har [illegible] spredt seg

Pastor Sigurd Bratlie etter løslatelsen fra fengselet i Irak:

Må ha kostet mye - håper ikke at skattyterne klager

Pastor Sigurd Bratli ble løslatt fra fengslet i Bagdad skjærtorsdag og kom til Fornebu langfredag, hvor han fikk en hjertelig velkomst av bl.a. sin kone Rakel.

— Fengselsoppholdet i Irak har ikke vært vanskelig. Jeg har ikke lidd overlast. Jeg har hatt det fredfullt og godt. De fangene jeg satt sammen med har vært gode og snille mot meg.

Det sa den 74 år gamle Sigurd Bratlie da han langfredag kom hjem til Norge etter å ha sittet fengslet i fem måneder i Iraks hovedstad Bagdad. Bratlie ble løslatt skjærtorsdag.

Han ble møtt på Fornebu av sin kone Rakel, sønnen, svigerdatteren, de tre barnebarna og broren Ottar, foruten et stort antall pressefolk. Bratlie var opplagt og i god form.

Bratlie er leder på verdensbasis for den religiøse bevegelsen Smiths Venner, som teller om lag 20 000 medlemmer. Han ble arrestert 17. november etter et møte hjemme hos professorvennen Shabi Youssef. Bratlie var invitert til Bagdad for å holde bibeltimer. Han kom dit fra India og skulle etter planen reise videre til Kairo den kvelden han ble arrestert.

Til stede på dette møtet var mellom 50 og 60 mennesker, og alle ble arrestert, fortalte Bratlie.

— Jeg sto og talte da tre sivilkledte politifolk kom inn i leiligheten. De sto rolig og fulgte med. Jeg fortsatte og vi avsluttet møtet med bønn. Da vi var ferdig ble vi vinket ut og ført inn i noen små busser. Det hele foregikk svært rolig, sa Bratlie.

Fire fengsler

Han satt i fire forskjellige fengsler i det fem måneder lange fangenskapet. Han delte celler med flere andre fanger, men understreket flere ganger på pressekonferansen ved hjemkomsten at han ikke hadde lidd noen som helst form for overlast.

Bratlie måtte gjennom flere forhør, men fikk aldri vite hva siktelsen mot ham gikk ut på.

— Men jeg forsto etter hvert at slike husmøter som jeg hadde vært med på var forbudt. I forhørene ville de vite alt mulig, hva jeg drev med og hva jeg mente. Det ble lagt vekt på min holdning til Israel, og jeg ble spurt om jeg hadde vært i Israel. Heldigvis hadde jeg ikke vært der, fortalte Bratlie.

Han ble dømt for en spesiell domstol sammen med 23 andre, blant dem flere andre utlendinger som var tiltalt for det samme som ham.

Dommen på ett års fengsel gjaldt brudd på en spesiell lov som slår fast at det er forbudt å holde husmøter dersom organisasjonen ikke er registrert i Irak eller politiet har godkjent møtet på forhånd.

I rettssaken hadde de tiltalte ingen forsvarer. Bratlie forklarte seg på tysk i rettssalen og en tolk oversatte.

Han fremholdt at han aldri følte seg truet noen gang, verken under forhørene eller i fengslene. Under ett av forhørene virket imidlertid de som avhørte ham noe truende, sa han.

— Men jeg var stille og rolig, og visste at jeg hadde mine saker og ting i orden.

Meklingsmann

I fengslene ble han tatt godt vare på av sine medfanger, selv om de kunne slåss seg imellom. Noen ganger måtte Bratlie og andre medfanger gå imellom når det oppsto slåsskamper i fengslene.

Bratlie hadde ingen formening om han kunne ha blitt løslatt tidligere hvis de norske myndighetene hadde tatt affære med en gang han ble arrestert.

— Men jeg vil benytte anledningen til å takke for den kraftige og hjertelige innsatsen som regjeringen har gjort i denne saken. Jeg ser og dette som en handling fra Gud, sa Bratlie.

— Men det hele må ha kostet landet mange penger. Jeg håper skattebetalerne ikke klager så mye over det, bemerket han spøkefullt.

De personene Bratlie ble arrestert sammen med fikk forskjellige straffer, på fra fire måneder og oppover. Alle disse sitter fortsatt i fengslet, men Bratlie sa at en tysker han reiste sammen med inn i landet trolig vil bli løslatt en av de nærmeste dagene.

— Maten vi fikk i fengslet smakte meg godt. Det var mye ris og suppe. Senere fant jeg ut at jeg fikk utslett av denne suppen. Lus måtte jeg også lære å leve med, sa Bratlie.

I det andre fengslet han satt kom han sammen med noen av dem han ble arrestert sammen med. I det fengslet fikk de også den tyske ambassaden til å få tak i en bibel.

— Det var en stor herlighet, sa han.

Er ikke skremt

Arrestasjonen og fengselsoppholdet i Irak har ikke skremt Bratlie fra å fortsette sine reiser verden rundt.

— Sommeren står for døren med mange stevner rundt om i verden. Jeg tar vel med kona Rakel og reiser, sa Sigurd Bratlie.

Bratlies Gefangenschaft in Bagdad fand in den Medien Großen Widerhall. - Rakel und Sigurd Bratlie glücklich vereint, die Schlagzeile darüber: „War bestimmt teuer - hoffe nur, Steuerzahler beklagen sich nicht!"

Erweckung und Kampf

„Achtung! Feuer!"

Solche Sprengwarnrufe schallten auf der Neujahrskonferenz 1991/92 durch den Versammlungssaal in Brunstad. Sie zeitigten denn auch die gewünschte explosive Wirkung. Die Stimmung im Saal entlud sich in einem „Ruf wie Donnerhall".

Es gab Gebetskreise zwischen allen Versammlungen, im Saal und auch draußen. Man rief zu Gott und weinte. Der Vergleich mit der chinesischen Kulturrevolution drängte sich geradezu auf. Jugendliche und Erwachsene standen in den Versammlungen Schlange, um zu Wort zu kommen. Viele redeten dermaßen laut, daß sie bestenfalls gerade noch sich selbst verstehen konnten. Mit eisernem Gesichtsausdruck, die Augen geschlossen oder den Blick nach oben gerichtet, schockten sie viele Ältere in der Gemeinde, die jahrelang ein stilles und gottesfürchtiges Leben geführt und nie etwas Derartiges erlebt hatten. Am ehesten fühlten sie sich an Auswüchse von bizarren charismatischen Glaubensbewegungen erinnert, von denen sie gelesen oder gehört hatten: eine bedrohlich wogende Menschenmasse, die sich wie auf Kommando bewegte, alles auf den Kopf stellte und sich von den Älteren nicht zurückpfeifen lassen wollte.

Mitunter entwickelten sich die Gebetskreise für einige zu einem buchstäblichen Freiheitserlebnis, indem sie dabei z. B. in die Luft geworfen wurden, um während dieses Fluges die „grenzenlose Freiheit über den Wolken" zu spüren. Im Gebetskreis auf den Stühlen zu stehen und zu Melodien wie „Oh, when the saints go marching in" zu schunkeln, das gehörte zu den Ingredienzien. Auch eine Reihe von Vorstehern beteiligte sich daran, zum Mißfallen vieler Erwachsener.

Die Woge der Erweckung rollte um die ganze Welt und erreichte - wenn auch mit unterschiedlicher Intensität - alle Gemeinden der Freunde. Mitunter waren ihre Wirkungen an einzelnen Orten so heftig, daß manche Gemeinden beinahe daran zerbrachen.

Vorsteher, die sich nicht mit der Erweckung identifizieren konnten, gerieten in eine Vertrauenskrise von seiten der Jugend. Es entwickelte sich ein „Vogel-friß-oder-stirb"-Klima, so daß es nötig war, die Erweckung aufzufangen, bevor sie auf Abwege geriet. In der Gemeindesprache hieß das Kampf zwischen den guten und den verführerischen Geistern. Von verantwortlicher Seite bestand dennoch kein Zweifel daran, daß die Fundamente der Gemeinde mit ihrer gesunde Lehre alles überdauern und früher oder später wieder zum Vorschein kommen würden. Sie konnten es sich deshalb erlauben, die direkte Konfrontation während der wildesten Phase der Erweckung zu vermeiden und der Erweckung zum Großteil freien Lauf zu lassen. Indessen blieben Ermahnungen vieler Gemeindeältester nicht aus, wenn es auch manchmal den Anschein haben konnte, als ob sie gegen eine massive Menschenmauer sprächen.

Wie alle Erweckungen, war auch diese im Grunde genommen eine Sturm-und-Drang-Phase gegen das Etablierte. Im Wesen jeder Erweckung liegt grundsätzlich etwas Radikales, und diese trug zeitweise extreme Züge. Selten wurde die Gemeinde so hart geprüft, und die Entwicklung näherte sich einem Punkt, an dem ernstlich an den Grundfesten der Gemeinde gerüttelt wurde. An allen Ecken und Enden gab es geistliche Scharmützel, Familienidyllen wurden erschüttert, der Gemeindefriede war gestört. Die Kritik an den Eltern und anderen älteren Freunden konnte heftig sein, und es hagelte Vorwürfe wegen mangelnden Eifers und fehlender Glut. Das Ganze erschien wie eine massenpsychotische Flutwelle, die über die Gemeinde hinwegbrauste und beinahe vier Jahre andauerte, ehe sie sich legte. Jetzt hört man auch aus der Gemeinde selbst, daß die Erweckung in die richtigen, schöpferischen Bahnen gekommen ist.

Impressionen

„Für uns war am schlimmsten, daß uns einige in der Gemeinde nicht mehr grüßten. Wir galten beinahe als Aussätzige, weil wir bei bestimmten Dingen nicht mitmachen wollten. Wir sind in einer Gemeinde aufgewachsen, in der das Hauptgewicht auf das innere Leben mit Gott gelegt wurde und hielten nichts von all diesen neuen Sitten. Jedesmal beim Singen aufzustehen und die Hände - nach Manier der Kulturrevolution - hochzuheben, ist früher nie der Stil der Gemeinde gewesen. Es war nicht leicht, dem zu widerstehen und mit einigen wenigen sitzen zu bleiben, während sich die restliche Gemeinde erhob. Die anderen hielten uns wohl für Querulanten und warfen uns vor, nicht eifrig genug zu sein. Wir hatten Glück, daß unser Vorsteher so klug war und die ganze Zeit hindurch die persönliche Freiheit des einzelnen hochhielt. Mittlerweile grüßen uns die meisten wieder, aber es war eine furchtbar schwere Zeit. Wir haben uns jedoch gedemütigt und durchgehalten. Glücklicherweise sieht es so aus, daß wir jetzt wieder die gute alte Gemeinde haben, ja, sie ist beinahe noch besser geworden." (Ein älteres Ehepaar)

„Ich habe nie etwas davon gehalten, die Hände hochzuheben. So machen sie es in diesen Hallelujagemeinden. Aber jetzt, wo die Erweckung in ein ruhigeres, insgesamt positiveres Fahrwasser gekommen ist, empfinde ich es als befreiend, bei manchen unserer Lieder die Hand zum Himmel zu erheben. Das wirkt, wie wenn man einen Schuß Kraft dazubekäme." (Eine ältere Frau)

„Schauen Sie selbst, was rundherum geschehen ist. Die Erweckung hat ja dazu geführt, daß viel mehr in der Schrift und der Gemeindeliteratur gelesen wird. Junge Menschen, die früher etwas lau herumsaßen, sind aktive junge Brüder und Schwestern geworden. Jede Erweckung ist ungestüm, doch dann lenkt sie Gott in die rechte Bahn." (Elihu Pedersen, Vorsteher in Horten)

„Eine Erweckung kann nicht nur in Schlagworten bestehen. Sie muß in eine konstruktive Spur kommen, wo der einzelne an sich selbst arbeitet, um voranzukommen." (Sigurd Johan Bratlie, Stavanger)

„Ich erinnere mich noch an die Erweckung im Jahre 1934. Sie war genauso intensiv, aber selbstverständlich waren wir damals weniger Jugendliche als heute. Auch damals standen wir auf den Bänken, und ständig gab es Gebetsstunden. Wohin man sich auch wenden mochte, überall beteten einige zusammen. Erweckungen sind ja nichts Neues in der Geschichte der Gemeinde, Gott hat immer wieder dergleichen geschickt. Um diese Erweckung hatten wir ja auch jahrelang gebetet." (David Myhre, 90 Jahre alt)

„Im nachhinein sehe ich schon ein, daß wir engstirnig dachten und viele ausgefallene Dinge taten. Aber damals sah ich das für das einzig Richtige an. Die Erweckung hatte wohl eine Spur von Verrücktheit an sich, und es ist gut, daß einige der Brüder fest standen, so daß sie nicht völlig außer Kontrolle geriet. Das Resultat ist ja gut geworden." (Ein Mittzwanziger, zentral in der Erweckung)

„Ich trage noch immer Krawatten. Es gab eine Zeit, in der die erweckten Jugendlichen meinten, alle müßten gleich aussehen, das gleiche meinen und das gleiche reden. Ich bin ein bißchen stur und halte mich daran, was Brüder wie Johan O. Smith und Aslaksen immer vertreten haben: die gesunde Lehre und Freiheit für den einzelnen." (Ein älterer Mann)

„Ich hoffe nicht, daß Sie ausgerechnet in jener Versammlung waren. Ich schäme mich schon etwas über unsere damalige Dummheit. Heute verstehe ich wohl vieles besser." (Ein junger Mann zum Verfasser, bei einem Gespräch über die Neujahrskonferenz 1991/92)

„Die Erweckung wurde von Kåre Smith inszeniert, um die Alleinherrschaft über die Gemeinde zu erringen." (Ein Mann in den Vierzigern, der 1993 aus der Gemeinde ging)

Erweckung in einer Gesamtschau

In seinem Buch „Norges vekkelseshistorie gjennom 1000 år" (1000 Jahre Erweckungsgeschichte in Norwegen) legt cand. theol. Ingulf Diesen besonderen Wert darauf, Erweckungen nicht unabhängig voneinander zu betrachten. „In einer solchen Gesamtschau gewinnt man einen Eindruck davon, wie Gott in seiner großen Gnade die Herzen der Menschen ergriffen hat. Das wiederum bewirkt Not, Gebet und ein Herzensverlangen, Gott möge aufs neue mit Erweckungen segnen."

Treffen solche Gedanken auch auf die Erweckung unter den Freunden zu?

„Ja, Erweckungen sind von Gott", meint Kåre J. Smith. „Die Gemeinde ist in den letzten dreißig Jahren stark gewachsen, und wir haben große Versammlungen bekommen. Viele Freunde führten nach außen hin ein geradezu mustergültiges Leben, spürten jedoch, daß ihnen die persönliche Herzensverbindung mit Christus fehlte. Anders ausgedrückt, das Evangelium beschränkte sich im wesentlichen auf eine verstandesmäßige Erkenntnis, die mehr im Kopf verankert war, aber keine Verbindung zum Herzen hatte. In der Erweckung erlitt man allerdings mit dieser glänzenden Fassade Schiffbruch; die frohe Botschaft wurde nunmehr zur Herzenssache. Deshalb hörte man in der Erweckung oft: ‚Weg mit der Vernunft!'

Solche äußeren Begleiterscheinungen der Erweckung konnten auf viele durchaus unseriös wirken, und manche reagierten auch empfindlich auf diese Dinge. Die allermeisten machten indes die Erfahrung, daß hinter der Erweckung noch mehr steckt als die spektakuläre ‚Verpackung'. Die Hauptsache ist ja das fabelhafte Resultat, zu dem die Erweckung geführt hat. Der Inhalt der ‚Verpackung' entpuppte sich somit als gut und konstruktiv. So haben es die meisten Freunde erlebt; die Erweckung hat reiche Segnungen für die Familien und Gemeinden gebracht.

Heute erlebt man in der Gemeinde lebendige Versammlungen; viele Freunde sind zu engagierten christlichen Persönlichkeiten herangereift, die von ganzem Herzen als Jünger Jesu leben wollen. In der Erweckungszeit konnten wir beobachten, wie ganze Versammlungen erneuert wurden, und wir erleben Einheit und Gemeinschaft wie nie zuvor. Ehen wurden erneuert, und Eltern und Kinder haben zusammengefunden. Wir haben erlebt, wie viele unbekehrte Jugendliche aus tiefstem Sündenelend herausgefunden haben, ja Hunderte von Jugendlichen haben das Joch der Sündenknechtschaft abgeworfen. Wo früher Gebote nötig waren, hat nun das Evangelium Macht bekommen. Für viele Geschwister ist die Erweckung der Anfang eines völlig neuen Lebens geworden, sie hat sozusagen allen etwas Positives gebracht."

Kampf um die Gemeinde

Parallel zur Erweckung vollzog sich in der Gemeinde auch ein Machtkampf. Einige nicht unbedeutende Personen, vor allem in Oslo, wollten verhindern, daß Kåre J. Smith (Johan O. Smiths Enkel) die Nachfolge von Sigurd Bratlie und Aksel J. Smith antrat. Sie verstiegen sich zu einer Reihe von Angriffen gegen Kåre J. Smith, teils innerhalb der Gemeinde, teils auch unter Zuhilfenahme der Medien. Die Widersacher, welche selbst ans Ruder kommen wollten, erhoben in Gesprächen mit Sigurd Bratlie und

Aksel J. Smith reihenweise Anschuldigungen, wobei sie gleichzeitig einen der älteren Brüder aus Oslo auf den Schild heben wollten.

Die Gegner hatten sich schwer verrechnet, was die erwartete Unterstützung betraf. Während einer Versammlung, die als Abrechnung mit Kåre J. Smith gedacht war, ergriff schließlich Sigurd Bratlie das Wort und schlug beiläufig vor, daß alle Freunde Kåres nach vorne kommen und ein Lied singen sollten. Beinahe der ganze Saal folgte der Aufforderung, und selbst die Mehrzahl der Kritiker ließ sich mitreißen.

Damit war den übrigen Widersachern schlagartig der Wind aus den Segeln genommen.

Einige von ihnen zogen es vor, die Gemeinde zu verlassen. Ihre Gallionsfigur, der gescheiterte Thronanwärter, entzog in einer dramatischen Abschiedsrede jeglicher weiterer Zusammenarbeit die Grundlage, so daß er aus der Gemeinde ausgeschlossen wurde. An sich ist es unter den Freunden völlig unüblich, jemanden auszuschließen, doch die groben und nicht belegten Beschuldigungen schufen in diesem besonderen Fall eine Ausnahmesituation. In der Folgezeit verließen (einschließlich der Kinder) mindestens 450 Personen* die Gemeinde in Norwegen. Inzwischen hat sich der Zusammenhalt der „Dissidenten" schon gelockert; nur stellenweise pflegen sie noch regelmäßige Versammlungen.

„Über die Erweckung"

In der Juniausgabe 1994 des Gemeindeblattes „Skjulte Skatter" erläutert Kåre J. Smith die Geschehnisse der Erweckung vom geistlichen Standpunkt der Gemeinde aus (in deutscher Übersetzung erschienen in „Das Leben", Juli 1994, unter dem o. g. Titel):

„Alle wahre Erweckung entsteht aus dem Zerbruch, den Gottes Wort in unserem Inneren bewirkt. Das Wort Gottes, von Männern des Geistes mit Vollmacht verkündigt, ist wie ein Hammer, der Felsen zerschmeißt (Jer. 23, 29). Dies hat Sündennot und Verlangen nach tieferer Erlösung zur Folge.

Es steht nicht in menschlicher Macht, Erweckung zu schaffen. Vielmehr wird sie vom Himmel aus entfacht. Jesus sagte: ‚Ich bin gekommen, ein Feuer anzuzünden auf Erden; was wollte ich lieber, als daß es schon brennte!' Luk. 12, 49. Dies ging erstmals am Pfingsttag in Erfüllung, und seitdem hat sich das von Generation zu Generation wiederholt. Am Pfingsttag entzündete sich das Feuer und wurde durch die Apostel zum hellen Lodern gebracht. Und solch eine Erweckung trat auch in Johan O. Smiths Leben und Dienst zutage.

Die Gemeinde war nie eine kirchliche Gemeinschaft, sondern eine Bewegung in ständiger Erweckung, vorwärtsgetrieben durch den Geist der Wahrheit und die Wirkungen des Wortes in unserem Inneren. Vom frühe-

* Diese Zahl wurde nach eigenen Untersuchungen des Verfassers ermittelt, indem für eine Reihe von Ortsgemeinden die entsprechenden Zahlen recherchiert und die gewonnenen Ergebnisse auf die Gesamtgemeinde hochgerechnet wurden. Anschließend erfolgte ein kritischer Abgleich mit Zahlenangaben aus den Gemeinden sowie von Personen, die sie verlassen haben.

sten Anfang an bis heute gab es immer treue Geschwister, die dieses göttliche Feuer in ihrem Inneren trugen.

Das Jahr 1991 wird als ein denkwürdiges Jahr in die Gemeindegeschichte eingehen. Es wurde offenbar, daß sich einige unter uns befanden, die nicht von uns waren, böse Menschen, die obendrein anderen die Sicht verstellten. Gleichwie Jannes und Jambres Mose widerstanden, so widerstanden auch diese Personen der Wahrheit und stellten sich gegen die Ältesten der Gemeinde. All dies bewirkte großen Ernst und Verlangen nach Erlösung unter den Geschwistern. So wurde die Zeit reif für die Erweckung. Und dann kam sie machtvoll über uns, die Erweckung, nach der wir uns gesehnt und um die wir zu Gott gefleht hatten, Notschreie stiegen zu Gott empor, um Sieg über Sünde zu erlangen. Alles ist Gottes unendliche Güte gegenüber der Gemeinde.

Der Beginn der Erweckung lag schon an der Jugend-konferenz im Juni 1991 in Oslo deutlich in der Luft. Dann kam die Sommerkonferenz in Brunstad mit Geist und Feuer und nachhaltigen Auswirkungen. Viele wurden erweckt und unterzogen ihr Leben einer gründlichen Überprüfung. Es gab vielerorts Gebetsversammlungen und Notgeschrei, und dies in ständig zunehmendem Maße. In Torsteinslåtta kam es während einer Zusammenkunft junger Brüder im Herbst desselben Jahres zu einer machtvollen Ausgießung des Geistes, und viele erlebten eine Wiedergeburt in ihrem Leben. Bei diesem Treffen waren die Brüder Aksel J. Smith und Bernt Stadven sowie einige andere ältere Brüder zugegen. Bruder Aksel J. Smith empfand es so, als ob er mitten im reinen Liebesfeuer Gottes stünde. Nun war die Erweckung zur vollen Entfaltung gekommen; viele bekehrten sich oder erlebten eine Erneuerung. Die Kunde von der Erweckung lief rund um die Welt, so daß die Erwartungen für die bevorstehende Neujahrskonferenz hochgespannt waren. Diese Neujahrskonferenz 1991/92 brachte einen gewaltigen Durchbruch; die Erweckung begann nun, sich weltweit auszubreiten. Das Ganze übersteigt jede Beschreibung! Wir loben Gott für das, was in unserer Mitte geschah!"

„Nicht alle haben es verstanden ..."

Kåre J. Smith fährt in seinem Aufsatz fort:

„Trotz all dieses Segens gab es leider einige, die nicht verstanden, was Gott in unserer Mitte tat. Vereinzelt gab es sogar von Anfang an offenen Widerstand gegen die Erweckung und ihre Werkzeuge. Solche Personen verloren das Vertrauen in ihren Gemeinden, und all dies kann auf einen Mangel an Demut zurückgeführt werden. Sie hätten ja den Hirten vertrauen sollen, die ihnen von Gott gegeben waren, von denen sie Nahrung bekommen hatten und die sie ermahnt hatten. Doch durch Gottes unsagbar große Gnade haben sich mehrere dieser Brüder bekehrt und sind in unserer Mitte zur Ehre Gottes wirksam. Dafür preisen wir Gott! Andere wiederum haben uns leider verlassen und sind unsere Widersacher geworden.

Und dann gibt es auch einige Geschwister, die empfinden, daß die Erweckung an ihrem Heimatort noch nicht richtig durchgeschlagen hat. Dies trifft in einigen Fällen zu, in anderen jedoch nicht. Man verweist dann gern auf den Anfang der Erweckung und daran, wie ‚die Jugend die Älteren weggefegt hat.‘ Dieser Ansatz ist indessen vollkommen abwegig! Zwar zeigte es sich ja tatsächlich, daß einige nicht die Wahrheit liebten und stattdessen der Bruderschaft widerstanden, doch es war nicht die Jugend, die hier an vorderster Front focht. Wir konnten unsere Ältesten sehen, und hier insbesondere Bruder Sigurd Bratlie, wie gütig er zu den einzelnen war, wie langmütig, barmherzig, nachsichtig und vergebungsbereit - gerade auch boshaften Menschen gegenüber. Das ist geistliche Stärke! So arbeiten Brüder, die vom Heiligen Geist getrieben sind! Der einzelne bekam reichlich Gelegenheit, sich zu bekehren, doch Gott gab nicht allen Gnade dazu. Manche verstockten sich und verließen die Gemeinde trotz der Langmut und Fürsorge der Brüder.

Wer die Erweckung dazu benutzt, das Seine zu suchen, wird niemals ein Diener in der Gemeinde des lebendigen Gottes bleiben. Gott wird dafür sorgen, daß ein solcher offenbar wird. Dies zeigt die Geschichte der Gemeinde in aller Deutlichkeit.“

Erweckungen hat es immer gegeben

Das Phänomen der Erweckung ist nichts Neues in der Gemeinde. Hier und da kam es immer wieder in einzelnen Ortsgemeinden zu Erweckungen, und es hat gewissermaßen in jedem Jahrzehnt eine bzw. mehrere Erweckungen unterschiedlicher Intensität gegeben, jedoch in geringerem Ausmaß als die jetzige. 1959 schrieb z. B. Aksel J. Smith:

„Gelobt und gepriesen sei Gott für jede wahre Erweckung, und gelobt sei Gott für die durchgreifende und andauernde Erweckung, die in unserer Mitte stattfindet. Lebendiger Glaube und Erweckung gehören zusammen. Wenn Sünder einen lebendigen Glauben an das Wort von der Sündenvergebung bekommen, gibt es Erweckung. Wenn dann die, denen die Sünden vergeben sind, lebendigen Glauben an die Kraft des Heiligen Geistes zum Überwinden der Sünde bekommen, geht die Erweckung mit Geist und Feuer weiter. In dem Maß, wie der Geist das Wort für unsere Herzen lebendig macht und wir es in lebendigem Glauben ergreifen, nimmt die Erweckung an Kraft und Gehalt zu.

Wenn wir zum Beispiel wirklich dafür begeistert sind, Geduld zu lernen, und lebendigen Glauben daran bekommen haben, daß wir unter allen

Lebensumständen geduldig sein können, dann finden wir überall ein Missionsfeld für Erweckung. Dasselbe gilt auch für alle anderen Felder: nicht das Seine suchen, nicht bitter werden, nicht murren und klagen, nicht aufgeblasen werden, nicht beleidigt, nicht hochmütig und eitel, nicht ehrsüchtig und geizig sein."

Eine denkwürdige Konferenz

Im Jahre 1934 brach während einer Konferenz, die anders als gemeinhin üblich verlief und darum von Johan O. Smith als denkwürdig bezeichnet wurde, eine Erweckung auf.

„Ungefähr eineinhalb Monate im voraus hatten wir Gebetsversammlungen gehabt und sind intensiv auf Gott eingestürmt. Viele der jüngeren Brüder in Horten wurden mit Gottes Geist erfüllt und redeten in Zungen. Sie baten auch um die Gnadengabe der Krankenheilung. Dann nahten der Gründonnerstag und der Karfreitag. An beiden Tagen waren nur Versammlungen für Männer vorgesehen. Die Brüder kamen aus Fredrikstad, Oslo, Sandefjord und anderen Orten. Das Ganze mündete in Gebetsarbeit und Gebetskampf, wie wir es nie zuvor erlebt hatten. Die jungen Männer beteten und riefen zu Gott. Sie wurden auch erhört, und eine große Zahl wurde mit dem Geist erfüllt, pries Gott und redete in fremden Zungen. So ging es zwei Tage lang. Dann kam die eigentliche Osterkonferenz. Unser Saal war im Nu bis auf den letzten Platz voll. Man betete und betete. Der Geist des Gebets erfüllte uns alle. Auch kleine Kinder wurden mit dem Heiligen Geist erfüllt und redeten in Zungen. Zwischen den Versammlungen wurde in allen Ecken gebetet - vom Dachboden bis zum Speisesaal, von der Küche bis zum Holzschuppen. Auch private Unterkünfte blieben davon nicht ausgenommen. Man betete überall bis nach Mitternacht. Manche wurden von ihren Krankheiten geheilt. Und wie viele mit dem Heiligen Geist getauft wurden und in Zungen redeten, davon habe ich keine Ahnung, aber es waren ganze Scharen Erwachsener und Kinder. Erfüllt von inniger Dankbarkeit gegen Gott für all seine Gnade und mannigfaltigen Segnungen, reisten die Freunde nach Hause.

Welche Resultate diese Konferenz und diese Ausgießung des Geistes bringen wird, wissen wir nicht, jedoch steht fest, daß 200 bis 300 Menschen voller Gebetsgeist von dannen zogen, fest entschlossen, am Gebet anzuhalten. Viele von ihnen sind Männer im besten Alter, bereit, alles einzusetzen, um Gottes Reich in ihre Heimatgemeinden hineinzubeten.

Ich möchte den Brüdern in Westnorwegen, Amerika, Dänemark und Schweden wärmstens empfehlen, mit Gebetsversammlungen zu beginnen. Auf diese Weise wird alle Bosheit verjagt, und Gottes Reich kommt herab."

Seelische Vergewaltigung?

1928 fand in Horten eine Kinderkonferenz statt. Darüber schrieb Johan O. Smith folgendes:

„Schon jahrelang waren unsre Kinder in den Versammlungen mit dabei. Sie liefen aus und ein und knallten die Türen zu. Auf unsren Festen wurden ihnen mehr Freiheiten gewährt, als viele ertragen konnten. Doch haben sie Gott, die Freunde und die Versammlungen liebgewonnen. Nun war Bruder Aslaksen ungefähr drei Wochen vor Weihnachten bei uns, um Versammlungen für Erwachsene zu halten, aber die allermeisten verstockten sich gegenüber der deutlichen und gesegneten Botschaft, die reichlich dargeboten wurde. Stattdessen nahmen die Kinder und Jugendlichen Gottes Wort an. Sie begannen, Gott um volles Heil und durchgreifende Erlösung anzurufen, und Gott hörte ihre Gebete. Bruder Aslaksen hielt jeden Abend Versammlungen für sie, und er äußerte, es sei viel erquickender, Versammlungen für solche Kinder zu halten als für Erwachsene. Immer mehr Kinder bekehrten sich. Als Bruder Aslaksen abreiste, brach die Erweckung nicht ab, so daß beinahe alle Jugendlichen und Kinder, die die Versammlungen besuchten, inzwischen bekehrt sind. Kleine Buben von acht Jahren und darüber beten laut zu Gott und danken ihm für sein Heil. Jetzt haben Buben und Mädchen jeweils eigene Versammlungen, und alle sagen stolz, das seien die besten."

1946 brachte die norwegische Tageszeitung „Dagbladet" in großer Aufmachung eine Schlagzeile: „Seelische Vergewaltigung im Namen Jesu". Da hatte wieder einmal eine Kinderkonferenz in Horten stattgefunden, mit 115 Kindern zwischen neun und sechzehn Jahren. Karl Martinsen hatte sie geleitet, und den Berichten zufolge hatten sich die meisten Kinder bekehrt. Zum Teil hatte sich Martinsen der Kinder ganz persönlich angenommen und mit ihnen gebetet.

Eben diese Gespräche im Keller des Gemeindehauses stellte die Zeitung als anstößig hin: geschah dies wirklich freiwillig oder wurde hier vielleicht Druck auf die Kinder ausgeübt?

Elisabeth Hauge, Magister der Psychologie, behauptete kurzerhand, dies sei eine seelische Vergewaltigung im Namen Jesu und damit ein grobes Vergehen an den Kindern. Dr. med. Alex Brinchmann verstieg sich zu der Aussage, hier sei „ein starker mittelalterlicher Geist" auferstanden, und vom psychologischen Standpunkt aus betrachtet, stelle das ein Alarmsignal dar. Die Psychoanalytikerin Hjördis Koht sprach gar von Mißbrauch des kindlichen Gemütes und meinte, daß die jungen Menschen auf diese Weise geradezu zum Scheitern vorprogrammiert sein könnten.

Ein paar Tage später erschien eine kleine Berichtigung. Andere christliche Gemeinschaften fühlten sich durch den Artikel angegriffen, nicht zuletzt die

Heilsarmee, die auch ähnliche Kindergottesdienste durchführte, Keller inklusive.

Im übrigen trafen die düsteren Prognosen der Experten in keiner Weise ein. Zum Beweis können die Teilnehmer der damaligen Kinderkonferenz herhalten. Sie haben sich allesamt gut entwickelt, wurden geachtete Staatsbürger und haben ihr Leben gemeistert. Mehrere von ihnen sind solide Pfeiler in der Gemeinde geworden.

Und doch lassen sich in der Gemeinde inzwischen gewisse Vorbehalte gegen Kindererweckungen dieser Art feststellen. Eine Bekehrung soll freiwillig und aus eigenen Stücken erfolgen, und dazu muß man ein gewisses Alter haben, um tatsächlich eine Wahl treffen zu können. Zweifelsohne wirken sich starke Erweckungen, die die ganze Gemeinde aufrütteln, auch auf die Kinder aus und führen auch unter ihnen zu Bekehrungen. Das kann man kaum verhindern, selbst wenn man es wollte.

Während die Erwachsenen den Ansprachen auf der Sommerkonferenz folgen, haben es sich Kinder im Saal gemütlich gemacht. Die meisten spielen zwar draußen, aber einige sind auch im Saal. Die Kinder bewegen sich ganz frei während der Versammlungen, ohne daß das störend wirkt.

Unterwegs - Elias Aslaksen mit Aksel J. Smith, Ole Skotland und Sigurd Bratlie (v. l. n. r.). Skotland besaß den „Luxus" eines eigenen Autos und war daher oft Chauffeur.

Hausversammlungen sind in der Gemeinde von Anfang an üblich gewesen.

Der große Sprung

Knappe hundert Jahre kann man die Entwicklung der Freunde zurückverfolgen. In den ersten sechs Jahren arbeitete Johan O. Smith allein; abgesehen von einigen Jugendstunden, die er in Horten hielt, legte er den Schwerpunkt auf Einzelgespräche. Im siebenten Jahr waren es zwei Brüder im Geiste, im darauffolgenden Jahr waren sie zu dritt, im Jahre 1908 zu zwölft, und auch in den folgenden Jahren wuchs die Gemeinde nur langsam auf fünfzig, hundert und mehr Freunde an. Dennoch blieb die Gemeinde bis 1950 verhältnismäßig klein.

Rechnet man - ausgehend von der Anzahl der Teilnehmer an den Sommerkonferenzen in Horten, Nesbyen und letztlich Brunstad, wo sich durchschnittlich ein Viertel bis ein Drittel der Gesamtzahl der Freunde zu treffen scheint - auf eben diese Gesamtzahl hoch, so brauchte es fünfzig Jahre, um auf zweitausend Personen zu kommen. 1956, bei der letzten Sommerkonferenz in Nesbyen, waren etwa 1 100 Personen anwesend, woraus sich eine geschätzte Gesamtzahl von mindestens 4 000 Freunden ergibt. In dasselbe Jahr - nämlich 1956 - fällt der Beginn der Gemeindearbeit im damaligen Westdeutschland.

Wenn wir annehmen, daß heute 30 000 Personen der Gemeinde angehören, so entspricht dies einer Zunahme um das Achtfache im Laufe der letzten vierzig Jahre. Hält dieses Wachstum im gleichen Tempo an, dann wird die Zahl der Freunde im Laufe der nächsten vierzig Jahre auf rund 250 000 anwachsen, vielleicht noch mehr.

Denn den Freunden steht jetzt der wirklich große Sprung ins Haus, nämlich das Wachstum Richtung Osten, in den Ländern, die einst vom Sowjetregime beherrscht wurden. Seit dem Fall der Berliner Mauer wenden sich Scharen von Menschen dem christlichen Glauben zu, dessen Ausübung ihnen nur allzulange verweigert wurde, manchen bereits seit 1917, anderen seit 1945. Allerdings scheren sich die Freunde recht wenig um die Wachstumsrate, stattdessen freuen sie sich sehr über jeden einzelnen neuen Gottesfürchtigen, der hinzustößt.

Mission Alte Schule

Im Württembergischen wohnt ein Mann namens Friedrich Holzwarth. In der letzten Kriegsphase wäre er, der noch minderjährige Sohn gläubiger Eltern, beinahe zur Waffen-SS eingezogen worden. So aber kam dem ein Gestellungsbefehl zur Luftwaffe zuvor. In der Folgezeit erlebte er die

Schrecken und Grausamkeiten des Krieges und auch der Gefangenschaft am eigenen Leibe mit. Mehr als einmal entging er nur knapp dem Tode. Schließlich geriet er in amerikanische Gefangenschaft. Trotz härtester Lagerbedingungen hielt auch hier Gott seine Hand über Holzwarths Leben.

Viele Jahre später hörte er Sigurd Bratlie und Aksel J. Smith. Da wurde ihm bewußt, daß er sich nach genau diesem Leben gesehnt hatte, welches die beiden führten. Von der Zeit an wurde die Gemeinde für ihn zur Heimat.

Holzwarth war inzwischen ein erfolgreicher Geschäftsmann geworden. Er veräußerte später seinen Betrieb und setzt sich seither für das Seelenheil, aber auch das materielle Wohlergehen vieler Menschen ein, besonders in Südamerika und Osteuropa, und nicht nur dort.

Er zitiert Paulus: „Ich bin ein Schuldner der Juden und auch der Griechen."

Holzwarth kaufte ein altes Schulhaus, worin er als Kind selbst gelernt hatte. Daher der Name „Alte Schule", der bestimmt auch im übertragenen Sinn, nämlich im Sinn der alten, unverfälschten Lehre der Bibel, als „das gute alte Evangelium" verstanden werden darf. Mit der Alten Schule als Ausgangspunkt hat er schon während der kommunistischen Herrschaft in Osteuropa auf eigene Kosten ein weitverzweigtes Missions- und Hilfswerk aufgebaut. Die Alte Schule ist inzwischen nicht nur in Osteuropa und Südamerika, sondern darüber hinaus auch in Afrika und Asien tätig.

Die Alte Schule unterhält Briefkontakte mit mehreren tausend Menschen in fünf Erdteilen, und zahlreich sind ihre Hilfssendungen. Sowohl deutsche Behörden als auch private Hilfsorganisationen sind fleißige und großzügige Spender und kanalisieren materielle Hilfe über die Alte Schule. Hinzu kommt natürlich noch das, was die Freunde selbst beisteuern; alle diese Arbeiten geschehen auf freiwilliger Basis.

Über das Kontaktnetz der Mission Alte Schule werden Schriften, Traktate und Bücher versandt. Von Zeit zu Zeit erreichen sie suchende Seelen, die mehr über die Gemeinde wissen wollen. Ist ein solcher Kontakt erst geknüpft, dauert es nicht lange, bis Holzwarth oder ein anderer Bruder den Betreffenden persönlich besucht.

Unter dem kommunistischen Regime war es mit großen Mühen verbunden, solche Menschen zu erreichen. Heutzutage sind die Reisebeschränkungen in Europa weitgehend entfallen, aber noch immer gibt es einige Länder, wo das Reisen außerordentlich beschwerlich ist. Allein das Passieren der Grenzen mit dem Auto kann mehrere Tage dauern.

Wachstumsreserven

Wenn auch im Vergleich zu westlichen Ländern die Einreise in osteuropäische Länder erfahrungsgemäß beschwerlicher ist, so sind doch die Wachstumsreserven desto größer. Sogar für eine Gemeinde, in der an den einzelnen der Anspruch auf ein aktives Jüngerleben gestellt wird, ist ein solider Zuwachs zu erwarten. Hier und dort gibt es einen oder zwei, die dazu kommen, und so wächst die Geschwisterschar beständig. Heute gibt es Freunde und Gemeinden in sämtlichen Ländern des ehemaligen Warschauer Paktes.

Genau wie andere christliche Gemeinschaften und Bewegungen, werden auch die Freunde zu christlichen Konferenzen eingeladen und zum Sprechen aufgefordert, ähnlich wie es seinerzeit in den fünfziger Jahren im württembergischen Leonberg geschah. Und immer wiederholt sich das gleiche Muster. Während die großen Glaubensbewegungen ein enormes Wachstum verbuchen und sich zu großen Gemeinden entwickeln, gabeln die Freunde den einen oder anderen auf, der „Verlangen und Not hat". Sie sind es, die den Freunden willkommen sind, gottesfürchtige Menschen mit einem Verlangen nach Sieg über die Sünde, Menschen, die „ihr Kreuz aufnehmen und hart an ihrer eigenen Erlösung arbeiten“ wollen.

Oftmals sind es Christen, die sich bisher aktiv am Leben anderer Gemeinden beteiligt haben, ob in der Pfingstbewegung, bei den Baptisten oder anderswo. Sie bezeugen dann die Botschaft gegenüber ihren nächsten Freunden und Bekannten, und langsam aber sicher wächst die Gemeinde.

So geht es jedoch nicht immer. An manchen Orten geht es einfach nicht vorwärts. In solchem Falle arbeiten die Freunde eben anderswo unermüdlich weiter, getreu dem Motto in Johan O. Smiths Lied („Lieder des Lebens“, 150):

„Wenn sie dein Wort woll'n nehmen an,
ein Neues werden kann.
Doch laß nur gehn, wer liebt die Welt.
Nicht viele sind erwählt.“

Antwortet ein Brieffreund nicht mehr, so beenden die Freunde deswegen nicht gleich die Korrespondenz, zuvor suchen sie möglicherweise den Grund hierfür zu erfahren. Das haben sie durch jahrelange Erfahrung mit diktatorischen Regimes gelernt. Da konnte es für den Empfänger unmöglich sein, eine Antwort zu schicken, während die Briefe, die treulich geschickt wurden, einen wichtigen Halt im Leben bedeuten konnten. Diese Treue gegenüber dem einzelnen hat sich oft genug als wirkungsvoll erwiesen.

Der Sprung nach Osten ist in jeder Hinsicht groß. Ungeheure Entfernungen, unterschiedliche Kulturen und wirtschaftliche Probleme sind für die meisten Länder dort charakteristisch. Auf die Gemeinde kommen mit der zunehmenden Ausbreitung somit handfeste zusätzliche Probleme zu. Unter anderem ist der Finanzbedarf beträchtlich, um die Arbeit in Osteuropa und in den Entwicklungsländern voranzutreiben. Dies kann schließlich dazu führen, daß es zu einer fühlbaren Verknappung des - trotz allem - begrenzten Kapitals kommt, das der Gemeinde zur Verfügung steht; immerhin wird ja alles auf freiwilliger Basis durch Kollekten eingebracht.

Indessen bereitet das den Freunden keine Sorgen; sie rechnen damit, daß Gott alles für sie zurechtlegt. Und es ist schon imponierend, was sie bisher geleistet haben, sowohl in ihrer Heimat als auch in ärmeren Ländern.

Inwiefern die Lehre „gesund" bewahrt bleiben kann, wenn das Wachstum im gleichen Tempo anhält, steht in den Sternen. Die Freunde hegen keinen Zweifel daran, daß die gesunde Lehre in „Gottes eigener Gemeinde" immer triumphieren wird.

In gleichem Maße, wie die Gemeinde weiter wächst, muß jedoch vermehrt mit Absplitterung gerechnet werden. Schon immer in ihrer Geschichte hat es das Phänomen gegeben, daß sich Menschen von ihr losgesagt haben. Früher oder später hat jede Ortsgemeinde so etwas irgendwann einmal erlebt. Die Absplitterung fiel zahlenmäßig kaum ins Gewicht und verlief in der Regel völlig unproblematisch. Früher waren es meist vereinzelte, die stillschweigend die Gemeinde verließen. Gewöhnlich gingen sie, ohne großes Aufsehen zu erregen, und die meisten von ihnen denken gern an die Zeit in der Gemeinde zurück.

Anfang der neunziger Jahre indessen hat die Gemeinde eine Absplitterung ganz anderen Ausmaßes erlebt, die im Zusammenhang mit der vier Jahre lang anhaltenden Erweckung ausgelöst wurde. Hierbei kehrten in Norwegen etwa 450 Personen ungefähr gleichzeitig der Gemeinde den Rücken, häufig ganze Familien. Anders als früher wurde nun die Gemeinde zur Zielscheibe von Angriffen ehemaliger Freunde. Manches mag sicher seine Berechtigung haben, aber doch befremdet es einen Außenstehenden, wenn er sieht, mit welcher sprachlichen Schärfe die „Gegner" auf die Gemeinde losschlugen. Ich behaupte nicht, daß es in der Gemeinde nur gute Menschen gibt, bei weitem nicht. Die Gemeinde jedoch als eine „gefährliche Sekte" zu brandmarken, führt weit an der Wahrheit vorbei. Derartige Breitseiten gleichen dem Versuch, mit Kanonen auf Spatzen zu schießen. Solch einen Schuß ins Blaue hätte ein Artillerist wie Johan O. Smith niemals freigegeben.

Wird die Gemeinde ihren Kurs beibehalten?

Es ist schwerlich vorstellbar, daß in der Zukunft die Grundpfeiler der Gemeinde verrückt werden könnten. Ein Mehr an Organisation würde immer als unbiblisch verworfen werden, selbst wenn man dadurch ein noch rascheres Wachstum der Gemeinde erreichen könnte. In der Tat sind solche Versuche kaum vorstellbar.

Es besteht auch kaum die Gefahr, daß die Bereitschaft zu freiwilligen Arbeitseinsätzen nachläßt. Hand aufs Herz - Arbeitseifer und Opferbereitschaft der Freunde suchen ihresgleichen, angefangen von Verlagsarbeit bis hin zum Bau von Konferenzzentren und Gemeindesälen. Ohne diesen Eifer würde das Gemeindeleben ins Stocken geraten. Gerade die gemeinsamen Arbeitseinsätze werden bewußt dazu genutzt, um Gemeinschaft miteinander zu pflegen. Sie leisten damit einen wesentlichen Beitrag für den Zusammenhalt der Gemeinde.

Es gibt auch sonst im Gemeinschaftsleben keinen faßbaren Anhalt dafür, daß die Gemeinde ihre Standpunkte hinsichtlich Glauben und Lehre ändern könnte. Der Grund wurde Anfang des Jahrhunderts von Johan O. Smith gelegt und wird wohl unverändert die Zeiten überdauern, solange es die Gemeinde geben wird.

Gemeinsame Arbeitseinsätze leisten einen wichtigen Beitrag zur Gemeinschaftspflege.

Wer kann, packt an.

Ein langes und erfülltes Leben

„Die Bruderliebe ist der Lebenskeim für das Sprießen und Gedeihen der Gemeinde.“ (Bernt Stadven)

Sigurd Bratlie und Aksel J. Smith, der eine Jahrgang 1905, der andere 1910: In den neunziger Jahren haben sie Jüngeren das Ruder überlassen, nachdem sie lange im Dienste Gottes gestanden hatten. Angesprochen auf ihr Leben, erinnerten sie sich kaum an etwas anderes als an Jesu Fußspuren, soweit sie zurückdenken konnten. Im übrigen hatten sie persönlich stets viel mehr die Gegenwart und Zukunft vor Augen als die Vergangenheit: die Gegenwart, damit sie weiter an der eigenen Erlösung arbeiten und die Gemeinde bauen konnten; und die himmlische Zukunft, wenn sie an die Vollendung ihres Laufes dachten. Daran hielten sie unverrückbar im Glauben fest, und dies war die ganze Zeit der Grund ihrer seligen Vorfreude.

Gemeinsam mit Elias Aslaksen haben sie seit Johan O. Smiths Tod im Jahre 1943 an vorderster Front gestanden. Nachdem Aslaksen dann 1976 gestorben war, wirkten sie als Garanten für Ruhe und Kontinuität in der Gemeinde. Aslaksen hatte die beiden als gleichrangige Führerpersönlichkeiten betrachtet; allerdings traten sie nach außen hin ganz unterschiedlich in Erscheinung. Bratlie war der Evangelist und repräsentierte die Gemeinde nach außen hin als ihr oberster Leiter und Vorsteher, während Aksel J. Smith nach innen als Hüter der gesunden Lehre wachte und als unumstrittene geistliche Autorität galt.

Aksel J. Smith war derjenige von beiden, der eher im Verborgenen wirkte. Wenn man die Jahrgänge 1943 bis 1988 des norwegischen Blattes „Skjulte Skatter“ durchgeht, die von ihm herausgegeben wurden, so zeigt sich, daß er bei festlichen Anlässen sehr viel Rühmenswertes über andere zu schreiben wußte - nicht zuletzt über Sigurd Bratlie -, während er seine eigene Person weitgehend im Hintergrund hielt. Was jedenfalls beide auszeichnet, ist ihre außerordentliche Demut. Sie ist nicht etwas Aufgesetztes, sondern kommt von Herzen, so daß alles zu Gottes und nicht ihrer eigenen Ehre geschieht.

Der Apostel

Sigurd Bratlie begegnete der Gemeinde und damit Johan O. Smith erstmals im Jahre 1920. Dies wurde ein Wendepunkt in seinem Leben. Beinahe von der ersten Stunde an wurde er einer der herausragendsten Evangelisten der Gemeinde. In der Gemeinde ist er über seinen Tod hinaus hoch geachtet als einer, der von Jugend auf außergewöhnliche Hingabe an Gott bewiesen hat, weshalb er als ein leuchtendes Vorbild für Kinder, Jugendliche und Ältere gilt.

1930 wurde Bratlie nach Kopenhagen in die dort neu entstehende Gemeinde geschickt. Aus diesem Anlaß schrieb J. O. Smith ein Lied, das mit den Worten beginnt: „Steh auf, werd Licht im fremden Land, kämpf voller Glut und Brand!" In der zweiten Strophe heißt es: „Wenn sie dein Wort woll'n nehmen an, ein Neues werden kann. Doch laß nur gehn, wer liebt die Welt. Nicht viele sind erwählt ..." Die letzte Strophe lautet: „Nimm Abschied nun von Volk und Land, die du zu Haus gekannt, und zieh hinaus auf Gottes Wort, such die Beruf'nen dort. Sieh auf zum Himmel, lausche still! Der Geist dich führen will."

Es kann kaum Zweifel daran bestehen, daß Sigurd Bratlie ein „strahlendes Licht" für die Gemeinde gewesen ist. Beinahe gleichlautend hört man von Freunden in der ganzen Welt, daß sein Dienst ihnen „zu Glück und Leben verholfen" hat.

1975 feierte die Gemeinde Bratlies 70. Geburtstag. Der Jubilar selbst wollte den Tag am liebsten ohne Aufhebens vorübergehen lassen, aber ganz ohne Geburtstagsveranstaltung, und zwar in Form einer Festversammlung, ging es nicht ab. Das war knapp ein Jahr, bevor Elias Aslaksen starb, der so eingehend wie kein anderer Bratlie kennengelernt hatte, seit dieser als Fünfzehnjähriger zur Gemeinde kam. Die Reden in der Gemeinde beinhalten nur selten Personenbeschreibungen, die über den Dienst des Betreffenden hinausgehen, Aslaksen aber hob Bratlies Willenskraft und sein systematisches Arbeiten als etwas Lehrreiches hervor:

„Obwohl Bruder Bratlie nicht gerade ein Sprachgenie ist, haben seine Liebe und sein Fleiß ihn dazu bewogen, Deutsch zu lernen und später auch Englisch, um noch mehr Menschen erreichen zu können. Seine inhaltsreichen Artikel und seine wertvollen Bücher sind bereits in eine ganze Reihe Sprachen übersetzt, nun auch in mehrere indische Sprachen. Und eine Menge Geschwister hat im Laufe der Jahre weisheitsvolle, auferbauliche Briefe mit dem Schluß: ‚Euer glücklicher Bruder ...' von ihm erhalten. Ja, er ist selbst glücklich geworden und hat viele zum Glück geführt."

Es bestehen kaum Zweifel, daß die Freunde sich dem Zeugnis anschließen konnten, das Bratlie im weiteren Verlauf der Rede ausgestellt wurde:

„Das Besondere an Bruder Bratlie ist, daß der Herr ihn stark gemacht hat. Er ist stark in Gott. Stark an Treue und Aufopferung. Und stark an geistlicher Arbeitskraft. Genauso wie Gott einst Paulus als treu erfand und zum Dienst einsetzte, so hat Gott auch Bruder Bratlie als treu erfunden und ihn zum Dienst eingesetzt. Bruder Bratlie hat diese Treue in seinem Leben und Dienst bewiesen, und er diente aus Liebe zu den Menschen, ohne jemals Vorteile oder Ehre zu suchen ... Wenn der Glaube und die Liebe in Jesus

Christus so überaus mächtig werden wie in Bruder Bratlies Leben, so gibt es nur eine Erklärung dafür, nämlich die, daß seine Demut gleicherweise überaus groß war.

Bruder Bratlie hat die Gnade erfahren, einen wahrhaft apostolischen Dienst ausüben zu dürfen. Durch seinen Dienst wurden Gemeinden gegründet. Er wacht fürsorglich über den Gemeinden und besitzt Weisheit, einzugreifen, wenn sich Schwierigkeiten anbahnen. Er bekam die Gnade, einer der maßgeblichen Arbeiter in dem unvergleichlichen Werk zu sein, das in der Gemeinde geschieht und dessen Früchte Einheit und Bruderschaft ohne Falsch und Tücke sind. Seine wachen Ohren für Gottes Stimme haben ihn stark gemacht, und Gott hat ihm den Geist der Offenbarung gegeben und sein Wort anvertraut. Die Grundlage für seine Verkündigung bildet sein eigenes Leben. Wenn er z. B. von Genügsamkeit spricht, so entspricht das unmittelbar seiner eigenen Lebensweise.

Als Arbeiter in Gottes Reich war Bruder Bratlie ein Pionier. Durch seinen Dienst sind Erweckungen entstanden, und viele, viele Menschen sind zu Leben und Gottesfurcht geführt worden. Er ist nicht das, was man sich landläufig unter einem Prediger vorstellt. Er selbst verschwindet, wenn er Gottes Wort redet. Die Zuhörer sollen Christus und Christi Leben sehen. Er spricht viel davon, daß Christus im Fleisch geoffenbart werden soll. Christus soll in jedem Bruder und jeder Schwester Gestalt gewinnen.

Was dem Apostel Paulus am Herzen lag, nämlich jeden einzelnen zum Gehorsam des Glaubens zu führen, das liegt auch Bruder Bratlie am Herzen. Und gleichwie Petrus sich als Zeuge der Leiden Christi und Teilhaber an der Herrlichkeit, die offenbart werden soll, bezeichnet, so ist es auch Bruder Bratlie ein Anliegen, uns den Weg zur Herrlichkeit durch die Leidensgemeinschaft mit Christus zu zeigen. Dieses Evangelium möchte er so gerne in unsere Herzen säen. Seinen Dienst verrichtet er ‚freiwillig, von Herzensgrund', wie es in einem Vers steht, und er ist selbst ein ‚Vorbild der Herde'. Er ist ein wahrer Diener des Geistes. Gleichwie Paulus sagen konnte: ‚Nicht daß wir tüchtig sind von uns selber, um uns etwas zuzurechnen als von uns selber; sondern daß wir tüchtig sind, ist von Gott', so lebt auch Bruder Bratlie in dieser Abhängigkeit von Gott und dessen Offenbarung. Er versteigt sich nicht dazu, aus vermeintlicher eigener ‚Tüchtigkeit' Gedanken zu formulieren. Stattdessen sucht er immer Gottes Wort. ‚Es steht geschrieben' und ‚Wiederum steht geschrieben'. Das kennzeichnet Bruder Bratlie in besonderem Maße. Er bringt immer Gottes Wort, sei es in Ansprachen oder Gesprächen. Er bindet uns an Gottes Wort.

Bruder Bratlie ist durch und durch treu und gerecht. Infolgedessen besitzt er großes Vertrauen in vielen Herzen. Was er in der Versammlung spricht, danach lebt er - daheim und wo er auch ist. Sein Arbeitseifer und seine Ausdauer im Dienst sind enorm. Von seiner frühesten Jugend an hat er

Lasten getragen und Verantwortung auf sich genommen. Wo Bruder Bratlie leitet und führt, da tut er es so, daß die lenkende Hand gar nicht auffällt. Ein vollkommener Führungsstil."

„Tüchtig gemacht zum Werk des Dienstes"

„ J. O. Smith war allein im Kampf. Ich hingegen habe nie allein dagestanden und habe nie etwas allein aufgebaut." (Sigurd Bratlie)

Was vielleicht mehr als alles andere Bratlies Leben bestimmte und geradezu als Leitmotiv seines Lebens gelten kann, ist die große Arbeit des Heiligen Geistes, die vonnöten ist, „damit die Heiligen zugerüstet werden zum Werk des Dienstes", wie es das Bibelwort ausdrückt. Das hatte er schon in seinem ersten Zeugnis vor 75 Jahren aufgegriffen, und auch später sprach und schrieb er immer wieder darüber. „Vollkommen in der Gesinnung, alles aufgeben und alles opfern - so muß ein Diener in der Gemeinde sein" - dies war offenbar ein Lebensgrundsatz für ihn. Er war sich darüber im klaren, daß menschliche Schwächen wie üble Nachrede, Mißgunst und Intrigen wie überall, so auch in der Gemeinde auftauchen können, und bei einer Gelegenheit schrieb er:

„Wir haben Beispiele in der Bibel, wie Menschen, die als Vorsteher eingesetzt wurden, zu herrschen begannen, die erste Liebe verließen, im Dienst nachließen, so daß das eine oder andere Eingang fand. Wenn jemand dergleichen bemerkt, soll er nicht herumgehen und es solchen erzählen, die nicht geistlich und somit außerstande sind, hier Abhilfe zu schaffen - sonst treibt er ein lichtscheues Gewerbe. Wenn man meint, etwas Verkehrtes zu sehen, soll man direkt zum Vorsteher gehen oder eine geistliche Person ins Vertrauen ziehen. Dann kommt alles ins Licht. Wir sollen jedoch - gemäß der Bibel - keine Klage gegen einen Ältesten ohne zwei oder drei Zeugen annehmen.

Hältst du etwas für verkehrt, was der Älteste tut, dann kannst du zu ihm hingehen und ihn fragen und eine Erklärung bekommen, ohne daß du mit einem anderen darüber sprichst. Vielleicht bist du nicht geistlich genug, um die Sache zu verstehen, aber wenn du zu ihm gehst, kannst du Hilfe bekommen. Es ist keine Widerspenstigkeit oder Aufsässigkeit, so zu tun, sondern Wandel im Licht. Wenn man jedoch umhergeht und heimlich darüber redet, damit die anderen einem beipflichten, so ist das Verleumdung.

Das alles ist leicht zu verstehen, solange man sich nicht für etwas Besonderes hält, sondern sich in der Liebe bewahrt. Laßt uns Paulus in großer Demut nachfolgen, wenn er sagt: ‚So ist nun weder der pflanzt noch der begießt etwas, sondern Gott, der das Gedeihen gibt.' Wenn wir uns in dieser Einstellung bewahren, so wird Gott auch das Gedeihen geben. Es wird gelingen, Christi Leib zu bauen ‚als eine Gemeinde, die herrlich sei und keinen Flecken oder Runzel oder etwas dergleichen habe, sondern die heilig und untadelig sei.‘ “

Ein humorvoller Verkündiger

„ ‚ Jetzt sind wir schon eine Viertelstunde in Finnland und haben noch keine einzige Seele für Gott gewonnen. Was für Faulpelze seid ihr doch! Seht zu, daß ihr rauskommt und jemanden für Christus gewinnt.‘ Tja, da wurden wir also einfach auf die Straße geschickt. Wir liefen eine Straße im Hafengebiet hinunter, bis ich ein Blumengeschäft fand. Da gingen wir hinein und fragten, ob hier keine ‚lieben‘, guten Christenmenschen bekannt seien. Doch, die gab es. Wir bekamen eine Anschrift samt Wegbeschreibung. Mit dem Triumphgefühl, eine Adresse bekommen zu haben, zogen wir wieder ab. ‚ Ja‘, sagte Aksel J. Smith, ‚dann fahren wir dorthin.‘

Wir kamen glücklich dort an. Smith war der erste, wir standen brav und artig hinter ihm. Eine adrette ältere Dame öffnete die Tür. Und wirklich, das waren nette Menschen und ein nettes Haus. Smith stellte uns vor: ‚Wir sind Brüder aus Norwegen‘, und fragte, ob wir hineinkommen dürften. ‚ Ja, seid ihr Pfingstler?‘ fragte die Dame. ‚Auf jeden Fall haben wir den Geist von Pfingsten, und im übrigen hat mein Onkel Aksel Smith schon Barratt vertreten, als er 1911 in Finnland war‘, erwiderte Smith. ‚Ooooh, da müssen Sie hereinkommen‘, sagte sie.

Smith zog Aslaksens Zeichnungen über die Entwicklung eines Gläubigen hervor, und die Leute waren beeindruckt. Wir wurden sowohl zur schwedischsprachigen als auch zur finnischsprachigen Versammlung eingeladen, wo wir auch reden durften. Dort knüpften wir Kontakte, die uns weiter nach Karis führten, wo wir Versammlungen abhielten.“

Es konnte ganz schön lustig auf den Missionsreisen zugehen. Kåre J. Smith schüttelt sich vor Lachen, wenn er an manche Reisen und Versammlungen zurückdenkt. Nach einer Konferenz in Stockholm waren sie nach Finnland gekommen, und Aksel J. Smith machte es Spaß, die jungen Burschen sogleich auszusenden. Mit dieser „Viertelstunden-Botschaft“ begann im Grunde genommen die Entwicklung der Gemeinde in Finnland gegen Ende der sechziger Jahre.

Aksel J. Smith wird weder in den Gemeindeblättern wie „Skjulte Skatter“ noch anderswo häufig erwähnt. Er war allerdings in den Medien präsent, als Bratlie in Bagdad im Gefängnis saß. Die Hortener Zeitung „Gjengangeren“ hat ihn hier und da erwähnt. In einer Reportage schreibt ein Journalist u. a.:

„Ich selbst kann mich der Faszination und des Eindrucks nicht entziehen, den Aksel J. Smith auf mich ausübt. Fünfzehn Jahre lang habe ich ihn für unsere Zeitung interviewt, und er beeindruckt mich jedesmal wieder neu.

Niemals hebt er die Stimme, er gestikuliert nicht, seine ganze Erscheinung ist unauffällig. All das Äußerliche interessiert ihn auch gar nicht, wahrscheinlich liegt ihm kaum etwas ferner als das. Aber was er sagt, hat Gewicht, und sogar ein schlechter Journalist spürt, wie Smith das Innerste des Herzens erreicht und bewegt. Dies wirkt indessen überhaupt nicht lästig, so wie es ohnehin kaum jemanden geben dürfte, der ihn jemals unangenehm erlebt oder dem gegenüber sich Smith gar als Lehrmeister aufgespielt hätte. Im Gegenteil, er ist die pure Liebenswürdigkeit in Person, und seine starke Ausstrahlung von Ruhe und Glauben macht Eindruck. Er ist keineswegs ein Prediger, der in irgendeiner Weise um überzeugende Rhetorik bemüht ist, allerdings hat wohl jeder bemerkt, daß er von Herz zu Herz spricht. Gottesfurcht, Güte, Liebe und Treue sind Worte, die bei Smith immer wieder vorkommen, und er lebt so, wie er predigt.

Ich denke, das beste Zeugnis, das man Aksel J. Smith ausstellen kann, ist, daß er im Geist seines Vater Johan Oscar Smith handelt. Um diesen Geist hat er am Sterbebett seines Vaters im Jahre 1943 gebeten. So weit ich es beurteilen kann, hat er in eben diesem Geist sein ganzes Leben lang gearbeitet. Wie seinerzeit sein Vater, so hat auch Aksel J. Smith stets die größte Freude an den anderen gehabt, besonders wenn er bei ihnen geistliche Fortschritte feststellen konnte. Und genauso wie sein Vater galt schon immer seine besondere Fürsorge den Einsamen und Alten, den Kranken und solchen, die irgendeine Last im Leben zu tragen haben, egal welche."

1990 drückte sich Sigurd Bratlie so aus: „Es ist unmöglich, umfassend die Bedeutung von Bruder Aksel J. Smiths Leben und Dienst zu würdigen. Er wandelte so im verborgenen, mitten in seinem umfangreichen Dienst. In der Bruderschaft, wo so viele grundverschiedene Brüder gemeinsam im Dienst stehen, war Smith immer eine verbindende Kraft."

Bratlie fährt fort: „Ein anziehender Duft von Demut strömt aus seinem Leben und seinem Verhalten. Elias Aslaksen sagte einmal: ‚Wenn eine Ermahnung von Smith kommt, ist sie immer so leicht anzunehmen, weil sie von einem kommt, der die Wahrheit liebt und dabei voll Güte ist.' "

Die beiden Ältesten haben vieles gemeinsam erlebt. 75 Jahre lang haben sie die Gemeinde begleitet und viele Jahre zusammen mit Johan O. Smith verbracht, und noch längere Zeit mit Elias Aslaksen. Sie erlebten Freud und Leid, Jahre des Kampfes zwischen 1930 und 1940 und Jahre des beständigen Wachstums nach dem Zweiten Weltkrieg. Sie haben die einzelnen und auch die Gemeinde im ganzen weltweit heranwachsen sehen und ließen nie einen Zweifel daran, daß die Gemeinde der Lehre nach damals wie heute dieselbe ist. Es tat ihnen weh, daß ehemalige Geschwister, die die Gemeinde verlassen haben, diese beschuldigen, sie sei eine Art gefährlicher Sekte. Es war ihnen völlig unbegreiflich, wie jemand auch nur auf eine solche Idee kommen konnte, wo doch Lehre und Leben in der Gemeinde etwas ganz anderes zeigen. Aber für den, der Gottes Wort scharf und klar verkündigt, hat „Schmach“ schon immer dazugehört. So lebten sie stets in guter Zuversicht, daß die Zeit zeigen wird, was richtig und falsch ist.

Wie ein Staatsbegräbnis

Sigurd Bratlie verstarb am 24. Januar 1996 und wurde eine Woche später beigesetzt. Erstmalig in der Geschichte der Gemeinde fand die Trauerfeier im Konferenzzentrum Brunstad statt, während es sonst in Norwegen gemeinhin üblich ist, die Beisetzungsfeierlichkeiten in der jeweiligen Kirche vorzunehmen, wo der Verstorbene beheimatet ist. Viele stellten sich wohl die Frage, ob sich eine derart große Versammlungshalle wie Brunstad zu einer Trauerfeier dieser Art überhaupt eignen würde. Tatsache aber war, daß es ganz einfach keine Kirche gab, die groß genug war, um 3 300 Menschen zu fassen - und das, nachdem man die Zahl der Trauergäste bereits begrenzt hatte.

Die Teilnehmer wurden Zeugen einer Feier von erhabener Würde, der, nachdem der Sarg hinausgeleitet worden war, ein nicht weniger würdiger Gedenkgottesdienst folgte. Kåre J. Smith richtete den Trauergottesdienst aus; dabei kamen auch nahe Freunde zu Wort, die Bratlie in den vielen Jahren in der Gemeinde begleitet hatten. Die Familie und Freunde legten Kränze nieder; die Beileidsbezeugungen des Königlich Norwegischen Außenministeriums entbot Abteilungsdirektor Bjarne Lindström, der einen Kranz im Namen von Außenminister Björn Tore Godal niederlegte. Blumengrüße sandten auch Yvonne Huslid und ihr Mann, Botschafter Martin Huslid, sowie Frau Grethe Frydenlund, die Witwe des früheren Außenministers. Zur Trauerfeier waren überdies eine Reihe von Personen aus dem politischen Leben erschienen, die Bratlie kannten: So war der norwegische Botschafter in Kopenhagen, Thorvald Stoltenberg, angereist; vielen ist dieser ehemalige Außen- und Verteidigungsminister Norwegens aus jüngerer Zeit als UNO-Friedensvermittler im ehemaligen Jugoslawien ein Begriff. Auch der frühere Wirtschaftsminister Finn Kristensen hatte sich eingefunden.

Das Medieninteresse an diesem Begräbnis war überaus groß. Rundfunk und Fernsehen, sowie eine große Zahl von Zeitungen berichteten davon, und selten hat die Gemeinde größere Publizität erfahren.

So notierte die führende Zeitung Norwegens, die „Aftenposten“: „Gestern nahmen ‚Smiths Freunde‘ aus der ganzen Welt von ihrem geistlichen Wegleiter Sigurd Bratlie Abschied. ... ‚Smiths Freunde‘ stellen nämlich die einzige norwegische Gemeinde dar, die sich international ausgebreitet hat. Heutzutage finden sich ‚Freunde‘ in sämtlichen Erdteilen - von Vancouver im Westen bis Sydney im Osten, von Harstad im äußersten Norden bis Kapstadt im fernen Süden. In der großen Halle von Brunstad war schon eine halbe Stunde vor Beginn der Trauerfeier kein Sitzplatz mehr zu bekommen, die Trauergäste standen an den Wänden und in den seitlichen Treppenaufgängen. ... Der große Saal war feierlich mit Kerzen und Blumen in den Farben lila, rot und weiß geschmückt. Unter anderem wurde ein Kranz des Außenministeriums niedergelegt. Dieses hatte sich 1979 erfolgreich um die Freilassung Sigurd Bratlies aus der Kerkerhaft in Bagdad bemüht, zu der man ihn verurteilt hatte, weil er christliche Versammlungen in dieser Stadt abhielt."

„Verdens Gang", Norwegens auflagenstärkstes Blatt, führte aus, daß „eine Reihe Norweger sich an Bratlie anläßlich eines Gefängnisdramas im Irak im Jahre 1978 erinnern werden. Bratlie war vier Monate in Bagdad inhaftiert, während sich der damalige Staatssekretär Thorvald Stoltenberg um seine Freilassung bemühte. Stoltenberg war mit mehreren Spitzenpolitikern erschienen und erwies Bratlie gestern die letzte Ehre. ... ‚Ich möchte Bratlie als einen würdevollen Menschen bezeichnen, würdevoll im eigentlichen Sinn des Wortes', meint Stoltenberg."

„Vårt Land", die größte christliche Tageszeitung Norwegens, schreibt: „Der Prediger Sigurd Bratlie erhielt ein Begräbnis, wie es sonst nur verdienten Staatsmännern zuteil wird. Über 3 000 Mitglieder der Bewegung ‚Smiths Freunde' waren gestern im Konferenzzentrum Brunstad bei Tönsberg versammelt, um von einem geliebten und hochgeschätzten Wegleiter Abschied zu nehmen. ... Beinahe ein Drittel der Trauergäste waren Ausländer. Freunde aus Deutschland, den Niederlanden, Österreich, der Türkei, den USA und Kanada waren nach Norwegen gekommen, um Sigurd Bratlie die letzte Ehre zu erweisen. ... Sehr viele Jugendliche nahmen an der Trauerfeier und dem anschließenden Gottesdienst zum Gedenken an den 90 Jahre alt gewordenen Vorsteher teil. ‚Sigurd Bratlie hat uns den Weg zu einem glücklichen Leben gewiesen, deshalb sind so viele von uns heute hier', war die einhellige Meinung unter den Gästen aus dem In- und Ausland."

„Tønsbergs Blad", eine Regionalzeitung im Bezirk Vestfold, berichtete auf der Titelseite: „Sigurd Bratlie, dem Wegleiter von Smiths Freunden, wurde gestern ein ehrenvoller Abschied zuteil. Freunde aus der Gemeinde und auch andere fanden sich dazu in Brunstad ein. ... Sie kamen mit Flugzeugen, mit Schiffen, mit Omnibussen, Kleinbussen und Autos. Sie kamen von Australien, der Türkei, den USA, aus Kanada und vielen europäischen Ländern. Alle 3 500, groß und klein, wollten von ihrem legendären Gemeindevorsteher Abschied nehmen. Sigurd Bratlie und dessen Schwiegervater Johan Oscar Smith waren tragende Pfeiler in der den meisten als ‚Smiths Freunde' bekannten Bewegung. ... Nun war Sigurd Bratlie auch kein gewöhnlicher Mensch. In seinem reichlich 90 Jahre langen Leben legte er einen unermüdlichen Einsatz im Dienst für die Gemeinde an den Tag, die mittlerweile etwa 35 000 Anhänger zählt. Ungefähr 8 000 davon sind Norweger. ... In Wort und Gesang wurde Sigurd Bratlie ein tiefempfundener Abschied bereitet. Kåre Johan Smith zeichnete die unbestrittenen Eigenschaften des Verstorbenen nach, Eigenschaften, die ihn zu einer natürlich wirkenden Führerperson machten. Bratlies Sohn, Sigurd Johan, entwarf ein lebensnahes Bild des vorbildlichen Vaters, humorvoll, kameradschaftlich und sportlich. Dieser sprang Ski, lief Schlittschuh und nahm sich selbst bei allem nicht so wichtig. Stellvertretend für die acht Enkelkinder drückte das älteste, Randi, seinen Dank aus. David Myhre, der 75 Jahre lang ein enger Vertrauter Sigurd Bratlies war, dankte ebenso für ein reiches, erfülltes Leben, weil ihm die Freude widerfahren war, Bratlie so lange gekannt zu haben. Von der Gemeinde in Stavanger grüßte Karsten Helgeland. Der Vertreter des Außenministeriums, Abteilungsdirektor Bjarne Lindström, überbrachte offizielle Grußbotschaften von Minister Björn Tore Godal und seinem Ressort."

Eine andere Zeitung, die „Sandefjords Blad", schrieb auf der Titelseite: „Seit dem Begräbnis König Olavs im Jahre 1991 waren nie mehr so viele Menschen anläßlich einer Beerdigung in unserem Lande versammelt. ... Sigurd Bratlie war ein demütiger und selbstloser Mann. Dies wurde bei der Trauerfeier gestern im Konferenzzentrum Brunstad hervorgehoben. ... Güte und Wärme strahlten aus seinem Leben hervor. ... Sigurd Bratlie wird als ein bescheidener und stiller, demütiger und uneigennütziger Mann in Erinnerung bleiben, der sein ganzes Leben in den Dienst der christlichen Gemeinde gestellt hat. Nach Aussagen aus der Gemeinde hat er nicht nur gepredigt, sondern auch selbst das vorgelebt, was er verkündigte."

Die Hortener Zeitung „Gjengangeren" berichtet: „Der Trauerzug in Brunstad wollte kein Ende nehmen. 3 200 von Smiths Freunden nahmen Abschied von Sigurd Bratlie. Auch das Außenministerium war vertreten, unter anderem auch mit Thorvald Stoltenberg. ... Alles in allem war es ein Begräbnis von imponierenden Dimensionen. Sieben Charterflugzeuge waren mit ausländischen Gästen auf den Flughäfen Torp und Fornebu gelandet. ... 80 Dänen waren in den Morgenstunden mit einem Fährschiff nach Horten gekommen. Allerdings sahen sie sich gezwungen, Rettungsboote zu benutzen, um an Land zu gehen, da der Hochseekai im Hafen unerwartet belegt war.

Zum Gedenkgottesdienst hatten die ‚Freunde' reichlich 20 000 Brote belegt, 300 Kuchen gebacken und Hunderte von Litern Kaffee gekocht. ... Während der letzten 20 Jahre hatte Sigurd Bratlie mit dem aus Horten stammenden Aksel J. Smith an der Spitze der Freunde in aller Welt gestanden. Aksel J. Smith hat trotz seiner 86 Jahre weiterhin eine zentrale Position in der Gemeinde inne. Er nahm an der Trauerfeier mit Hunderten von Gemeindefreunden aus Horten teil. Horten ist immer noch die heimliche ‚Hauptstadt' dieser Bewegung; das Versammlungsgebäude in der Langen Straße (Langgate) hat weltweit den Ruf des ‚Gemeindehauses Nr. 1'."

In den Chor der ausführlichen Berichterstattungen reiht sich eine weitere Lokalzeitung im Bezirk Vestfold ein, die „Larvik Morgenavis“:

„Er erhielt ein Begräbnis, das einem Staatsoberhaupt würdig gewesen wäre, der Leiter der Bewegung ‚Smiths Freunde‘. Gestern nahmen 3 000 Freunde in Brunstad bei Stokke von Sigurd Bratlie (90) Abschied. ... ‚Niemand ist aus reiner Pflicht hier. Wir alle sind aus Liebe zu Bruder Bratlie gekommen‘, sagen die Freunde.“

Über eine Doppelseite hin erstreckt sich die Fortsetzung des Artikels mit der Überschrift: „Er war der Paulus unserer Zeit!“ Aus der Ansprache Kåre J. Smiths wird zitiert: „Keiner in unserer Zeit hat die Gnade bekommen, eine solche Fülle an Erkenntnis von Jesus Christus kundzutun wie Bruder Bratlie. Das ewige Leben kam in ihm zum Vorschein. Wir sahen seine Herrlichkeit.* Bereits mit 25 Jahren stand er der Gemeinde in Kopenhagen vor. ‚Stell dir das einmal vor, du, der du 25 Jahre alt bist!‘ äußert Smith und bringt seine innige Dankbarkeit darüber zum Ausdruck, daß Bruder Bratlie Gottes Wort gepredigt hat. ... Die Trauerversammlung stimmte in das zweite der drei Lieder der Begräbnisfeier ein. Alle drei Lieder hat Bruder Bratlie gedichtet. Es ist schon ein besonderes Erlebnis, wenn von 3 000 Freunden im riesigen Saal das Lied erschallt: ‚Ich will singen von Zions schöner Stadt‘ ... Draußen auf dem freien Platz vor der Konferenzhalle verabschieden sie sich zum letzten Mal von ihrem großen Bruder. ‚Er führte ein Auferstehungsleben‘, berichtet einer der Freunde, bevor der Sarg in den Leichenwagen hineingeschoben wird. Langsam, ganz langsam setzt sich das Fahrzeug in Bewegung.... Eine Epoche in der Geschichte von Smiths Freunden ist zu Ende gegangen.“

(Die Bilder vom Begräbnis Sigurd Bratlies sind auf den Seiten 26 bis 28 zu finden.)

* Anmerkung: Es handelt sich bei diesem Satz um ein Bibelzitat aus dem Johannes-Evangelium.

Aksel J. Smith und Sigurd Bratlie - Schwäger und Brüder in Christus. Sie haben die Gemeinde seit 1976 über lange Jahre geleitet. Inzwischen haben sie das Ruder ihrem gemeinsamen Neffen Kåre J. Smith überlassen.

Eine Festversammlung im Gemeindesaal. Da ist buchstäblich Musik drin.

Widerstand und Kampf

In den letzten Jahren standen Smiths Freunde im Blickpunkt diverser Medien, sowohl in positivem als auch negativem Licht. Ehemalige „Mitglieder“ ritten eine Reihe heftiger Attacken und unterstellten der Gemeinde Zustände, die den Freunden indes völlig fremd waren.

„Wir sind Menschen aus allen Schichten der Bevölkerung, und es wäre doch seltsam, wenn es nicht auch unter uns Dinge gäbe, die man kritisieren könnte - wie in allen kirchlichen Gemeinschaften. Wenn nun jemand Mitglied einer Kirche, einer Mission oder einer humanitären Gesellschaft ist und einen Fehltritt begangen hat, wird es doch niemandem einfallen, dies etwa seiner Kirche oder Gemeinschaft zur Last zu legen. Dasselbe sollte auch in bezug auf die Gemeinde selbstverständlich sein. Sie kann doch nicht für das Fehlverhalten eines einzelnen zur Rechenschaft gezogen werden. Und ich glaube mit Sicherheit sagen zu können, daß unter den Freunden bedeutend weniger Verstöße gegen die Gesetze vorkommen als in der übrigen Gesellschaft. Die ganze Lehre zielt darauf ab, daß man ein gerechtes und ehrliches Leben führt. Der Gemeinde kann ich nicht die Schuld für etwas geben, was ich selbst angestellt habe. Dafür bin ich allein verantwortlich. Hätte ich mich nämlich nach der Lehre der Gemeinde gerichtet, so wäre ich nicht straffällig geworden.“ (Ein rechtskräftig verurteilter Mann)

Im Verlauf der Erweckung kam es zu ganz andersartigen Angriffen gegen die Freunde, als sie es von früher her gewohnt waren. Wenn sie früher Widerstand erfuhren, so handelte es sich dabei im wesentlichen um Auseinandersetzungen mit anderen christlichen Gemeinschaften oder der Staatskirche. In neuerer Zeit hingegen wird die Gemeinde nicht nur von solchen angegriffen, die sie verlassen haben, sondern auch von außenstehenden Personen, die sich das Recht anmaßen, ein Urteil über die Gemeinde zu fällen. Unfreiwillig leisteten manche Vorsteher von Ortsgemeinden negativer Medienkritik Vorschub und gaben den Gegnern Schützenhilfe, indem sie Kraftausdrücke gebrauchten, die zwar innerhalb der Gemeinde als Sinnbilder verständlich waren, nach außen aber geradezu grotesk wirkten. Ausdrücke wie „töten um Christi willen“, „in geistlicher Bedeutung die Kirchen niederreißen“ wurden als gefährlich und tendenziös aufgefaßt. Man könnte hier an Parolen von destruktiven Kulten und Sekten aus anderen Teilen der Welt erinnert werden.

Widerstand und Kampf ist für die Freunde nichts Neues. Vor allem zwischen 1912 und 1940, mancherorts auch im Anschluß an den Zweiten

Weltkrieg, hat es geistliche Grabenkämpfe zwischen verschiedenen kirchlichen Gemeinschaften gegeben. Die Gemeinde spielte dabei die Rolle eines „Håkon Lie“ des Evangeliums. Besagter Håkon Lie war jahrzehntelang einflußreicher Vorsitzender der norwegischen Arbeiterpartei und spielte somit eine politische Schlüsselrolle. In weiten Kreisen, selbst in seiner eigenen Partei, galt er als übermäßig amerikatreu, israelfreundlich und sowjetfeindlich. Deswegen wurde er stark angefeindet, schenkte er doch den Beteuerungen des Kremls über dessen friedliche Absichten zum Wohl aller Völker keinen Glauben ... Und dann stellte sich nach dem Fall der Sowjetunion und nach Öffnung der Moskauer Archive heraus, daß die Gefahr sogar noch größer gewesen war, als er zum Ausdruck gebracht hatte. Mit der gleichen Sicherheit, die damals Håkon Lie besaß, sind die Freunde davon überzeugt, daß die Zeit es offenbaren wird, wer recht hat.

Die Freunde zweifeln nicht im geringsten daran, daß ihre Lehre richtig ist. Sie haben kein Verständnis für Dinge, die sie in der Kirche und anderen Denominationen mit christlichem Einschlag als Entgleisungen ansehen. Darüber wollen sie nicht einmal diskutieren, es interessiert sie kaum, sie schütteln nur den Kopf über „all diese Gottlosigkeit“ und überlassen es Gott, diese Dinge zu richten. Selbst preisen sie sich glücklich, daß sie einen lebendigen Glauben an das Evangelium haben, mit dem sie sich im Einklang mit der Bibel sehen. Wo andere keine Skrupel zu kennen scheinen und die Schrift so hinbiegen, daß sie mit der allgemeinen Gesellschaftsentwicklung konform geht, stehen sie wie ein Fels in der Brandung. Seit beinahe einem Jahrhundert ist diese unerschütterliche Überzeugung und bedingungslose Fahnentreue gegenüber den eigenen Glaubensinhalten ein Stein des Anstoßes für viele gewesen.

Fern vom Chaos

Von 1950 bis 1992 lebten die Freunde fern vom geistlichen Chaos, das den Glaubensmarkt kennzeichnet, und konnten sich ungestört entfalten. Sie hatten ihre Gottesdienste und Konferenzen, besuchten sich gegenseitig, lebten friedlich miteinander, gingen arbeiten und benahmen sich, wie es guten Bürgern ansteht. Kurzum, sie lebten und bewegten sich unauffällig in einer Gesellschaft, die ihnen im großen und ganzen geradezu Respekt entgegenbrachte. Während neue charismatische Glaubensbewegungen, Kulte und fremdartige Sekten mit exotischen Namen auftauchten - und wieder verschwanden, liefen sie unbeirrt in derselben Bahn weiter, bewahrten ihr äußeres Erscheinungsbild und fielen sicherlich niemandem zur Last.

Wenn sie auch manchmal den Eindruck hatten, daß sie bisweilen zu Unrecht ins Gerede kamen, so hielten sie das gewissermaßen für eine Art Prüfung, die ihnen vorherbestimmt war. Wenn man an Gottes vollkommene

Führung glaubt, kann man in allen Lebenslagen in Gott ruhen, ohne aus der Fassung zu geraten oder mit gleicher Münze heimzuzahlen.

Zwangsläufig ergibt sich allerdings hier ein Problem: Wenn man sich nicht zur Wehr setzt und darauf verzichtet, freche Unterstellungen als Lügen zu entlarven, kann sich leicht der Eindruck verfestigen, an solchen Behauptungen sei doch etwas Wahres. Steter Tropfen höhlt den Stein: Sind die Angriffe nur unverfroren und hartnäckig genug, so lassen sich ernste Folgen nicht ausschließen. Kinder und Jugendliche können zu Leidtragenden werden, etwa in Form von Mobbing in der Schule. Außerdem ist zu bedenken, daß Schweigen Angreifer ermutigen kann, noch weit schwerere Geschütze aufzufahren, im festen Glauben, daß sich der Betroffene nicht wehren wird.

Eine verfängliche Bewegung?

In seinem Buch „Sekter i søkelyset“ (Sekten im Rampenlicht) schrieb der Theologe Sofus Anker Goli 1950 folgendes: „Eine der merkwürdigsten und verfänglichsten Richtungen innerhalb der heutigen Sektenlandschaft Norwegens stellen die sogenannten Freunde Smiths dar. Sie arbeiten unermüdlich und zielbewußt an vielen Orten unseres Landes. Das charakteristische Merkmal dieser Splittergruppe ist, daß sie sich aus bereits bestehenden Gemeinschaften an den jeweiligen Orten rekrutiert und keine Erweckungsbewegung in der eigentlichen Wortbedeutung ist, sondern sich darauf verlegt, in den verschiedenen Gruppen von Gläubigen in Städten und größeren Ortschaften im trüben zu fischen. Im Kielwasser von Erweckungen sind sie immer mit ihrer betörenden ‚Hilfsbereitschaft‘ für neubekehrte und ungefestigte Seelen zur Stelle. Wer wollte nicht an der vollen und ganzen Erlösung teilhaben? Wer wünschte sich nicht ein reicheres und sieghaftes Leben in Gemeinschaft mit seinem Heiland? ...

Soweit ich ihre Methoden und ihre Arbeitsweise in unserem Land beobachten konnte, können wir folgendes feststellen: Smiths Freunde wirken hauptsächlich unter Menschen, die sich schon als bekennende Christen bezeichnen. Für einen Außenstehenden erwecken sie nicht den Eindruck, als wäre ihnen daran gelegen, die Welt für Christus zu gewinnen. Ich will ihnen dabei durchaus keine bösen Motive unterstellen, aber daß die Auswirkungen ihres Tuns schlecht sind, steht fest. Zum Beweis braucht man nur die vielen auseinandergerissenen Gruppen von Gläubigen in unserem Land anzusehen. Das betrüblichste ist, daß einige der besten Christen mitgerissen werden, weil diese sich nicht mit weniger zufrieden geben möchten als mit der ganzen Fülle Gottes.“

Goli befürchtete, daß sich die Leute im Netz von Smiths Freunden verfangen würden, und meinte, daß Christen einfach nicht den Mut dazu aufbringen würden, die Freunde ganz abzuweisen. „Ich habe die Erfahrung gemacht", schreibt Goli, „daß der, der erst einmal angefangen hat zuzuhören, davon fasziniert wird, ja, man kann gut sagen, in deren Netz gefangen wird. Man darf nicht vergessen, daß das ganze Sektenwesen eines gemeinsam hat: Es ist eine Geistesmacht, und zwar keine gute."

Offen für Kritik

Die Freunde nehmen die Kritik ernst, welche an ihnen geübt wird. Keineswegs halten sie sich für unfehlbar. Sie unterscheiden einerseits klar zwischen dem, was die Bibel und - daraus abgeleitet - die Gemeinde lehrt, und andererseits dem, wie die einzelnen ihr Privatleben gestalten. Manche vorgebrachten Kritikpunkte halten sie für notwendig und konstruktiv, wirklich grobe Angriffe weisen sie aber mit Entschiedenheit zurück. Langsam sind sie es leid, wenn wider besseres Wissen lügenhafte Behauptungen über sie in die Welt gesetzt werden. Sie sind sich darüber völlig im klaren, daß die Gemeinde aus ganz verschiedenen Menschen mit unterschiedlichem Hintergrund und heterogenen Standpunkten besteht, und daß in einer nach außen hin offenen Gemeinde durchaus Menschen auftauchen können, die eigentlich nicht mit dem in Einklang stehen, was die Gemeinde lehrt. Ebenso ist ihnen auch völlig bewußt, daß im Zuge der Erweckung bedauerlicherweise mitunter übers Ziel hinausgeschossen wurde. Insofern gestehen sie ein, daß rein von der äußeren Form her der Vergleich mit der chinesischen Kulturrevolution nicht völlig abwegig ist. Gleichzeitig geben sie aber zu bedenken, daß durch die Erweckung das Gemeindeleben derart befruchtet wurde, daß Jugendliche zu eifrigen Bibellesern wurden und sich heute deutlich mehr engagieren als früher. Allein schon darin, heben sie hervor, zeige sich ein Nutzen der Erweckung.

Im übrigen, so wird von vielen angemerkt, hat es schon immer in der Geschichte des Christentums Erweckungen gegeben. Das Zentrale des Christentums sei es ja gerade, zu einem Leben mit Jesus Christus erweckt zu werden.

„Die Gemeinde kann nicht für das zur Verantwortung gezogen werden, was im Leben eines einzelnen oder einer Familie geschieht. Die Lehre der Gemeinde bezieht sich auf das Geistliche, und ihre oberste Maxime ist die Liebe und das Gute zu fördern. Was über die Verkündigung und die Lehre des Evangeliums hinausgeht, darin wird grundsätzlich jedem Freiheit gelassen. Die Gemeinde diktiert in keinerlei Weise das Leben des einzelnen. Alles ist freiwillig, alles ist offen, und jeder entscheidet selbst, ob er dabeisein will oder nicht. So einfach ist die Sache." (Kåre J. Smith)

Junge Schwestern halten unter sich in Gottes freier Natur eine Versammlung ab.

Die Kinder der Freunde leben nicht in einem Elfenbeinturm. Sie werden zwar stärker von ungesunder Beeinflussung abgeschirmt, nehmen aber im übrigen am gesellschaftlichen und kulturellen Leben teil. Hier bei einem Umzug am 17. Mai, dem norwegischen Nationalfeiertag.

Ist die „Norweger-Gemeinde“ eine gefährliche Sekte?

Als Journalist habe ich, besonders auch während der Arbeit an diesem Buch, eine Reihe von Briefen erhalten, die eine Fülle von Vorwürfen und unbewiesenen Behauptungen über die Gemeinde zum Inhalt hatten. Dabei macht erstaunen, daß angesichts der großen Zahl von Briefen die Phalanx der Briefschreiber desto bescheidener ist. Im wesentlichen sind es drei Personen, die sich dafür aber umso aktiver gebärden.

Es ist bemerkenswert, daß die vorgebrachten Unterstellungen keinerlei Rückhalt in den wissenschaftlich dokumentierten Arbeiten über die Gemeinde finden, auch nicht in meinen eigenen Langzeitrecherchen. Die Seriosität der gründlichen Untersuchungen außenstehender Wissenschaftler wie Dr. phil. Lowell D. Streiker und Dr. theol. Steinar Moe dürfte ja wohl über jeden Zweifel erhaben sein. Kaum eine andere christliche Gemeinschaft ist von Personen außerhalb der eigenen Reihen wohl derart verdreht dargestellt worden wie die Freunde. Und es sollte wohl zu denken geben, wenn klar dokumentierte und kritische wissenschaftliche Arbeiten die vielen Unterstellungen gerade eben *nicht* stützen. Im Gegenteil: aus den vorliegenden Arbeiten läßt sich die Schlußfolgerung ziehen, daß die Freunde sich von uns anderen sehr wenig unterscheiden, mit allen positiven und negativen menschlichen Eigenschaften, die sich daraus ergeben - und mit dem gleichen Wunsch nach einem Leben in Frieden und Harmonie. Eine Ausnahme besteht allerdings: die Freunde verfolgen das erklärte Ziel, an ihrem eigenen Heil zu arbeiten, etwas, was man ihnen doch wohl kaum vorwerfen kann.

Mit anderen Worten gesagt, alle seriösen Untersuchungen führen zum gleichen Ergebnis. „Smiths Freunde“ sind keine Kultgruppe oder Sekte, sondern eine evangelische Freikirche mit vielen positiven Qualitäten und mit einer zunehmenden Offenheit und freier Organisationsstruktur. Dieser Kampf, der während der Erweckung stattfand, war - vereinfacht gesagt - ein Richtungskampf, im Sprachgebrauch der Gemeinde ein Geisteskampf. Er kann als Kampf zwischen einer radikalliberalen und einer konservativen Richtung verstanden werden, bei dem der radikalliberale Flügel die Oberhand behielt. Bei diesen Auseinandersetzungen ging es mithin weniger um Lehrfragen als um die persönliche Freiheit des einzelnen, sein Leben selbst zu gestalten.

Das folgende Kapitel wurde von dem anerkannten Sektenexperten Dr. phil. Lowell D. Streiker geschrieben und enthält eine erste Darstellung aktueller Untersuchungen über die „Norweger-Gemeinde“. Streiker gilt vor Gerichten als anerkannter Experte in Sachen Kulte und Sekten und ist bei Prozessen wegen geistiger Freiheitsberaubung und Kindesmißhandlung als Gutachter tätig. Seine akademische Ausbildung absolvierte er an der renommierten Universität Princeton. Streiker war sechs Jahre lang Direktor des „Freedom Counseling Center“ in Burlingane/Kalifornien. Dieses Zentrum hat sich die Betreuung und Beratung von Einzelpersonen und Familien zum Ziel gesetzt, die im Leben Schiffbruch erlitten, weil sie sich religiösen Gemeinschaften mit totalitärem Anspruch ausgeliefert hatten. Unter anderem war Streiker Berater eines Drittels der Überlebenden der Volkstempel-Sekte in Guyana. Insgesamt hat er annähernd 2 000 Familien betreut. Alle diese Menschen hatten Erfahrungen mit Phänomenen hinter sich, die man unter dem Begriff „Kult“ zusammenfassen kann.

Daneben war Streiker an Gerichtsverfahren wegen vergleichbarer Vorfälle tätig, die in vielen Staaten der USA, ebenso wie in Kanada, England, Südafrika und Japan stattfanden. Er hat mehrere Bücher zu diesem Thema geschrieben. Streiker hat etwa ein Jahr lang die „Norweger-Gemeinde“ in verschiedenen Ländern aufmerksam beobachtet. Er schreibt:

Was ist eigentlich ein Kult?

Der Begriff „Kult“ bzw. „Kultbewegung“ ist wissenschaftlich nicht exakt definiert. Im Lexikon „Websters New World Dictionary of the American Language“ wird folgende Definition angegeben:

1. Ein System religiöser Verehrung oder ritueller Bräuche.
2. Völlige Ergebung oder extreme Bewunderung gegenüber einer Person, einem Prinzip o.ä., insbesondere wenn es sich hierbei um eine absurde Idee handelt ...
3. Eine Gruppe von Nachfolgern - eine Sekte.

Das „Freedom Counseling Center“ hat sich speziell mit den Problemen der übersteigerten oder fanatischen Ergebenheit beschäftigt. Wenn wir von Kultbewegungen reden, beziehen wir uns auf verschiedene autoritäre religiöse Bewegungen, die alle diesselbe Tendenz zeigen, nämlich ihre Mitglieder aus ihren familiären und freundschaftlichen Bindungen herauszureißen, was für Verwandte und Freunde der Betroffenen regelmäßig ein bedrückendes Erlebnis ist.

Die Gruppen, denen ich als Berater diente, haben einige gemeinsame Merkmale:

Eine Kultbewegung ist eine nicht-traditionelle religiöse Gruppe, die sich auf die Lehre eines autoritären Kultführers gründet. Was die Gruppe glauben und wie sie ihr Leben gestalten soll, darüber entscheidet unumschränkt eine einzelne Person. Diese Leitfigur kann vorgeben, eine alte Tradition mit Leben zu erfüllen oder zu erneuern, gleichzeitig aber drückt sie dem Ganzen ihren persönlichen Stempel auf. Unabhängig davon, inwieweit das Lehrgebäude auch aus anderen Quellen beeinflußt ist, wird es doch von seinen Anhängern stets als etwas Ursprüngliches und Einmaliges betrachtet.

Starke Strukturen

Eine Kultbewegung ist eine durchstrukturierte und streng disziplinierte Gruppe, die volle Verfügungsgewalt über Zeit und Mittel der Mitglieder einfordert. Darüber hinaus gebraucht ein Kult Methoden wie Demütigungen, Strafen, Schläge, Todesdrohungen und sogar Mord, um seine Forderungen durchzusetzen. Meist genügt es jedoch, ein unbotmäßiges Mitglied vor den anderen bloßzustellen oder ihm Schuldgefühle einzureden, weil es sich dem Kult nicht genügend hingegeben habe. In extremen Fällen schreckt der Kult auch nicht vor Mitteln wie Schlägen, Freiheitsentzug, Androhung von Körperverletzung und bisweilen sogar Mord zurück.

Kultbewegungen betrachten sich selbst im alleinigen Besitz der vollen und ganzen Wahrheit. Außenstehende werden als unbedarft, unaufgeklärt, geistlos und wahrheitsfeindlich angesehen. Viele Kulte sind apokalyptisch orientiert, sie geben sich dem Glauben hin, in den letzten Tagen zu leben und sehen sich selbst als eine Elite, die die Ungläubigen überwinden und die Welt regieren wird. Bevor sie ihr Ziel erreichen, erwarten sie eine Zeit des Schreckens und der Verfolgung. Einigen ist es derart ernst mit ihren Endzeitphantasien, daß sie sich in die Einöde zurückziehen, wo sie Nahrungsvorräte horten, paramilitärische Übungen durchführen und Waffendepots einrichten.

Die Aktivitäten einer Kultbewegung gelten zuallererst der Werbung neuer Mitglieder und der Anhäufung von Vermögen. Kulte nehmen durchaus für sich in Anspruch, an der Verbesserung sozialer Strukturen und auch erzieherisch tätig zu sein, dennoch läuft das Ganze meist auf Bekehrungsversuche und Gelderwerb zugunsten der eigenen Gruppe hinaus.

Einführungsrituale

Die Einführungsrituale eines Kultes beruhen in aller Regel auf Betrug und psychischem Zwang. Potentiellen neuen Mitgliedern werden irreführende Informationen über Identität und Aktivitäten der Gruppe gegeben, wobei der eigentliche Zweck dieser Aktivitäten verschwiegen wird. Die Betroffenen werden in eine kontrollierte und vollständig isolierte Umgebung gebracht und dort einem wahren Trommelfeuer von noch nie gehörten fremdartigen Ideen ausgesetzt. Es wird ständiger Druck ausgeübt, damit die neuen Ideen verinnerlicht und gleichzeitig frühere Überzeugungen verworfen werden. Zusätzlich werden körperliche Erschöpfungszustände herbeigeführt, ungewohntes oder kümmerliches Essen gereicht und Ängste erzeugt, die mit dem eigenen Leben, der Familie, Bekannten oder dem Arbeitsplatz zusammenhängen.

Die meisten Kultbewegungen bedienen sich verschiedener Mittel, um das Bewußtsein systematisch zu verändern, wie z. B. Berieselung mit eintönigen Gesängen, Zungenreden und stundenlangen geisttötenden Tonbandaufnahmen, Aufsagen von auswendig gelernten Lektionen usw. Diese Mittel öffnen das Bewußtsein des Individuums für die Herrschaft und die Kontrolle durch die Gruppe - natürlich auf Kosten der eigenen Entscheidungsfreiheit.

Geld wird oft unter Vorspiegelung falscher Tatsachen beschafft, z.B. durch vorgebliche Sammlungen für Waisenkinder, für Hilfsprogramme zugunsten Drogenabhängiger, Hungernder usw. Alle diese Spendenziele sind reiner Bluff. Sogar derart angesehene Namen wie UNICEF, Bicentennial Commission usw. werden für solche Zwecke mißbraucht.

Der Kultführer entscheidet

Die Mitglieder der Kultgruppen werden angehalten, jeden Kontakt mit ihrer Familie und ihren Freunden abzubrechen. Darüber hinaus wird dem Leiter eine weitgehende Entscheidungsfreiheit über ihren beruflichen Werdegang und die Wahl des Ehepartners zugestanden. In vielen Fällen überlassen die Mitglieder Einnahmen und Besitz vollständig der Gruppe und begeben sich dadurch in totale Abhängigkeit. Selbstverständlich gibt es eine große Bandbreite innerhalb der Gruppen, was Theologie, Ethik, Organisation, Lebensregeln, Essen, Kleidung usw. angeht. Aber generell läßt sich sagen, daß die hier erwähnten Phänomene ziemlich genau das beschreiben, womit wir im „Freedom Counseling Center" zu tun hatten. Dabei vertrete ich, im Gegensatz zu manchen anderen, die Meinung, daß der Begriff „Kult" nützlich ist, solange er klar definiert ist.

Ohne klar umrissenen Bedeutungsinhalt läuft das Wort „Kult" Gefahr, nur in Richtung eines Stigmas benutzt zu werden. Eigentlich ist „Kult" jedoch nicht mehr oder weniger präzise als „Religion", „Liebe" oder „Amerika". Der Empfehlung meiner Fachkollegen folgend (die den Begriff „Sekte" oder „nicht-traditionelle Religion" bevorzugen) habe ich 1979 mehrere Monate lang das Wort „Kult" gänzlich vermieden, wobei auch eine Rolle spielte, daß ich angesichts der noch frischen Erinnerung an die Ereignisse von Jonestown keine öffentlichen Vorurteile gegen bestimmte Gruppen schüren wollte.

Kulte gründen auf einem einfachen „Tauschgeschäft“: Der einzelne gibt alles ab, was er hat, ist und sein wird. Im Gegenzug liefert der Leiter einfache Antworten auf komplexe persönliche und soziale Probleme. Wer wird nun von diesem einfachen Angebot angelockt - der Schwache, der geistig Kranke? Es ist ein allgemeines Mißverständnis, daß Kulte besonders Einzelgänger, Exzentriker oder Freaks anziehen. Das stimmt nicht. Die Menschen, die ich getroffen habe und die sich von solchen Kultbewegungen angesprochen fühlten, hatten mehr Normales als Unnormales an sich. Nach meiner Erfahrung ist der „Durchschnittsrekrut“ 23 Jahre alt und hat dreieinhalb bis fünf Jahre College hinter sich. Er tut sich schwer, eine seinem Alter gemäße Verantwortung zu übernehmen, häufig deshalb, weil er an einer bisher eingeschlagenen Laufbahn die Lust verloren hat oder weil er eine kürzlich gescheiterte Partnerbeziehung hinter sich hat.

Der typische Neuling ist idealistisch eingestellt, er hat sich bereits einige Zeit vor seinem Eintritt in den Kult nach einer besseren Welt gesehnt und bewiesen, daß er gewillt ist, Zeit und Kräfte für selbstlose Arbeit einzusetzen. Er ist etwas naiv, leichtgläubig und instabil. Wir haben bei den von uns Betreuten festgestellt, daß bei ihnen die Häufigkeit vorangegangener Geisteskrankheiten doppelt so groß ist wie bei der übrigen Bevölkerung. Aber wir sind nicht sicher, ob es sich bei diesem Befund eher um ein allgemeines Merkmal der von uns hauptsächlich betreuten Altersgruppe zwischen 18 und 33 handelt, oder ob dies vielmehr darauf zurückzuführen ist, daß Kultbewegungen auf empfindsamere, vereinsamte und psychisch labile Naturen eine größere Anziehungskraft ausüben.

Die Mehrzahl der von mir Betreuten waren Weiße männlichen Geschlechts, meist das zweite von drei Geschwistern, und zwar aus Randsiedlungen von Großstädten. Junge Männer scheinen in einer Welt von emanzipierten Frauen im Hinblick auf die in sie gesetzten Erwartungen stark verunsichert zu sein. Kulte sorgen für klare Rollenverteilung und eindeutige Vorstellungen von sexueller Differenzierung. Kinder in der Mitte einer Geschwisterreihe neigen eher dazu, sich dem Willen anderer zu unterwerfen, willfährig und gefällig zu sein und sich anzupassen. Ihnen fehlt die Fähigkeit, nein zu sagen.

Gibt es viele Kultbewegungen?

Niemand weiß, wieviele Kultbewegungen es gibt und wieviele Mitglieder sie haben. Von seiten derer, die mit der Abwehr solcher Kulte befaßt sind, werden allein in den USA Zahlen zwischen 2 500 und 3 000 bei einer Mitgliederstärke von annähernd 3 Millionen Erwachsenen genannt. Wie man zu diesen Zahlen kommt, können wir nur vermuten. Vieles hängt davon ab, was man unter einem Kult versteht. Widersprüche finden sich auch in den Informationen, die die Gruppen selbst liefern. Wenn sich eine Gruppe als vital und expandierend darstellen möchte, übertreibt sie mit ihrer Mitgliederstatistik. Möchte jedoch eine Gruppe als harmlose Minderheit aufgefaßt werden, geschieht gerade das Gegenteil. So erlebte ich zum Beispiel, daß mir der Sprecher eines Kultes bei einer Gelegenheit erzählte, seine Gruppe bestehe landesweit aus 25 000 Mitgliedern, einige Monate später korrigierte er diese Zahl auf 4 000.

Die Kultbewegungen, mit denen ich zu tun hatte, bewegten sich in einer Größenordnung von 3 bis 8 Anhängern (sog. „no name groups") bis zu Gruppen mit mehreren Tausenden Mitgliedern. Die größeren, mehr organisierten Gruppen haben ungeheuer viel Geld zur Verfügung - ein bedeutender Machtfaktor! In den meisten Kulten, die ich kenne, gelingt es den einzelnen Mitgliedern, bis zu 100 US-Dollar pro Tag anzuschaffen, sei es durch Betteln auf der Straße, Hausieren mit Büchern, Verkauf von Blumen, Süßigkeiten, Schmuck, Keramikerzeugnissen u.ä. oder durch Arbeit in kulteigenen Wirtschaftsbetrieben.

Das typische Kultmitglied arbeitet über 300 Tage im Jahr, oft 12 bis 14 Stunden täglich. Daraus läßt sich für den einzelnen ein Produktionswert von etwa 30 000 US-Dollar im Jahr ableiten. 1 000 Mitglieder können also mehr als 30 Millionen US-Dollar im Jahr erwirtschaften. Mit diesen Geldern ist der Kult imstande, ein beträchtliches Vermögen an sich zu reißen und beispielsweise mit Autos, Flugzeugen, Farmen und Rohstoffen Handel zu treiben. Damit läßt sich mühelos der freie Handel untergraben, indem die Konkurrenz z.B. durch Dumpingpreise oder überhöhte Übernahmeangebote ausgestochen wird. Was will DelMonte tun, wenn der Fischfang zu einem Spitzenpreis von einer kulteigenen Verpackungsfirma aufgekauft wird? Wie kann etwa ein privater Handwerksbetrieb mit einer Gruppe konkurrieren, die ohne Lohnzahlungen operiert? Zudem bleiben Barzahlungen in unbegrenzter Höhe nicht ohne Einfluß auf politische und juristische Kreise.

Wer sich dem Geschäftsgebaren solcher Gruppen zugänglich zeigt, wird mit Vermarktungshilfen sowie Diensten von ergebenen, rund um die Uhr willfährigen Personen bedacht. Umgekehrt werden öffentliche Institutionen, die den Aktivitäten solcher Gruppen im Wege stehen, weil sie Ermittlungen über deren Rechtmäßigkeit in Gang setzen, Gegenstand organisierter Verleumdungskampagnen. Einige Kulte heuern sich Spitzel an, um ihre Kritiker, seien es Schriftsteller, Berater, andere „Anti-Kult"-Gruppen oder Regierungsorgane auszuspionieren. Gewährsleute solcher Kulte versuchen, Eltern und professionelle Mitarbeiter von Anti-Kult-Gruppen in zwielichtige Machenschaften zu verstricken, so daß der Kult aufreibende und kostspielige straf- und zivilrechtliche Verfahren gegen sie anstrengen kann. Die freie

Rede, die Veröffentlichung von Büchern und Artikeln in Zeitschriften sowie offene Diskussionen werden mit Hilfe von Unterlassungsklagen wegen Verleumdung und Beleidigung unterbunden.

Über das Gesetz erhaben

Kultbewegungen verhalten sich so, als stünden sie über dem Gesetz. Sie meinen, ausschließlich einer „höheren Autorität" gegenüber verantwortlich zu sein. Die meisten Kulte betrachten ihren Leiter als Gott, als Messias oder als Gottes einziges autorisiertes Sprachrohr. Sie sind davon überzeugt, die Wahrheit zu besitzen und dazu bestimmt zu sein, die Welt zu regieren. Um ihre Ziele zu verwirklichen, fördern sie die „göttliche Vorsehung" durch Betrug, Diebstahl, Täuschung und andere derartige Manipulationen. Die moralische Grundhaltung solcher Kulte beschränkt sich auf folgende Devise: Der Zweck heiligt die Mittel!

Sind Kulte zu etwas dienlich? Haben sie irgendeinen Wert? Natürlich, sonst würden sie nicht existieren. Kulte entspringen der Unzufriedenheit mit den realen Gegebenheiten, verbunden mit einer festen Idealvorstellung. Sie sorgen für ein Identitätsgefühl und weisen jenen Personen den Weg, denen ohne Kulte das Gefühl für den Sinn und die höheren Werte des Lebens fehlt.

Wenn wir junge Menschen einer Kultgruppe hinsichtlich ihrer Einsatzbereitschaft mit solchen vergleichen, die ganz einfach ein egozentrisches Leben führen, so fasziniert ihre Begeisterung, Disziplin und Hingabe. Bei Kultmitgliedern, die mir längere Zeit bekannt waren, war ein deutlicher Gewinn an Selbstbeherrschung, Selbstwertgefühl, Kommunikationsfähigkeit und Beharrungsvermögen bei der Verfolgung von Zielen zu verzeichnen. Ehemalige Rauschgiftsüchtige haben sich „Gott zugewandt"; Menschen mit einem vormals ausschweifenden Sexualleben wurden völlig enthaltsam. Faule Taugenichtse sind geradezu Arbeitstiere geworden. (Ich habe aber auch Menschen getroffen, die früher niemals Drogen genommen hatten und dann sowohl vom „Stoff" als auch von „Gott" abhängig wurden; Personen mit einem keuschen Lebenswandel haben sich „für Jesus" prostituiert, und kultische Meditation brachte so manchen vormals fleißigen Studenten in seiner akademischen Entwicklung zum Stranden.)

Eine Bekehrung zu einem Kult hin kann in einem Menschen ein Reservoir an Begabungen und persönlichen Fähigkeiten freisetzen. Dabei fällt aber typischerweise auf, daß letztendlich kein Fortschritt zu verzeichnen ist. Allzuoft stellen wir bei den Kultmitgliedern fest, daß sie als Preis für ihre Zugehörigkeit ihr Recht auf freie Persönlichkeitsentfaltung aufgegeben haben. Die individuellen Merkmale schwinden, die intellektuellen Fähigkeiten werden zusehends eingeengt, die Sprache wirkt klischeehaft, die Persönlichkeit verkümmert. Anstatt mit Hilfe der Rituale einen Befreiungsprozeß zu erleben, scheint die Persönlichkeit in ihrer Entwicklung auf einem unreifen Stadium zu stagnieren. Welchen „Fortschritt“ der Bekehrte auch immer macht, es geschieht in einer Atmosphäre, in der er unerbittlich ausgenützt und seine Persönlichkeit zugrunde gerichtet wird - familienfeindlich und verlogen. Schließlich darf eine weitere Gefahr bei fanatischen Gruppen nicht außer acht bleiben: Die sich selbst rechtfertigende Moral und ihr Selbstverständnis vom alleinigen Besitz der Wahrheit, wobei Außenstehende automatisch zu Feinden gestempelt werden. Dabei gehen die wahnhaften Zukunftsphantasien mit einer stets gegenwärtigen Gewaltbereitschaft einher.

Was ist nun die „Norweger-Gemeinde“ wirklich?

Entspricht sie dem Schema eines Kultes, ganz oder teilweise? Um diese Frage beantworten zu können, müssen wir eventuelle Übereinstimmungen differenziert überprüfen. Ein Beispiel: Der Rotary-Club in San Mateo/ Kalifornien sieht sich selbst als eine Eliteorganisation an. Die Clubmitglieder fühlen sich dem örtlichen „Elks Club“, dem „Kiwanis Club“ und dem „Lions Club“ überlegen. Die Rotarier meinen, für „bessere“ Menschen attraktiver zu sein und mit ihren Projekten den kommunalen Bedürfnissen eher entgegenzukommen sowie dank ihrer Clubzugehörigkeit über bessere Geschäftsverbindungen zu verfügen. Allerdings wird kein Rotarier die Meinung vertreten, sein Klub sei der einzig wertvolle oder andere Klubs seien schlecht, geschweige denn, daß Gott die Rotarier belohnen und die anderen bestrafen werde. Mit anderen Worten: Wenn wir auch vom Rotary-Club mit Recht behaupten dürfen, er habe in gewisser Hinsicht ein elitäres Selbstverständnis, so ist er doch unter Zugrundelegung absoluter Maßstäbe oder auch nur tendenziell weit davon entfernt, elitär zu sein.

Zurück zur Ausgangsfrage: Entspricht die „Norweger-Gemeinde“ einem Kultschema? Die Antwort muß ein nachdrückliches NEIN sein.

Keine absolute Autorität

Die „Norweger-Gemeinde“ hat keine gegenwärtig lebende Leitfigur, die die absolute Autorität in Glaubensfragen und deren praktischer Umsetzung verkörpert. Obwohl sie wie alle anderen religiösen Gruppen eine Geschichte, einen Gründer, ein klar umrissenes Lehrgebäude und Vorstellungen über angemessenes und unangemessenes Verhalten hat, ist ihre Autoritätsstruktur erstaunlich offen und flexibel.

Die Mitglieder der „Norweger-Gemeinde" wählen selbst ihren Ehepartner, bestimmen selbst über Familiengröße, Beruf, Wohnort, äußeres Erscheinungsbild, Freizeitverhalten usw. So weit ich es beurteilen kann, gibt es in keinem dieser Bereiche irgendwelche ausdrücklichen Regeln. Das heißt aber nicht, daß diesbezüglich etwa jegliche Richtlinien fehlen, wie sie in Form von Erwartungshaltungen für alle menschlichen Gruppierungen - seien es religiöse, soziale, bürgerliche, politische oder sonstige - typisch sind. Dem Leben von hochgeachteten Brüdern und Schwestern, speziell von verstorbenen, wird große Bedeutung beigemessen.

Die „Norweger-Gemeinde" hat insofern etwas Einmaliges an sich, als sie im Grunde genommen keine greifbare Struktur oder zentrale Autorität aufweist. Die „Freunde" glauben konkret an Jesu Wiederkunft, befassen sich aber nicht mit Endzeitspekulationen oder wirren Überlebensstrategien, wie z.B. die Davidianer in Waco/Texas, die bekanntlich verhängnisvoll endeten.

Die Mitwirkung ist völlig freiwillig, es gibt kaum Aktivitäten zur Anwerbung neuer Mitglieder. Jedem steht es frei, zu kommen oder zu gehen. Es gibt keinerlei Anzeichen von Täuschung oder Manipulation.

Sowohl die persönliche als auch die gemeinsame Auferbauung ist feurig und begeisternd, geht jedoch keineswegs in Richtung Bewußtseinsveränderung oder Gehirnwäsche.

Es gibt keinen „Zehnten" oder sonstige Pflichtabgaben, Kollekten sind eher selten. Die Verwaltung der Geldmittel in den verschiedenen Gemeinden scheint vollkommen zuverlässig zu sein, wenn sie auch in der Form etwas lose gehandhabt wird. Die „Norweger-Gemeinde" ist auf keine Weise absolutistisch oder totalitär. Es gibt keine hauptberuflichen Führungskräfte auf geistlichem oder administrativem Gebiet (mit Ausnahme des Hausmeisters im Konferenzzentrum Brunstad), und so erfolgen alle praktischen Arbeitseinsätze unabhängig vom eigentlichen Gemeindeleben. Die Mitglieder sind nicht von der Gruppe abhängig. Die Liegenschaften der einzelnen Ortsgemeinden werden im Ermessen der Gruppe zum Gottesdienst, zur Pflege des Gemeinschaftslebens sowie zu Erholungszwecken genutzt und nicht, um einige wenige zu begünstigen. Eine Reihe dieser Anwesen stehen außenstehenden Gruppen zur Anmietung frei.

Ein Leben im Frieden

Ich habe nichts bemerkt, was einer Aufforderung zu ungesetzlichem oder unmoralischem Verhalten gleichkommt. „Smiths Freunde" legen großen Wert darauf, mit ihren Nachbarn in Frieden zu leben und die jeweils gültigen

Gesetze zu befolgen. Niemals würden sie einer Moral zustimmen, die darauf hinausliefe: „Der Zweck heiligt die Mittel".

Die Mitglieder repräsentieren ein weites Spektrum von Berufen, von einfachen Arbeitern bis hin zu hochqualifizierten Experten. Während ein bedeutender Anteil der erwachsenen weiblichen Mitglieder als Hausfrauen arbeitet, sind viele andere in einfachen und höher qualifizierten Berufen beschäftigt.

In all den Monaten, in denen ich „Smiths Freunde" in den USA (in den Staaten Washington und Oregon), Norwegen, Dänemark, Deutschland, Österreich und den Niederlanden beobachtet habe, konnte ich niemals irgendeine Form von Drohung, Bestrafung oder Gewaltanwendung seitens der Gemeindevorsteher oder der Mitglieder feststellen. Als gerichtlich anerkannter Sachverständiger in Sachen Kindesmißhandlung und Verletzung der Fürsorgepflicht kann ich aus voller Überzeugung bescheinigen, daß ich in den Hunderten von Familien, die ich persönlich beobachten konnte, keinerlei Anzeichen von unangemessenem Verhalten gegenüber Kindern bemerkt habe; bei einigen Familien war ich durchgehend mehrere Tage lang. Die Gemeinden, die dieser Bewegung angehören, sind definitiv nicht an der Zerrüttung von Familien beteiligt. Die Mitglieder sind sehr familienorientiert, sie sind auch solchen Kindern gegenüber sehr tolerant, die nicht in den Fußspuren ihrer Eltern in der Gemeinde gehen wollen. Sie halten, wenn möglich, auch mit Familienmitgliedern Kontakt, die sich niemals dieser Bewegung angeschlossen haben oder aus verschiedenen Gründen einen anderen Weg gewählt haben.

Einige Mitglieder meiden konsequent Fernsehen, Filme, Romane und andere Elemente moderner Kultur. Das ist besonders bei den nordamerikanischen Freunden der Fall, die einige Tendenzen der amerikanischen Fundamentalisten mit ihrer charakteristischen „negativen Ethik" übernommen haben. Damit soll eine Haltung ausgedrückt werden, die das Meiden solcher Laster wie Rauchen, Trinken, Gesellschaftstanz, Kinobesuche usw. zur Tugend erhebt.

Andere Mitglieder erlauben es sich gelegentlich sehr wohl, einen Film oder eine Fernseh-Show anzusehen, einen Roman zu lesen oder alkoholische Getränke zu sich zu nehmen. Sie gehen jedoch verantwortlich damit um, in dem Bewußtsein, daß in allen Elementen der Kultur Gutes und Schlechtes enthalten ist und daß jede Übertreibung schadet.

Die „Norweger-Gemeinde" ist eine Gruppe mit hohen Ansprüchen. Es wird von den Mitgliedern erwartet, daß sie ein heiliges, von der Sünde abgewandtes und selbstloses Leben führen. Es wird von ihnen erwartet, daß sie unmoralisches Verhalten, so wie es allgemein verstanden wird, verabscheuen. Wer unmoralisch oder überheblich handelt, wird zurechtgewiesen, er wird jedoch keinesfalls, um etwa die Disziplin zu wahren, mit dem Bann oder anderen Strafmaßnahmen belegt, ganz zu schweigen von Schlägen o. ä. „Smiths Freunde" sind insofern eine Gruppe mit hohen Ansprüchen, als der einzelne hohe Anforderungen an die eigene Lebensführung stellt. In diesem Sinne wird von jedem erwartet, daß er für sein Leben, seine Arbeit, seine Ausbildung, sein Familienleben und sein persönliches Engagement u. ä. Verantwortung trägt.

So wie ich oben den Rotary-Club erwähnt habe, findet sich auch unter den Freunden ein gewisses Elitedenken. Sie sind davon überzeugt, daß die Erlösung, die sie erlangt haben, nicht allein auf einer einmaligen Bekehrung beruht; vielmehr sind sie der festen Meinung, daß man darüber hinaus durch die aktive Ausrichtung des Alltagslebens nach der hohen biblischen Ethik, wie sie in der Gemeinde gelehrt wird, eine Tiefe des Christentums erfährt, wie man sie in diesem Ausmaß anderweitig vergeblich suchen dürfte.

Glauben die Freunde, daß man außerhalb ihrer Bewegung kein Seelenheil finden kann? Keineswegs! Glauben sie, daß ehemalige Mitglieder der Gruppe, die diese aus irgendeinem Grund verlassen haben, ihre Erlösung verspielt haben? Ich habe keinen Anhaltspunkt für eine solche Vermutung gefunden. Die Freunde achten darauf, nicht andere zu richten, sie befleißigen sich vielmehr, ihre eigene Gnadenstellung zu bewahren.

Die Theologie der Freunde ist nicht traditionslos oder völlig neu. Sie hat mit der protestantischen Reformation und den Erneuerungsbewegungen wie dem Methodismus, der Heiligungsbewegung und der Pfingstrichtung mehr gemeinsam, als ihnen selbst bewußt ist. Selbst ihre großen, kinderreichen Familien finden in vielen etablierten Gruppen Entsprechungen. Ihre Zusammenkünfte, die unter der „Leitung des Geistes" stehen, sind denen der „Society of Friends" und der „Plymouth Brethren" nicht unähnlich. Was sie einzigartig macht, ist die Gesamtheit von theologisch-ethischen Leitlinien, Persönlichkeiten, Gebräuchen und vor allem aber einem derartigen Maß an ungeheuchelter Treue gegenüber Idealen, wie man es kaum in anderen geistlichen Gemeinschaften findet, mit denen ich Bekanntschaft gemacht habe.

Dieses Maß an Treue ist dennoch weit von Fanatismus entfernt. Ich habe nie erlebt, daß die Freunde in ihrer Hingabe von Sinnen waren. Ich habe unter den Freunden auch unterschiedliche Meinungen erlebt sowie - innerhalb gewisser Grenzen - Aufgeschlossenheit gegenüber Neuem, Nachsicht mit Ungläubigen und eine bemerkenswerte Fähigkeit zur Selbstkritik hinsichtlich der eigenen Person und auch der verschiedenen organisatorischen Elemente der Bewegung.

Bin ich mit ihnen einig oder glaube ich, daß sie in jeder Beziehung perfekt sind? Keinesfalls. Als Sachverständiger für Kulte, Sekten und religiöse Glaubenserfahrungen und zudem als bekennender Christ bin ich davon überzeugt, daß sie für eine gute Sache arbeiten, die sich aber noch weiter verbessern läßt. Zweifelsfrei steht aber fest, daß die „Norweger-Gemeinde“ keine destruktive Religionsgemeinschaft oder gar eine Kultbewegung ist.

Für einen späteren Zeitpunkt habe ich mir vorgenommen, eine detailliertere Darstellung zu verfassen, worin es nicht nur darum geht, was die Freunde *nicht* sind, sondern vielmehr, was sie eigentlich charakterisiert. Dafür geeignet sind statistische Analysen des sozialen Status, der Mitgliederzahlen und der Führungsstruktur sowie eine tieferschürfende Aufarbeitung jener Wochen, die ich mit ihnen zusammen verbracht habe. Dabei möchte ich klarzustellen versuchen, warum diese und andere unschuldige Gruppen wegen angeblicher destruktiver Kultpraktiken angeklagt worden sind. Zusätzlich habe ich vor, einige behutsame Empfehlungen zu formulieren, die das Ziel verfolgen, ihnen Hilfestellungen anzubieten, sich besser in die Gesellschaft einzubringen, die christliche Missions- und Lehrtätigkeit effektiver zu gestalten, die wechselseitige Befruchtung mit anderen Glaubensgemeinschaften zu fördern usw. Für mich ist das eine spannende und herausfordernde Aufgabe.

(Der oben erwähnte Bericht ist inzwischen erstellt und liegt vor.)

„Eine offene und kinderfreundliche Gemeinde", sagt der Gutachter.

Reisenotizen

Eines hat mich bei Smiths Freunden immer in Erstaunen versetzt: Die meisten sind außergewöhnlich humorvoll. Das wird man nicht unbedingt von vornherein bei Menschen erwarten, die derart an ihrer Erlösung arbeiten, wie es die Freunde tun. In der Tat haben sie eine befreiende Art zu lachen, über sich selbst und über ihr Tun. Und einige wenige scheinen offenbar öfters ins Fettnäpfchen zu treten - oder, wie es einer von ihnen formulierte: Gottes Gnade ist so groß, daß er mir zum Glück immer wieder aufhilft.

Das mit dem ausgeprägten Sinn für Humor gilt selbstverständlich nicht für alle. Wir Menschen sind von Natur aus verschieden, und ich habe auch die eher „korrekte Ausgabe" eines Freundes getroffen, bei dem das kleinkarierte Millimeterchristentum mehr Platz hat als der Humor. Aber diese Typen waren in der Minderzahl; alles in allem ist es ein offenes und frohes Christentum, das die Freunde prägt.

Während der Arbeit an einem Buch entstehen laufend Notizen, Notizen, die wohl nicht in den eher ernsten Teil des Buches gehören. Aber jetzt, wo der Leser so lange durchgehalten hat, will ich doch einige Kostproben zum besten geben.

In der Hitze

Das Thermometer klettert schon zeitig in der Frühe auf 35° Celsius, und im Laufe des Tages wage ich keinen Blick darauf zu werfen, aus Furcht vor der Wahrheit. Ich selbst kann mich in den einzigen Unterschlupf mit Klimaanlage zurückziehen. Es ist mir ein Rätsel, wie es die Freunde während eines Gottesdienstes in einer Baracke aushalten, die buchstäblich gebraten wird. Vielleicht verändern sich die Schweißdrüsen, wenn man sich bekehrt? Ich setze mich in den Schatten eines einzeln dastehenden Baumes, der etwas angeschlagen seine trockenen Blätter hängen läßt. Victory, das Konferenzzentrum im Bundesstaat New York, ist ins Licht der unbarmherzig sengenden Sonne getaucht, die große Teile der USA in ihrem Griff hält. Aus Chicago kommen Meldungen von hitzebedingten Todesfällen. Merkwürdig, wie diese Freunde alles mögliche aushalten! Gesang und Worte dringen aus dem Versammlungssaal nach draußen; die Türen stehen offen, um womöglich selbst den kleinsten Windhauch jeder noch so schwachen Brise einzufangen. Hier, auf einem Terrain von etwa 40 Hektar, können die Freunde sich entfalten - rein rechnerisch steht jedem ein Freiraum von ca. 750 m^2 zur Verfügung. Wenn es sich jedoch hier wie in Brunstad entwickelt, dann wird es wohl nicht lange dauern, bevor ausgebaut werden muß.

Billig wurde das Gelände erstanden, im Grunde genommen zu einem Spottpreis, wenn man die ortsüblichen Grundstückspreise zugrunde legt. Aber das tun die Freunde ja nicht. Sie legen Gottes vollkommene Führung zugrunde. Darum hat sich hier wie anderswo gleichsam alles für sie zurechtgelegt, als ein Konferenzzentrum und Räumlichkeiten benötigt wurden.

Als einer, der an diesem Ort ohnehin den Anschein eines Gottlosen erweckt, habe ich mir vorgenommen, einen Badeausflug an den Ontariosee vorzuschlagen. Das ist die schlimmste Hitze, die ich seit vielen Jahren erlebe. Außerdem bin ich durstig, jetzt würde eine Erfrischung guttun ...

Zwei kleine Knirpse kommen vorbei. Sie mustern die Kamera und den Kassettenrecorder. Vielleicht wollen sie gerne interviewt werden? Der eine hält den Kopf schief, kneift das eine Auge zusammen und lächelt etwas schüchtern. „Papa sagte, wir sollten dich fragen, ob du nachher mit uns baden gehen willst." Er deutet auf das Zelt: „Meine Mama und mein großer Bruder sitzen dort drüben im Zelt. Sie haben kühle Limonade für dich. Hast du Lust, mitzukommen oder ...?"

Die Freunde sind pragmatisch veranlagt. Selbst ein Gottesdienst kann abgebrochen werden, wenn das Wetter gar zu übel mitspielt und man die Verkündigung auf einen vernüftigeren Zeitpunkt verlegen kann. An diesem Tag waren wir mit den kleinen Knirpsen im Swimmingpool, und am nächsten Tag unternahmen wir einen Ausflug an den Ontariosee.

Konferenz mit Nähmaschinen

Zwei glückliche Augen lugen etwas versteckt hinter einer Nähmaschine und grünem Stoff hervor. Es ist Freitagnachmittag, und die Arbeitswoche ist fast um. Die Näherin packt alles zusammen, womit sie arbeitet; auch alle anderen tun so. Der Fabrikraum muß geräumt werden. Arbeitstische, Nähmaschinen und andere Maschinen werden allesamt in einer Saalecke verstaut. Die darunterliegende Fabrikhalle wird ebenso geräumt, weil dort die Zugereisten übernachten sollen.

Ich bin auf der Konferenz in St. Petersburg. Nicht weit entfernt liegt das Kriegsschiff *Aurora* im Hafen. Dort begann die russische Revolution, dort nahm die 75 Jahre dauernde kommunistische Diktatur ihren Anfang. Ob Lenin oder Trotzki in dieser Fabrikhalle jemals flammende Reden gehalten haben, weiß ich nicht. Die jetzigen Redner sind auf keinen Fall Feuerspeier. Sie reden über ganz andere Dinge: über Liebe und Güte zueinander, Hilfsbereitschaft, Langmut und Sanftmut - über das gute Leben, das man bekommt, wenn man die Sünde überwindet. Und wenn das Schwert geschwungen wird, meinen sie immer sich selbst und ihr eigenes Fleisch, in dem nur Schlechtes wohnt. Ich unterhalte mich mit einigen, die sogar von der ostasiatischen Halbinsel Sachalin gekommen sind, aus Sibirien, Moskau und Tarnopol in der Ukraine. Was in aller Welt bringt die Leute dazu, tagelang in unbequemen Zügen zu sitzen, um zu einer Konferenz zu kommen, die nur eineinhalb Tage dauert?

„Für viele von uns war die Gemeinde und hier besonders Bruder Holzwarth aus Deutschland unser geistlicher Hoffnungsstrahl mitten in einem unfreien politischen System. Sie waren unser einziger Kontakt mit der Außenwelt, unser einziger Ausblick in eine bessere Zukunft. Wenn ich sehe, wie treu die Brüder uns zur Seite gestanden haben und wie sie uns behilflich waren, so muß dies wahres Christentum sein. Das möchte auch ich gern erleben. So wie ich die norwegischen Brüder nun in Rußland arbeiten sehe, weiß ich, daß wir eine sichere Zukunft haben. Sie schaffen etwas - mit ihren Händen und ihrem Geist."

Im Schlafsaal Nr. 2

„Hier in Tscherkassy waren viele Prediger, nachdem die Ukraine ein freies Land geworden war. Viele kommen und halten Versammlungen im Stadion. Am liebsten wollen sie fünftausend Menschen sammeln, bevor sie wieder heimfahren und berichten, wie tüchtig sie sind, Gottes Wort zu verkündigen. Es sind jedoch nicht viele, die mit uns zusammen wohnen möchten und mit uns Gemeinschaft haben wollen, so wie es in einer wahren Bruderschaft sein soll. Nur wenige suchen Gemeinschaft. Sie fordern nichts, sondern dienen und geben. Sie sind Vorbilder, denen man nachfolgen kann und die durch ihre Gemeinschaft bei sich gezeigt haben, wie wahre Christen leben."

Ich begreife nicht, wie die älteren Freunde ein solches Pensum durchhalten. Es muß einen Zusammenhang zwischen Körper und Geist geben, den ein bequemer Mensch wie ich nur schwer begreifen kann. Mit einem kleinen Koffer und einer Tasche reisen sie durch Länder, in denen es an fast allem fehlt. Sie schlafen dort, wo ihnen ein Bett bereitet wird, essen das, was auf den Tisch kommt, predigen das Wort und unterstützen obendrein die Menschen hier und dort. Sie möchten so wenigen wie möglich zur Last fallen, und lieber verwenden sie ihre Mittel für Notleidende statt für sich. Sie reisen mehr als jeder Handelsvertreter und haben doch nichts vorzuweisen als ihr eigenes Leben und eine zerschlissene Bibel.

„Nimm du das Einzelzimmer", sagt ein Bruder, der viel älter ist als ich. „Du stehst im Arbeitsleben und brauchst Ruhe. Ich schlafe genausogut mit anderen zusammen."

Sie tun Gutes, wo sie nur können, diese Freunde - auch ich profitiere davon. Während der Bruder froh und vergnügt mit den anderen im Schlafsaal schläft, gestatte ich mir einen Blick auf meinen eigenen Bauch. Die Freunde sind so lieb und freundlich, daß man Probleme bekommt, wenn man täglich mehrere Familien besucht. Alle bieten Essen an, und man wird mir wohl Recht geben, daß sechs bis sieben Mahlzeiten pro Tag durchaus eine gewisse Opferbereitschaft abverlangen. Es verbergen sich viele Kilo Charakterstärke in meinen Rundungen. Vermutlich wären wohl nicht viele während der täglichen Interviews dazu imstande gewesen, so häufig Essenseinladungen dankend anzunehmen.

Hochmut kommt vor dem Fall

Wenn etwas so richtig daneben geht, kann keiner so herzhaft über sich selbst lachen wie die Freunde - solange die Gesundheit mithält.

Als passionierter Angler muß ich gestehen, daß ich bei Gesprächen von Zeit zu Zeit einflocht, man könne genausogut auch beim Angeln plaudern, man schlüge dann zwei Fliegen mit einer Klappe. Namentlich dann, wenn es Forellen- oder Lachsgewässer in der Nähe gibt, habe ich so meine festen Vorstellungen, wo das Gespräch topographisch stattfinden könnte.

So geschehen bei einem Besuch in Oregon (USA). Dort fließt der Columbia River, berühmt für seinen Reichtum an Stör und Lachs. Ich kam um ein Uhr nachts an - drei Stunden später wurde ich geweckt. Seit damals nenne ich die Freunde „Tempobrüder“, weil sie ein Tempo an den Tag legen, bei dem ein armer Außenstehender wie ich etwas außer Atem gerät.

Glücklich am Hafen angekommen, fanden wir schließlich das Boot. Leider ohne Bootsführer - der schlief bestimmt noch. Und mir blieb noch etwas Zeit zur Besinnung, um nach vierundzwanzigstündiger Reise und drei Stunden Schlaf wach zu werden.

Endlich kam der Käpt'n, machte das Boot klar, und dann glitten wir sachte den Fluß hinunter. „Habt ihr schon mal geangelt?“ fragte er. So ein Dummkopf, dachte ich bei mir, das kann man doch wohl sehen. Aber bevor ich etwas Gepfeffertes erwidern konnte, antwortete einer der Brüder: „ Ja, überall auf der Welt“ - mit Nachdruck auf „überall“. Der dies sagte, ist freilich ein erfahrener Fischer, und zwar auf zweierlei Arten bezogen, nämlich von Menschen und auch von der Gattung, die im Wasser herumschwimmt. Dieser Bruder ist am Meer aufgewachsen und wird nie seekrank, egal, wie wild die Elemente toben - außer bei überschwappender See in der Mündung des Columbia Rivers.

Der Angelbruder angelte - und angelte mit Erfolg. Er angelte - und erbrach. Er angelte und erbrach wieder, erbrach und angelte, bis schließlich das eine über das andere siegte. Es war eine imponierende Darbietung von Ausharren im Glauben, bis er ganz zum Schluß aufgeben und sich in der Vorpiek hinlegen mußte. Ich ging zum Käpt'n und gestand so bescheiden, wie ich nur konnte, ein, daß wir unserer Antwort auf seine morgendliche

Frage noch etwas hinzuzufügen hätten, nämlich dies, daß wir auch überall gespien hatten.

Ich konnte mich des Eindrucks nicht erwehren, als ob sich daraufhin die See etwas beruhigt hatte.

Die Strafe folgte auf dem Fuß

Die Fähigkeit der Freunde, mehrstündige Versammlungen auf harten Stühlen durchzustehen, ist in meinen Augen einfach unbeschreiblich. Es gehört schon einiges dazu, bei solchen Bedingungen in den Gottesdiensten einzuschlafen.

Während einer Konferenz gab der Leiter bekannt, daß sich hinten im Saal einige bequemere Campingstühle befänden - und betonte, daß diese für Schwangere und Ältere gedacht seien. Trotzdem besorgte sich einer der Brüder solch einen Stuhl und setzte sich damit in die vorderste Reihe, wo er sich nun gemütlich zurücklehnen, die Augen schließen und noch besser den Worten lauschen konnte - sollte man meinen.

Doch so etwas tut man in der Gemeinde nicht ungestraft. Es dauerte nicht lange, bis der Stuhl sozusagen von selbst, ohne ersichtlichen Grund, zusammenklappte - und zwar so, daß der Bruder darin gefangen saß und nun in seiner unglücklichen Position hilflos aus der Wäsche schaute, unfähig, sich ohne fremde Hilfe zu rühren - und das Ganze auch noch direkt vor den Augen eines Journalisten mit Notizblock, Kugelschreiber und Kamera.

Wir anderen hatten unseren Spaß, er selbst aber lachte am meisten - hinterher.

Erstmalig in einer Versammlung

Einer der Freunde erzählte, daß er mächtig von der Rede eines Ältesten beeindruckt war, als er das allererste Mal eine Konferenz besuchte.

„Als ich endlich meinen Mut zusammennahm, um etwas zu sagen, stand ich auf und rühmte diesen Mann. So sind wir es in den Staaten gewöhnt. Der Hauptredner spricht, und wir anderen schwärmen von seinen Redegaben. Aber als sich unsere Blicke kreuzten, verstand ich mit einem Mal, daß dies nicht der Ort war, wo man den Leuten nach dem Mund reden, sondern Gottes Wort verkündigen sollte. Da wäre ich am liebsten im Boden versunken und dort eine Weile geblieben.

Ich wohnte in einem Zelt auf dem Konferenzgelände und blieb dort zwei Tage versteckt, bis ich mich wieder hervorwagte."

Ein außergewöhnlicher Open-Air-Gottesdienst

Kåre J. Smith erzählt:

„Ole Olsen wirkte in Finnland und war unsere große Stütze. Einmal wurde er jedoch an einem Ort krank, und Sverre Riksfjord, Gunnar Gangsö und ich wurden allein in eine Stadt geschickt.

‚Reist nicht so herum, als wärt ihr Urlauber, sondern verkündigt, daß Christentum Krieg ist', hatte uns Ole Olsen geraten. Ja, wir waren ja gewohnt, solchen ehrwürdigen Brüdern zu gehorchen, und taten, wie uns geheißen war. In der Nähe dieses Ortes kehrten wir in einem kleinen Landhaus ein. Dort trafen wir einige norwegische Freunde, die von Nordnorwegen gekommen waren und die Genehmigung bekommen hatten, auf dem Marktplatz Versammlungen zu halten. Niemand von uns konnte Finnisch, und doch mußten wir ja einen passablen Redetext zuwege bringen. Und dort, wo wir waren, sprach man nur finnisch.

‚Ja', meinte Sverre, ‚dann mußt du eine Rede auf finnisch halten.'

Wir dachten uns markante, bescheidene Sätze aus, die leicht zu übersetzen und ohne größere Mühe zu lernen waren. Den norwegischen Text gelang es zu übersetzen. Dann lernten wir die Rede Wort für Wort auswendig, ich auf norwegisch und Sverre auf finnisch. Gunnar sollte während der Versammlung den Neubekehrten mimen; er hatte einige finnische Worte gelernt, die ausdrückten, wie gut es einem Neubekehrten geht.

Wir luden für diese Versammlung ein, indem wir mit Plakaten in der Stadt herumfuhren. Zusätzlich hatten wir zwei Jungen mit Fahrrädern angeheuert, die Plakate bei sich trugen. Darauf war zu lesen, daß auf dem Marktplatz eine Versammlung stattfinden würde und daß Christentum Krieg sei.

Ja, und dann stellten wir uns auf, musizierten und sangen auf finnisch. Danach begannen wir mit der Rede. Es wurde eine ordentlich markerschütternde Rede über das zweischneidige Schwert, Fleisch, Blut und Tod. Ich glaube nicht, daß es seit den Zeiten Mannerheims* eine so blutrünstige Versammlung im Freien gegeben hat. Wir stürmten förmlich mit blankem Schwert voran. Sverre schlug mit seinen neu erlernten finnischen Vokabeln drein, und die Leute starrten ihn erschrocken an. Weiter ging es, und die Leute bekamen es derart mit der Angst zu tun, daß sie sich zurückzogen - wir ihnen nach. Das Ganze entwickelte sich zu einer Art Prozession: Die Zuhörer zogen sich immer weiter zurück, und wir blieben ihnen auf den Fersen. Zum Schluß verschwanden sie in der Wartehalle einer Buslinie, während wir draußen standen.

Das war unser erster ‚großer' geistlicher Sieg in Finnland. Dies zum Trost für alle, die in ihrer eigenen Hilflosigkeit anfangen. Ole Olsen reagierte sehr vergnügt, aber als ich einige Jahre später Bruder Aslaksen davon erzählte, sah er mich mit großen Augen an und sagte: ‚Ich wußte ja, daß ihr nicht ganz

* Carl-Gustav Freiherr von Mannerheim (1867-1951), finnischer Marschall, in mehreren Kriegen Oberbefehlshaber der finnischen Truppen

bei Trost wart, aber daß ihr derart von allen guten Geistern verlassen wart, habe ich nicht geahnt.‘ “

Die Stimme von oben her ...

Aus Anlaß einer Rundreise durch Osteuropa hatte ich das Vergnügen, zwei ältere Brüder der Gemeinde begleiten zu dürfen. Nach einer Weile ging es so, wie es üblich ist, wenn Essen und Kultur täglich wechseln - der Magen spielt verrückt. Nicht mein Pferdemagen, der ein Leben lang mit reichlich Essen und Wein abgehärtet wurde, sondern der der beiden Brüder. Das brachte mich auf eine leicht ausgefallene Idee: Ich zwang die beiden, mit mir im Hotel zu übernachten - etwas höchst Ungewöhnliches, wenn Brüder auf Reisen sind. Aber ich sah es als unumgänglich an, daß jeder von uns eine Weile eine Toilette für sich hatte. Das Ganze spielte sich übrigens in Kiew (Ukraine) ab.

Einer der einheimischen Freunde stand uns als Übersetzer und Führer zur Verfügung. Ihm gab ich unverzüglich den Auftrag, ein Restaurant auszumachen, das einen sauberen und ordentlichen Eindruck machte und Aussicht auf „normale“ Kost verhieß. Mit der den Freunden eigenen Behendigkeit kam er auch meinem Wunsch rasch nach, und wir landeten in einem Kellerrestaurant mit dem klangvollen Namen „El Dorado". Das Lokal war blitzsauber, nur noch zwei andere Gäste waren anwesend, die Bedienung war aufmerksam, und Speise- und Weinkarte entsprachen ganz meinen Vorstellungen. Mit anderen Worten, wir waren offensichtlich in einem der Top-Restaurants Kiews gelandet, einem Lokal mit beinahe französischem Standard. In der für einen Journalisten typischen Manier übernahm ich die Bestellung, und unter Mithilfe des Kellners wurde eine wahrhaft vorzügliche Mahlzeit zusammengestellt. Mit Beilagen, die einem lädierten Magen schmeicheln - und auch meinem trainierten.

Unmittelbar nach der Vorspeise - die Weißweinflasche stand noch im Kühler, die Rotweinflasche war eben auf dem Tisch erschienen - wisperte eine leise Stimme: „D....! Bruder D....!“ So hieß tatsächlich einer der Freunde mit Vornamen. „D....! Bruder D....!“ Unter den Freunden ist es gewiß eine vertraute Übung, der Stimme von oben her zu lauschen, denn D.... blickte ruhig auf, neigte leicht den Kopf zur Seite - ich bildete mir ein, ein lautloses „Ja ...?“ vernommen zu haben.

Indessen kam die Stimme doch nicht von oben her, sie gehörte vielmehr einem jungen Mann in etwas schäbigem Aufzug, der eine große Umhängetasche über den Schultern trug. Hinter ihm standen schon ungeduldig drei vom Personal, bereit, ihn auf mein Zeichen hin an die frische

Luft zu setzen. Der junge Mann erzählte, daß er sich mit dem Verkauf von Mäuse- und Rattengift in den Kiewer Restaurants durchschlug - die Nachfrage schien groß. Wohl nicht gerade dort, wo wir speisten, aber immerhin ... Bruder D.... hatte diesen Mann ein einziges Mal im Leben gesehen - bei einer Konferenz in Deutschland. Er gehörte nicht zu den Freunden, aber er hatte D.... augenblicklich erkannt.

Was mag bloß der junge Mann gedacht haben, als er Zeuge wurde, wie ich meinen Bauch und Gaumen verwöhnte? Sollten die Freunde in Kiew durch diesem Vorfall in einen schlechten Ruf geraten sein, nehme ich alle Schuld auf mich.

„Himmelfahrt“ mit Turbolader

„Rallyeteam Smiths Freunde.“ Die Freunde haben schon einen rasanten Fahrstil. Das weiß ich, seit ich bei einigen von ihnen mitgefahren bin. Das soll nicht heißen, daß alle unerlaubt schnell fahren, aber in Anbetracht der jeweiligen Straßenverhältnisse kann sich dem Beifahrer bisweilen schon der Eindruck aufdrängen, als ob die gefahrene Geschwindigkeit im obersten Grenzbereich des Möglichen liegt. Sie fahren wohl im guten Glauben daran, daß jemand da droben seine schützende Hand über sie hält.

Für einen armen Journalisten ohne den gleichen starken Glauben wie sie kann es schon zu einem eindrücklichen Erlebnis werden, wenn der Turbolader dröhnt und die Pferde unter der Motorhaube durchgehen. Auf solch einer „Himmelfahrt“ durch ein osteuropäisches Land ging es so richtig über Stock und Stein. Es war stockfinstere Nacht, und es gab keine Straßenbeleuchtung. Die Fahrt war dermaßen wild, daß ich trotz einer gewissen Müdigkeit nicht zu dösen vermochte. Man hatte mir erzählt, daß es hier Stellen gäbe, wo die Schlaglöcher größer wären als ein Auto.

Für mich, der normalerweise überall innerhalb weniger Sekunden einschlafen kann, war es ganz fremd, daß es mir diesmal nicht gelang. Die Reisebegleitung, ein älterer „Bruder“, hatte indessen keine solchen Bedenken. Er legte sich einfach auf dem Boden des Autos hin und schlief wie ein Murmeltier.

Meinen privaten statistischen Aufzeichnungen zufolge fahren die Freunde in den USA am geruhsamsten, ja fast behäbig. Die aggressivste Fahrweise registrierte ich im norwegischen Westen und in Osteuropa. Allerdings habe ich noch nicht die Freunde in Italien besucht.

Ein Lehrer mit gesundem Augenmaß

Ich habe viel Zeit in Gedanken an diesen Mann mit Namen Johan Oscar Smith verwendet. So manche Stunde ist damit vergangen, vor den inneren Augen ein Bild von ihm erstehen zu lassen.

Angesichts seines Lebenswerkes kann man schon ein bißchen demütig werden. Was mich am meisten beeindruckt, ist seine Umsicht, seine Toleranz und Weitherzigkeit, namentlich in all jenen Belangen, die nichts mit den Glaubensinhalten zu tun hatten. Manch ein Bruder bekam wohl gehörig etwas von Smith zu hören, weil er Gebote und Regeln über dies und jenes aufstellen wollte.

Bei anderen Gelegenheiten hingegen schwieg Smith, in dem Wissen, daß dem Betreffenden sein Fehler bald selbst deutlich würde. Einmal meinte zum Beispiel ein namhafter Bruder, daß Gardinen Luxus seien und man gut auf sie verzichten könne. Sie nähmen ja viel Licht weg und machten überdies Mühe. Smith sagte überhaupt nichts dazu. Dieser Bruder würde ja früh genug merken, daß er nicht mehr einschlafen konnte, insbesondere an den langen nordischen Sommersonnentagen - was selbstverständlich auch geschah. Von Gardinen war nie mehr die Rede.

Mit äußerlichem Schein und Formen, die einem Gläubigen „gut anstehen", konnte Smith sich überhaupt nicht anfreunden. Stark im Glauben, scharf in der Lehre, frei in allem - so steht er da vor meinem inneren Auge. Das ist das Erbe, das er weitergab.

Denkwürdige Daten in Cadiz

Die Aussicht über den Hafen in Cadiz ist traumhaft. Hundert Jahre sind vergangen, seit Johan Oscar Smith hier in Spanien vor Anker gelegen hat. Ich bin seinem Kielwasser gefolgt und nutze die Siesta, um einen Blick in eine Reihe Notizen zu werfen, aus denen einmal einige Kapitel für das vorliegende Buch werden sollen. Einen Korb mit Brot, Käse und Wein habe ich mir mitgenommen, nun sitze ich hier auf einem Hügel im Schatten eines Apfelsinenbaumes. Aus den Notizen tauchen einige Zahlen auf, wirbeln durcheinander und ordnen sich schließlich nach einem Gesetz. Diese Zahlen beschäftigen mich und wollen mich irgendwie nicht loslassen. Es ist diese Häufung norwegischer Freiheitsdaten, die eine Linie bilden mit den persönlichen Daten des Vaters Christian Johansen Smith und seines Sohnes Johan O. Smith.

Christian wurde am 7. Juni 1846 geboren. Der 7. Juni wurde viele Jahre später, 1905, als die Staatsunion mit Schweden ihr Ende fand und König

Haakon VII. in Norwegen eintraf, der offizielle norwegische Unabhängigkeitstag. Am gleichen Tag, im Jahre 1945, kam der König nach fünfjährigem kriegsbedingtem Aufenthalt aus London zurück.

Der Tag der Bekehrung Johan O. Smiths, der 17. Mai, ist Norwegens Nationalfeiertag, und sein Todestag, der 1. Mai, ein Staatsfeiertag. Das Datum seiner Beisetzung, der 8. Mai, sollte zwei Jahre später, 1945, der Tag der Befreiung Norwegens werden - der Zweite Weltkrieg war zu Ende. Fünfzig Jahre später wurde dieses Datum in aller Welt feierlich gewürdigt.

Es gibt zuhauf solche eigenartigen Zufälligkeiten im Leben Smiths, oder, wie die Freunde lächelnd zu sagen pflegen, wenn ich von solchen merkwürdigen Koinzidenzen rede: So ist eben Gottes vollkommene Führung.

Fachbegriffe aus der Marinesprache

anbrassen: Die Rahen (= Querstangen am Mast zum Festmachen der Segel) so drehen, daß das Schiff „am Wind", d. h. schräg gegen den Wind, fahren kann.
Auflieger: Außer Dienst gestelltes Schiff.
Brigg: Zweimastiges Segelschiff mit vollgetakelten Masten.
Dampffregatte: Segelfregatte mit Dampfmaschine. *Kong Sverre* lief 1860 vom Stapel und wurde der „Schrecken Europas" genannt. Das Schiff hatte eine Wasserverdrängung von 3 472 Tonnen und 600 Mann Besatzung. Viele Jahre lang wurde es als Schul- und Wohnschiff benutzt. 1932 abgewrackt.
Dampfkorvette: Segelschiff mit Dampfmaschine; z. B. *Ellida*, auf der Johan O. Smith 1890 eingeschifft war. *Ellida* wies eine Wasserverdrängung von 1006 Tonnen auf und besaß eine Besatzung von 128 Mann.
Feuerwerker: Munitionsfachmann im Rang eines Feldwebels.
Gast (Mehrzahl: Gasten): Mannschaftsdienstgrad auf einem Schiff.
Glasen: Die Wachdienste auf einem Kriegsschiff werden jeweils in vierstündigen Schichten abgeleistet, die ihrerseits in halbstündige Abschnitte (Glasen) unterteilt sind. Der Ausdruck ist ein Überbleibsel aus der Zeit, als man die Zeit mit Hilfe von Halbstundengläsern ermittelte, die im Laufe einer Wache achtmal umgedreht wurden. Bei jedem Umdrehen des Glases wurde gleichzeitig die Schiffsglocke angeschlagen. Daher der Begriff „Glasen schlagen". Drei Glasen während der Hundewache entsprechen also 1.30 Uhr nachts.
Hundewache: Von Mitternacht bis 4 Uhr morgens. Der Begriff ist heute noch gebräuchlich.
Kanonenboote: Schiffe verschiedener Größe. *Viking* hatte z. B. 1 200 Tonnen Wasserverdrängung bei einer Besatzung von 150 Mann, während *Sleipner* (nicht zu verwechseln mit dem gleichnamigen deutschen Schiff) 720 Tonnen Wasserverdrängung und 90 Mann Besatzung aufwies.
Karljohansvern: Marinestützpunkt mit Werft auf einer Landzunge bei Horten im Oslofjord. Der Ausbau zum norwegischen Hauptmarinestützpunkt einschl. Werft begann 1818.
Kauffahrer (Kauffahrteischiff): Handelsschiff.
Konstabel (in drei Klassen): In der norwegischen Marine früher übliche Bezeichnung eines Unteroffiziersschülers, nicht zu verwechseln mit der gleichlautenden Bezeichnung für den Geschützmeister auf deutschen Segelkriegsschiffen.
Leichter: Ein kleineres Wasserfahrzeug zum Leichtern, d. h. Entladen größerer Schiffe.
Messe: Schiffskantine, auch Aufenthaltsraum.

Monitor: Gepanzertes Schiff mit Geschützturm. *Thor* hatte voll ausgerüstet eine Wasserverdrängung von 2 035 Tonnen bei einer Länge von 62,30 Metern und einer Breite von 14,60 Metern.
Panzerschiff: Größeres Kriegsschiff. Das Küstenpanzerschiff *Norge* z. B. hatte eine Länge von 95 Metern bei einer Breite von 16 Metern. Es nahm 270 Mann Besatzung auf, bei Ausbildungsfahrten auch über 300 Mann. Voll ausgerüstet betrug die Wasserverdrängung 4 233 Tonnen. Dieses Schiff wurde 1940 zu Beginn der Schlacht um Narvik von deutschen Zerstörern versenkt.
Schaluppe: Großes Beiboot eines Schiffes zur Personen- und Güterbeförderung.
Schwabber: Besenartiger Aufnehmer zum Säubern der Decks.
Seekriegsschule ***(Sjøkrigsskole):*** Institution für die Ausbildung des Offiziersnachwuchses der norwegischen Marine, entspricht der deutschen Marineschule.
Seemannsschule: Lehranstalt für die theoretische Ausbildung von Seeleuten der Handelsmarine; entspricht heute in Deutschland einer Seefahrtsschule.
Seemilitärisches Korps ***(Sjømilitære Korps):*** Diese Institution war in der norwegischen Marine von 1750 bis 1985 für die Ausbildung der Unteroffiziere zuständig. Seitdem gibt es in der norwegischen Marine keine Unteroffiziere mehr. An die Stelle des Seemilitärischen Korps' trat die *Befalsskole for Marinen,* eine Schule für Offiziersanwärter.
Marineoffizier-Vereinigung ***(Sjømilitære Samfund):*** Kameradschaftsverband der ausgebildeten Seeoffiziere in der Marine.
Torpedobootszerstörer: *Valkyrien* („Walküre"), 415 Tonnen, Länge 60 Meter, 59 Mann Besatzung. Zusätzlich zu den Kanonen war die *Valkyrien* mit Torpedos bewaffnet. Für dieses in Deutschland (bei Schichau in Elbing) gebaute Schiff hatten norwegische Frauen die Geldmittel zusammengetragen, daher die Namensgebung.
Stelling: Marinesprachgebrauch für „Gangway".
Travalje: Schmales und leichtes Beiboot zum Transport von Personen oder Kleinigkeiten. Auch als Arbeitsboot bezeichnet.
Unteroffiziere der Marine: Die Ausbildung der norwegischen Unteroffiziere erfolgte im Seemilitärischen Korps *(Sjømilitære Korps)*; nach Durchlaufen der verschiedenen Konstabel-Klassen schlugen die fertigen Unteroffiziere die jeweiligen, damals noch (wie auch in der Kaiserlichen Marine) getrennten Laufbahnen ein, zum Beispiel am Geschütz als Stückmeistersmaat *(Kanonér)*. Dem norwegischen *Kanonér* und *Overkanonér* entsprachen in der Kaiserlichen Marine der Stückmeister und Oberstückmeister, die als sog. Deckoffiziere bezeichnet wurden, d. h. sie nahmen eine Zwitterstellung zwischen Unteroffizieren und Offizieren ein. Solche Dienstgrade konnten nur durch hervorragende Leistungen erlangt werden.
Wimpel: Neben der Kriegsflagge das äußere Zeichen eines im Dienst befindlichen Kriegsschiffes.

Quellennachweis und Danksagung

Die Geschichte der Bekehrung Johan O. Smiths wurde so sorgfältig wie möglich anhand der erhältlichen Fakten rekonstruiert und literarisch aufgearbeitet. Der Methodistenkirche, dem Metereologischen Institut und dem Marinemuseum in Horten schulde ich in diesem Zusammenhang großen Dank.

Hinsichtlich der verschiedenen Episoden, die in diesem Buch berichtet werden, konnte auf zahlreiche Briefwechsel der Freunde untereinander zurückgegriffen werden; ein anderer Teil der Informationen - namentlich aus jüngerer Zeit - wurde in persönlichen Gesprächen gewonnen.

Von unschätzbarem Wert waren verschiedene Archive in Norwegen, namentlich das Reichsarchiv, das Staatsarchiv, sowie die Archive des Marinemuseums, des Militärmuseums, des Seefahrtmuseums sowie des Museums der Lebensrettungsgesellschaft sowie die kommunalen Archive in Horten, Fredrikstad, Kristiansand und Oslo.

Mehrere Jahrgänge folgender norwegischer Zeitungen im Zeitraum zwischen 1871 bis 1995 dienten ebenfalls als Quellenmaterial: Aftenposten, Dagbladet, Fredrikstads Blad, Gjengangeren, Hortens Avis, Horten Arbeiderblad, Morgenbladet, Ringerikes Blad, Drammens Tidende, Verdens Gang und Vårt Land; ferner die christlichen Zeitschriften Byposten, Korsets Seier, Missionæren und Såmannen.

Ein großer Teil des Quellenmaterials besteht aus privaten Leihgaben.

Einen besonderen Dank möchte ich dem Fotoarchiv des norwegischen Marinemuseums abstatten, ferner den Fotographen Svein Erik Furulund (von der Zeitung „Aftenposten“) und Willy Steinmo, und darüber hinaus allen Privatpersonen, die Fotos aus ihrem eigenen Bestand leihweise zur Verfügung gestellt haben.

Hinsichtlich der marinefachlichen Besonderheiten leistete Herr Eberhard Schmidt vom Wehrgeschichtlichen Ausbildungszentrum der Marineschule Mürwik wertvolle Dienste bei der Übertragung in die deutsche Sprache. Für seine engagierte und kompetente Beratung sei ihm an dieser Stelle ganz herzlich gedankt; darüber hinaus gebührt auch Fregattenkapitän Håkon Smeböl sowie Kapitänleutnant Eriksen vom Marinemuseum in Horten Dank für wertvolle Informationen.

Literaturverzeichnis

Admiralstab der Kgl. Norwegischen Marine (Hrsg.): Nøytralitetsvernet. 1921
Anker-Goli, Sofus: Sekter i søkelyset. Bergen 1950
Aslaksen, Elias: Forlovelse, ekteskap, skilsmisse. Tananger o. J. (dt. u. d. T.: Verlobung - Ehe - Scheidung. Blaubeuren ³1988)
Aslaksen, Elias: Baktelelse. Tananger o. J. (dt. u. d. T.: Verleumdung. Blaubeuren ⁴1993)
Aslaksen, Elias: Den troendes enhet. Tananger o. J.
Aslaksen, Elias: Den troendes utvikling, tegninger. Tananger o. J. (dt. u. d. T.: Übersicht über die Entwicklung eines Gläubigen. Blaubeuren ³1982)
Aslaksen, Elias: Jeg er korsfestet med Kristus. Tananger o. J. (dt. u. d. T.: Ich bin mit Christus gekreuzigt. Blaubeuren ⁴1991)
Aslaksen, Elias: Måten å ta det på. Tananger o. J. (dt. u. d. T.: Richtiges Verhalten in den Schwierigkeiten meines Lebens. Blaubeuren ⁵1989)
Aslaksen, Elias: Sytti veier til himmelen. Tananger o. J. (dt. u. d. T.: Der Weg des Lebens. Blaubeuren ²1993)
Aslaksen, Elias: (Diverse andere Schriften und Traktate)
Baggethun, Rolf: Horten - ferjestedet som ble marinestasjon og by. Horten 1960.
Barratt, Thomas Ball: Erindringer. Oslo 1941.
Borre bygdebok. Borre 1954.
Bratli, Kjell A.: Sjøoffiser og Samfunnsbygger. Oslo 1995.
Bratli, Kjell A.: De siste årene. Horten 1986.
Bratlie, Sigurd: Bruden og Skjøgen. Stavanger 1992 (dt. u. d. T.: Die Braut und die Hure. Blaubeuren ⁴1995)
Bratlie, Sigurd: De fraskilte som er gifte igjen. Samboere. Tananger o. J. (dt. u. d. T.: Geschieden und wiederverheiratet. Blaubeuren ³1993)
Bratlie, Sigurd: Vi og våre barn. Tananger o. J. (dt. u. d. T.: Wir und unsere Kinder. Blaubeuren ²1987)
Bratlie, Sigurd: Den nye pakt og lovløshetens hemmelighet. Oslo 1975 (dt. u. d. T.: Der neue Bund und das Geheimnis der Gesetzlosigkeit. Blaubeuren ²1988)
Bratlie, Sigurd: (Diverse andere Schriften und Traktate)
Båter og skip. Göteborg 1975
Diesen, Ingulf: Norges vekkelseshistorie gjennom 1000 år. Hovet 1994
Dinklage, Ludwig: Männer, Schiffe, Abenteuer. Bad Aibling o. J.
Erdal, Audun: Spesialavhandling i kirkehistorie. Oslo 1984
Göthe Göthesen: Under seil. Oslo 1982
Hauge, Andreas: Kampene i Norge 1940. Oslo ²1995

v. Henk, Vizeadmiral z. D. (Hrsg.): Zur See. Hamburg 1895 (Neudruck Hildesheim 1995)
Herrens Veier (Liederbuch). Tananger [11]1993
Höst, Jens Ludvig: Erindringer fra marinelivet.
Kinderlob (Liederbuch). Blaubeuren [4]1996
Lieder des Lebens (Liederbuch). Blaubeuren [4]1994
Logbücher folgender Schiffe: Dampfkorvetten *Ellida* und *Nornen*, Dampffregatte *Kong Sverre*, Korvette *Alfen*, Monitor *Thor*, Kanonenboote *Sleipner*, *Viking*, *Fridtjof*, *Æger* und *Gor*, Panzerschiffe *Norge* und *Tordenskjold*, Torpedobootszerstörer *Valkyrien*.
Philadelphia-Konferenz, 11., in Leonberg vom 20. - 26. August 1956, Leonberg 1956
Mandelblomsten (Liederbuch). Tananger [7]1995
Marinens Hovedverft. Skipsbygging på Horten i 150 år. Horten 1968
Norge på Havet. Oslo 1950
Norges Sjøforsvar 1814-1914. Kristiania 1914
Norges vernepliktige sjøoffiserer. Oslo 1938
Norsk Misjonsleksikon. Stavanger 1965
Olafsen, T. K.: Sjøforsvarets artillerivesen. Horten 1965
Sjøforsvarets Befalsforbund. Horten 1980
Sjøkrigsskolen, Den norske. Kristiania 1917
Sjømilitære Samfund (Hrsg.): Sjømilitære Samfunds Marinekalender 1814-1934. Oslo 1934
Smith, Aksel J.: Seg selv.
Skjulte Skatter (Zeitschrift), Jahrgänge 1912-1995
Smith, Aksel J.: Menigheten, Kristi legeme.
Smith, Aksel J.: Den kristelige menighet på Brunstad i Stokke (dt. u. d. T.: Die christliche Gemeinde. Blaubeuren 1994)
Smith, Johan O.: Etterlatte brev. Horten o. J. (dt. u. d. T.: Briefe 1898-1943. Blaubeuren 1991)
Smith, Johan O.: Efeserbrevet og Ruths bok. Stavanger [3]1994 (dt. unter zwei getrennten Titeln: Der Epheserbrief. Blaubeuren [1]1986. Das Buch Ruth. Blaubeuren [2]1995)
Smith, Johan O.: Romerne 7. Stavanger o. J. (dt. u. d. T.: Römer 7. Courbesseaux [2]1978)
Thomassen, Marius: 90 år under rent orlogsflagg. Bergen 1995
Torp, Sverre: Anders og Karen Jörgensen.
Tønnessen, Johan N.: Norsk Styrmannsforening. Oslo 1960
Våre falne. Oslo 1945/46
Wisting, Oscar: 16 år med Roald Amundsen. Oslo 1930
Wolfhagen, O.: Marine-Ordbog. Kopenhagen 1904

Weltweite Verbreitung von Gemeinden (nach Kontinenten geordnet):

Europa

Belgien 1
Bulgarien 7
Dänemark 3
Deutschland 22
Finnland 5
Frankreich 5
Großbritannien 3
Italien 2
Niederlande 15
Norwegen 26
Österreich 6
Polen 3
Portugal 1
Rumänien 16
Rußland 4
Schweden 1
Schweiz 2
Serbien 1
Slowenien 1
Spanien 3
Tschechien 1
Ukraine 3
Ungarn 4
Weißrußland 1

Afrika

Ägypten 1
Äthiopien 1
Eritrea 1
Kamerun 4
Kenia 5
Nigeria 1
Südafrika 6
Uganda 3

Nord- und Südamerika

Argentinien 4
Aruba 1
Brasilien 8
Chile 2
Kanada 4
Paraguay 1
Peru 1
USA 11

Asien

China 3
Hongkong 1
Indien 5
Indonesien 1
Israel 1
Singapur 1
Sri Lanka 1
Türkei 2
Verein. Arab. Emirate . . .3

Australien und Ozeanien

Australien 3

Gesamt:
211 Gemeinden in 50 Ländern

In dieser Liste sind ausschließlich Gemeinden aufgeführt. Orte, zu denen nur Kontakte, auch engerer Art bestehen, erscheinen nicht in dieser Liste.

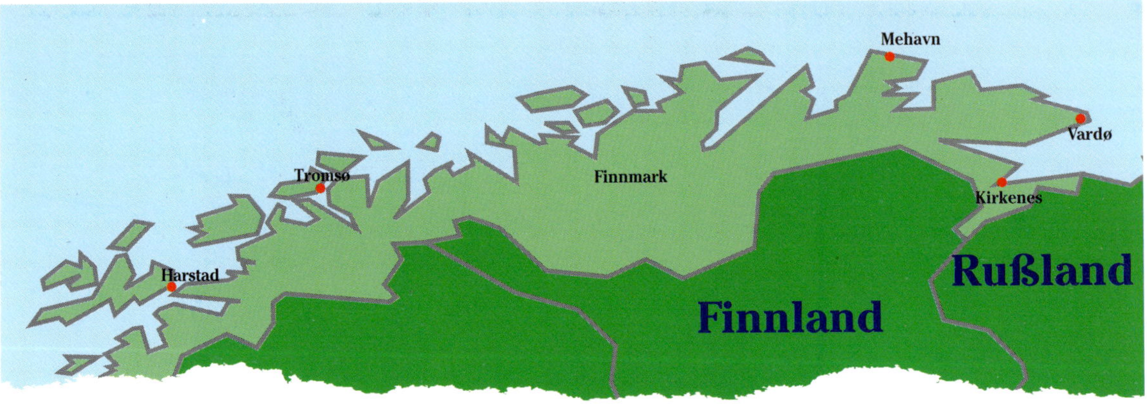
Mehavn
Vardø
Tromsø
Finnmark
Kirkenes
Harstad
Rußland
Finnland

Norwegen
Trondheim
Ålesund
Dombås
Måløy
Østerdalen
Koppang
Trysil
Bergen
Reinli
Bagn
Hamar
Elverum
Valdres
Hønefoss
Stord
Gol
Hallingdal
Flisa
Nesbyen
Oslo
Drammen
Mjøndalen
Drøbak
Hokksund
Horten
Sarpsborg
Haugesund
Tønsberg
Brunstad
Skien
Fredrikstad
Sandefjord
Porsgrunn
Larvik
Halden
Stavanger
Brevik
Jæren
Arendal
Schweden
Kristiansand